Il a été tiré de cet ouvrage :

25 exemplaires sur papier Madagascar des papeteries Navarre, dont 20 exemplaires numérotés de M. 1 à M. 20 et 5 hors commerce marqués H.C.M. 1 à H.C.M. 5 ;

100 exemplaires sur papier de Hollande, Van Gelder, dont 80 exemplaires numérotés de H. 1 à H. 80, et 20 hors commerce marqués H.C.H. 1 à H.C.H. 20 ;

430 exemplaires sur papier pur fil Lafuma des papeteries Navarre, dont 400 exemplaires numérotés de L. 1 à L. 400, et 30 hors commerce marqués H.C.L. 1 à H.C.L. 30.

650 exemplaires sur papier d'alfa mousse des papeteries Navarre, dont 600 exemplaires numérotés de A. 1 à A. 600 et 50 hors commerce marqués H.C.A. 1 à H.C.A. 50.

Le premier tome seul est numéroté.

MÉMOIRES
D'ESPOIR

★

LE RENOUVEAU
1958 - 1962

OUVRAGES DU MÊME AUTEUR

La Discorde chez l'ennemi. (Librairie BERGER-LEVRAULT, 1924.)

Le Fil de l'épée. (Librairie BERGER-LEVRAULT, 1932.)

Vers l'armée de métier. (Librairie BERGER-LEVRAULT, 1934.)

La France et son armée. (Librairie PLON, 1938.)

Mémoires de guerre. (Librairie PLON.)
    ★ *L'appel 1940-1942.*
    ★★ *L'unité 1942-1944.*
    ★★★ *Le salut 1944-1946.*

Discours et Messages. (Librairie PLON, 1970.)
    ★ *Pendant la Guerre (Juin 1940 - Janvier 1946).*
    ★★ *Dans l'Attente (Février 1946 - Avril 1958).*
    ★★★ *Avec le Renouveau (Mai 1958 - Juillet 1962).*
    ★★★★ *Pour l'Effort (Août 1962 - Décembre 1965).*
    ★★★★★ *Vers le Terme (Janvier 1966 - Avril 1969).*

CHARLES DE GAULLE

MÉMOIRES D'ESPOIR

★

LE RENOUVEAU
1958-1962

PLON

MÉMOIRES D'ESPOIR

LE RENOUVEAU
1958 - 1962

LES INSTITUTIONS

La France vient du fond des âges. Elle vit. Les siècles l'appellent. Mais elle demeure elle-même au long du temps. Ses limites peuvent se modifier sans que changent le relief, le climat, les fleuves, les mers, qui la marquent indéfiniment. Y habitent des peuples qu'étreignent, au cours de l'Histoire, les épreuves les plus diverses, mais que la nature des choses, utilisée par la politique, pétrit sans cesse en une seule nation. Celle-ci a embrassé de nombreuses générations. Elle en comprend actuellement plusieurs. Elle en enfantera beaucoup d'autres. Mais, de par la géographie du pays qui est le sien, de par le génie des races qui la composent, de par les voisinages qui l'entourent, elle revêt un caractère constant qui fait dépendre de leurs pères les Français de chaque époque et les engage pour leurs descendants. A moins de se rompre, cet ensemble humain, sur ce territoire, au sein de cet univers, comporte donc un passé, un présent, un avenir, indissolubles. Aussi l'État, qui répond de la France, est-il en charge, à la fois, de son héritage d'hier, de ses intérêts d'aujourd'hui et de ses espoirs de demain.

Nécessité vitale, qui en cas de péril public s'impose tôt ou tard à la collectivité ! Dès lors, pour un pouvoir, la légitimité procède du sentiment qu'il inspire et qu'il a d'incorporer l'unité et la continuité nationales quand la

patrie est en danger. En France, toujours, c'est en raison
de la guerre que les Mérovingiens, les Carolingiens, les
Capétiens, les Bonaparte, la IIIe République, ont reçu
et perdu cette autorité suprême. Celle dont, au fond du
désastre, j'ai été investi à mon tour dans notre Histoire
a été reconnue, d'abord par ceux des Français qui ne
renonçaient pas à combattre, puis à mesure des événements par l'ensemble de la population, enfin à travers
beaucoup de heurts et de dépits par tous les gouvernements du monde. Grâce à quoi, j'ai pu conduire le pays
jusqu'à son salut.

Au sortir du gouffre on l'avait vu, en effet, reparaître
comme un État indépendant et victorieux ; en possession
de son territoire et de son Empire ; recevant avec la Russie,
l'Amérique et l'Angleterre la capitulation du Reich ;
prenant acte, à leurs côtés, de la reddition du Japon ;
disposant, pour compenser ses dommages, de l'économie
de la Sarre et d'une redevance de charbon de la Ruhr ;
accédant, aux côtés des quatre autres « grands », au rang
de fondateur de l'Organisation des Nations Unies et de
membre de son Conseil de Sécurité avec le droit de veto.

Alors, qu'après toutes les humiliations et répressions
endurées dans la servitude, on pouvait croire notre peuple
voué aux convulsions politiques, sociales, coloniales, et
pour finir au communisme totalitaire, on constatait
bientôt, malgré quelques incidents et tumultes limités,
que de Gaulle était partout acclamé ; qu'aucune force
armée ne subsistait en dehors des troupes régulières ;
que la Justice faisait normalement son office ; que des
fonctionnaires qualifiés assuraient le service public ; que
de profondes réformes étouffaient dans l'œuf l'entreprise
révolutionnaire ; que nos dépendances d'outre-mer attendaient avec confiance et patience une émancipation
annoncée et commencée ; qu'en tout et partout c'est
l'ordre, le progrès, la liberté, qu'instituait le nouveau
pouvoir.

Tandis que notre économie avait pu sembler pour longtemps — certains pensaient pour toujours — condamnée
à la paralysie, en raison des terribles dégâts matériels

et humains que nous avions subis, de la destruction de nos chemins de fer, de nos ports, de nos ponts, de nos moyens de transport et de transmission et d'un grand nombre de nos bâtiments, de la ruine financière résultant des prélèvements énormes opérés par les Allemands sur nos ressources, notre équipement, notre trésor, du déracinement prolongé de plusieurs millions de Français, prisonniers, déportés, réfugiés, des réparations écrasantes que nous imposaient tant de dommages causés aux personnes et aux biens, voici que déjà le redressement était en cours. Au milieu des décombres l'activité reprenait sa marche. Tant bien que mal, les besoins élémentaires de la population recevaient satisfaction. Les absents retrouvaient leur place, non sans peines, mais sans bouleversements. L'accroissement des recettes, le rude impôt de solidarité nationale, l'immense succès de l'emprunt de 1945, nous rapprochaient de l'équilibre budgétaire et nous rouvraient la voie du crédit. Bref, quelques mois après la victoire, l'État était debout, l'unité rétablie, l'espérance ranimée, la France à sa place en Europe et dans l'univers.

Pour en arriver là, j'avais trouvé l'adhésion massive du sentiment populaire. Par contre, très réticent était le consentement des organisations, électorales, économiques, syndicales, vite revenues à la lumière. Cependant, bien qu'à peine l'ennemi parti elles élevassent vers moi sur tous les tons et sur tous les sujets de multiples récriminations, je n'avais pas, de leur fait, rencontré d'obstacles tels que je fusse empêché d'accomplir ce qui devait l'être, aussi longtemps qu'il s'était agi du sort immédiat de la patrie. Mais, celui-ci une fois assuré, toutes les prétentions, ambitions et surenchères d'antan se levaient sur notre peuple, comme si les malheurs inouïs qu'elles venaient de lui coûter se trouvaient aussitôt oubliés.

Car les partis reparaissaient, autant vaut dire avec les mêmes noms, les mêmes illusions, les mêmes clientèles, que naguère. Tout en affichant, vis-à-vis de ma personne, la considération que requérait l'opinion, ils prodiguaient les critiques à l'égard de ma politique. Sans contester la valeur des services que j'avais pu rendre au cours d'événements excessifs et, en somme, en leur absence, tous réclamaient à grands cris le retour à ce qui était, à leurs yeux, la normale, c'est-à-dire leur propre régime, prétendant qu'il leur appartenait de disposer du pouvoir. Je dois dire que, dans le public, ne se manifestait aucun courant en sens contraire. Pour chacun de ceux qui, au sein de chaque milieu, du haut de chaque tribune, au nom de chaque groupement, dans les colonnes de chaque journal, avaient à dire ou à écrire quelque chose, tout se passait comme si, en effet, rien ni personne ne représentait le pays, hormis les fractions discordantes qui ne faisaient que le diviser.

Or, si j'étais convaincu que la souveraineté appartient au peuple dès lors qu'il s'exprime directement et dans son ensemble, je n'admettais pas qu'elle pût être morcelée entre les intérêts différents représentés par les partis. Certes, ceux-ci devaient, suivant moi, contribuer à l'expression des opinions et, par suite, à l'élection des députés qui, au sein des Assemblées, délibéreraient et voteraient les lois. Mais, pour que l'État soit, comme il le faut, l'instrument de l'unité française, de l'intérêt supérieur du pays, de la continuité dans l'action nationale, je tenais pour nécessaire que le Gouvernement procédât, non point du Parlement, autrement dit des partis, mais, au-dessus d'eux, d'une tête directement mandatée par l'ensemble de la nation et mise à même de vouloir, de décider et d'agir. Faute de quoi, la multiplicité des tendances qui nous est propre, en raison de notre individualisme, de notre diversité, des ferments de divisions que nous ont laissés nos malheurs, réduirait l'État à n'être, une fois encore, qu'une scène pour la confrontation d'inconsistantes idéologies, de rivalités fragmentaires, de simulacres d'action intérieure et extérieure sans durée et sans portée. Ayant vérifié que la victoire n'avait pu être acquise à la nation que grâce à une autorité qui surmontait toutes ses divergences et mesurant la dimension des problèmes que le présent et l'avenir lui posaient, je voyais que ma grande querelle consisterait, désormais, à la doter d'une République capable de répondre de son destin.

Cependant, je ne pouvais me dissimuler que, le danger passé, une pareille rénovation ne serait pas réalisable avant de dures et nouvelles expériences. D'autant plus certainement que, les contraintes de l'occupation et du régime de Vichy ayant longuement écrasé les libertés françaises, le jeu politique d'autrefois, qualifié de démocratique, recouvrait un lustre perdu. A ce point que beaucoup de mes compagnons d'hier, qui naguère, chefs dans la Résistance, maudissaient les partis, s'efforçaient maintenant de s'y placer au premier rang. D'ailleurs, en reprenant le départ, toutes les organisations électorales ne manquaient pas de jurer qu'elles réprouvaient les anciens abus et sauraient désormais s'en garder. Comme, après la dictature de l'ennemi et de ses complices, je n'avais aucunement l'intention d'établir la mienne, que je voulais noyer dans le suffrage universel la menace, alors immédiate et puissante, du communisme et que j'appelais le peuple à élire une Assemblée Nationale, il me fallait prévoir qu'inévitablement celle-ci appartiendrait aux partis, qu'entre elle et moi il y aurait tout de suite incompatibilité, que nous serions en complet désaccord au sujet de la Constitution qui remplacerait celle de la IIIe République défunte, que de ce fait le pouvoir — fût-il arithmétiquement légal — qui remplacerait le mien serait privé de légitimité nationale.

Dès que les canons s'étaient tus, j'avais fixé mon comportement. A moins de prendre à l'égard des élus des mesures d'ostracisme, de me donner les traits d'un oppresseur succédant à d'autres, de me détruire moi-même en adoptant une position que le courant général des esprits en France et dans tout l'Occident eût rendue très vite intenable, je devrais, plus ou moins longtemps, laisser le régime des partis étaler une fois encore sa nocivité, bien résolu que j'étais à ne pas lui servir de couverture ni de figurant. Je partirais donc, mais intact. Ainsi, le moment venu, pourrais-je être de nouveau le recours, soit en personne, soit par l'exemple que j'aurais laissé. Toutefois, en vue de la suite et avant que ne fût élue l'Assemblée, j'instituai le référendum, fis décider par le peuple que dorénavant son approbation directe était nécessaire pour qu'une Constitution fût valable et créai, par là, le moyen démocratique d'en fonder moi-même, un jour, une bonne, au lieu et place de la mauvaise qui allait être faite par et pour les partis.

Pendant douze ans, leur système fit donc, une fois de plus, ses preuves. Tandis que se nouait et se dénouait sans relâche dans l'enceinte du Palais-Bourbon et dans celle du Luxembourg l'écheveau des combinaisons, intrigues et défections parlementaires, alimentées par les motions des congrès et des comités, sous les sommations des journaux, des colloques, des groupes de pression, dix-sept Présidents du Conseil, constituant vingt-quatre ministères, campèrent tour à tour à Matignon. C'étaient : Félix Gouin, Georges Bidault, Léon Blum, Paul Ramadier, Robert Schuman, André Marie, Henri Queuille, René Pleven, Edgar Faure, Antoine Pinay, René Mayer, Joseph Laniel, Pierre Mendès France, Guy Mollet, Maurice Bourgès-Maunoury, Félix Gaillard, Pierre Pflimlin, tous hommes de valeur et, à coup sûr, qualifiés pour les affaires publiques — six d'entre ces dix-sept avaient été mes ministres, quatre autres le seraient plus tard — mais successivement privés, par l'absurdité du régime, de toute réelle emprise sur les événements. Combien de fois, les voyant se débattre loin de moi dans l'impossible, me suis-je attristé de ce gaspillage ! Quoi que chacun d'eux pût tenter, le pays et l'étranger assistaient donc au spectacle scandaleux de « gouvernements » formés à force de compromis, battus en brèche de toutes parts à peine étaient-ils réunis, ébranlés dans leur propre sein par les discordes et les dissidences, bientôt renversés par un vote qui n'exprimait, le plus souvent, que l'appétit impatient de candidats aux portefeuilles, et laissant dans leurs intervalles des vacances dont la durée atteignait jusqu'à plusieurs semaines. Encore, sur les tréteaux où se jouait la comédie, assistait-on, en intermèdes, aux entrées et sorties des Présidents « consultés », ou « pressentis », ou « investis », avant que l'un fût en charge. A l'Elysée, Vincent Auriol, puis René Coty, chefs de l'État qui n'en

pouvaient mais quel que fût leur souci du bien public
et de la dignité nationale, présidaient avec résignation
aux dérisoires figures de ce ballet.

Pourtant, comme les événements suivaient leur cours
et que la vie ne pouvait s'en abstraire, le pays subissait
souvent d'autres impulsions que celles qu'aurait dû lui
donner l'autorité politique. S'il s'agissait d'affaires intérieures, l'administration, les techniciens, les militaires,
faisaient face de leur propre chef aux cas pressants que
les gens et les choses posaient d'office devant eux. Quant
aux questions extérieures, nonobstant les apparences de
la figuration diplomatique et, parfois, quelques velléités
ministérielles, l'étranger, en fin de compte, déterminait
et obtenait ce qu'il attendait de la France.

Il est vrai que, dans le domaine économique, les exigences de la consommation, succédant à une longue
pénurie, et les immenses besoins de la reconstruction suscitaient automatiquement une forte activité, que l'Organisation du Plan, que j'avais créée avant mon départ,
s'efforçait d'orienter. Aussi, la production industrielle et
agricole ne cessait-elle pas d'augmenter. Mais c'était à
grands frais d'achats au-dehors non compensés par nos
ventes et d'accroissements de salaires sans améliorations
adéquates de la productivité. Faute que l'État mît les
choses en ordre, il payait les déficits. Les crédits du Plan
Marshall, ceux qu'en outre on sollicitait sans relâche à
Washington, les réserves d'or de la Banque de France, mises
à l'abri pendant la guerre à la Martinique, au Soudan français et aux États-Unis, et que j'avais conservées intactes,
surtout le découvert du budget, autrement dit l'inflation,
finançaient le déséquilibre. Mais il en résultait la baisse
chronique de la valeur du franc, la paralysie des échanges,
l'épuisement de notre crédit, bref la menace grandissante
d'une faillite monétaire et financière et d'un effondrement
économique. Sans doute, par épisodes, l'heureuse action
de certains ministres, comme Antoine Pinay et Edgar
Faure, amenait-elle quelque soulagement. Mais, après leur
passage, la confusion reprenait son cours.

Dans de telles conditions, rien n'était fait au point de

vue social pour ajouter quoi que ce fût à ce que mon gouvernement avait réalisé lors de la Libération. A travers des grèves en série, on se bornait à ajouter aux rémunérations de toutes sortes des pourcentages que réglaient, en réalité, des émissions de billets dè banque et de bons du Trésor et que la hausse des prix remettait, à mesure, en cause. Il est vrai que les assurances sociales, les allocations familiales, les nouvelles règles des baux agricoles, telles que je les avais naguère mises en vigueur, remédiaient suffisamment aux drames de la misère, de la maladie, du chômage, de la vieillesse, pour qu'il n'en sortît pas de révoltes. Mais, quant aux problèmes de longue haleine, comme ceux du logement, des écoles, des hôpitaux, des communications, on laissait s'accumuler des retards qui compromettaient l'avenir.

Tandis qu'à l'intérieur l'élasticité naturelle de notre pays atténuait quelque peu les conséquences immédiates de l'inconsistance officielle, il n'en était pas de même pour sa situation au-dehors. Ce que j'avais réalisé, moyennant d'âpres efforts, quant à l'indépendance, au rang et aux intérêts de la France, fut aussitôt compromis. Faute du ressort grâce auquel nous nous tenions debout, c'est à satisfaire les autres qu'en somme s'employait le régime. Bien entendu, il trouvait, pour couvrir cet effacement, les idéologies voulues : l'une, au nom de l'unité de l'Europe, liquidant les avantages que nous avait valus la victoire ; l'autre, sous prétexte de solidarité atlantique, soumettant la France à l'hégémonie des Anglo-Saxons.

Ainsi était accepté, malgré l'absence de garanties valables, le rétablissement d'un pouvoir central allemand dans les trois zones occidentales. Ainsi était instituée la « Communauté européenne du charbon et de l'acier », qui, sans donner à nos mines détruites les moyens de se rétablir, dispensait les Allemands de nous fournir des redevances en combustibles et procurait aux Italiens ce qu'il fallait pour se doter d'une grande sidérurgie. Ainsi étaient abandonnés le rattachement à la France de l'économie de la Sarre et le maintien dans ce territoire de l'État autonome qui s'y était créé. Ainsi était conclue — et eût été appli-

quée si un sursaut national ne l'avait « in extremis » exor-
cisée — la création d'une « Communauté européenne de
défense », qui consistait à priver la France victorieuse du
droit d'avoir une armée, à confondre les forces militaires
qu'elle devrait, néanmoins, lever avec celles de l'Allemagne
et de l'Italie vaincues — l'Angleterre se refusant pour
son compte à un pareil abandon — enfin à remettre en
toute propriété le commandement de cet ensemble apatride aux États-Unis d'Amérique. Ainsi, une fois adoptée,
à Washington, la déclaration de principe dite « Alliance
atlantique », était mise sur pied l'« Organisation du traité
de l'Atlantique-Nord », en vertu de laquelle notre défense
et, par là, notre politique disparaissaient dans un système
dirigé par l'étranger, tandis que le généralissime américain,
installé près de Versailles, exerçait sur l'Ancien Monde
l'autorité militaire du Nouveau. Ainsi, lors de l'affaire
de Suez, l'expédition que Londres et Paris entreprenaient
contre Nasser était montée de telle sorte que les forces
françaises de toute nature et à tous les échelons se trouvaient placées sous les ordres des Britanniques et qu'il
suffît que ceux-ci aient décidé de rappeler les leurs sur
sommation de Washington et de Moscou pour que les
nôtres fussent retirées.

Mais c'était sur l'évolution des rapports entre la métropole et les territoires d'outre-mer que l'indécision de
l'État se faisait surtout sentir. D'autant plus qu'un immense mouvement d'indépendance soulevait au même
moment tous les peuples colonisés. Par suite de l'affaiblissement relatif de l'Angleterre et de la France, de la défaite
de l'Italie, de la subordination de la Hollande et de la
Belgique aux intentions des États-Unis, de l'effet produit
sur les Asiatiques et sur les Africains par les batailles
livrées sur leur sol et pour lesquelles les colonisateurs
avaient eu besoin de leur concours, du déferlement des
doctrines qui, libérales ou socialistes, exigeaient pareillement l'affranchissement des races et des hommes, enfin
de la vague des désirs que suscitait dans ces masses dépourvues le spectacle de l'économie moderne, l'univers s'offrait
à un bouleversement en sens inverse mais aussi profond

que celui qui avait jadis déclenché les découvertes et les conquêtes des puissances de la vieille Europe. Il était clair que c'en était fait des lointaines dominations qui avaient fondé les empires. Mais peut-être serait-il possible de transformer les anciennes relations de dépendance en liens préférentiels de coopération politique, économique et culturelle?

Au nom de la France, j'avais, dès janvier 1944, lors de la Conférence de Brazzaville, pris sur ce vaste sujet l'orientation nécessaire, puis, en 1945, poursuivi dans la même voie, en accordant le droit de vote à tous, en Algérie, en Afrique Noire, à Madagascar, en recevant solennellement à Paris, comme des souverains appelés à l'être à part entière, le bey de Tunis et le roi du Maroc, en donnant à d'Argenlieu et à Leclerc, que j'envoyais en Indochine avec des forces considérables, l'instruction de s'établir seulement dans le Sud et, à moins que j'en donne l'ordre, de ne pas aller au Nord où gouvernait déjà Ho Chi-minh avec qui ma mission Sainteny était en contact préalable à des négociations. N'ayant aucunement l'illusion que, du jour au lendemain, un ensemble fondé sur une association libre et contractuelle remplacerait notre Empire sans heurts et sans difficultés, je tenais, cependant, cette grande œuvre pour possible. Mais il fallait qu'elle fût conduite avec continuité par un gouvernement résolu et qui parût aux peuples intéressés représenter réellement cette France généreuse et vigoureuse qui, lors de la Libération, leur avait semblé se révéler.

Évidemment, le régime des partis ne répondait pas à de telles conditions. Juxtaposition de tendances opposées, chacune d'ailleurs faite pour le verbe, non pour l'action, comment eût-il assumé les choix catégoriques qu'imposait la décolonisation? Comment eût-il surmonté et, au besoin, brisé toutes les oppositions de sentiments, d'habitudes, d'intérêts, qu'une pareille entreprise ne pourrait manquer de dresser? Sans doute, au milieu de ses attitudes successives et disparates, certains de ses principaux représentants prirent-ils des initiatives qui étaient bien inspirées.

Mais celles-ci n'allaient point jusqu'au terme en raison des contradictions où se débattaient les pouvoirs.

Pour l'Indochine, la première tendance qui avait suivi mon départ avait été d'inviter Ho Chi-minh à Paris et de traiter avec lui, qui d'ailleurs s'y était prêté. Mais, ensuite, c'est l'emploi de la force qu'on avait laissé prévaloir. Après quoi, s'était déroulée une lutte sombre et lointaine de huit ans au cours de laquelle alternaient, sans qu'on parvînt à se décider, l'intention de gagner la guerre et celle de faire la paix. Quels que fussent, sur le terrain, le courage et les pertes des combattants, les efforts et les mérites des administrateurs, le résultat final était un grave revers militaire suivi d'une inévitable, mais humiliante, liquidation politique.

Quant aux protectorats du Maroc et de la Tunisie, tantôt on penchait vers la contrainte, allant jusqu'à arrêter et détenir en exil le sultan Mohammed V et à mettre Bourguiba en résidence surveillée, tantôt on essayait une ouverture cordiale, rétablissant sur son trône le souverain chérifien, accordant l'autonomie interne à la Régence de Tunisie, reconnaissant même l'indépendance formelle de chacun des deux États. Mais, faute de se résoudre à achever la transformation, on maintenait sur place un reste d'autorité française chaque jour battue en brèche et des forces militaires qui n'y faisaient plus rien qu'essuyer des avanies.

Dans les territoires d'Afrique Noire et de Madagascar, après avoir résisté au mouvement qui les portait à revendiquer le droit de disposer d'eux-mêmes et, notamment, réprimé une révolte sanglante dans la grande île de l'océan Indien, on avait, à l'initiative de Gaston Defferre, appliqué la loi-cadre qui créait des gouvernements et des parlements autochtones avec d'importantes attributions législatives et administratives, sans toutefois qu'on prît son parti d'aller plus loin que ce début ; la réforme restant incomplète et en porte à faux.

Mais c'est au sujet du sort de l'Algérie que l'indécision du régime s'étalait le plus cruellement. Jusqu'à ce que l'insurrection ait éclaté, les ministères successifs et éphémères de Paris n'avaient fait que louvoyer. Il est vrai

qu'en 1947 était adopté un Statut de l'Algérie qui y créait
une assemblée élue au suffrage universel, ayant qualité
pour voter le budget et délibérer des affaires du Gouvernement-général. C'était là un pas important dans la
bonne voie et, pour peu qu'on en voulût faire d'autres,
la marche du territoire vers la prise en main de ses affaires
par ses propres habitants et l'apparition progressive d'un
État algérien associé à la République française se fussent
sans doute accomplies pacifiquement. Par malheur,
l'action d'une grande partie des éléments de souche
française et la routine administrative avaient bloqué
l'évolution. Ainsi se refusait-on à modifier le système des
deux collèges électoraux, celui des Français à part entière,
soit un dixième des citoyens, et celui de tous les autres,
alors que chaque collège élisait la moitié des représentants
et que, pour le second, les pressions officielles influaient
fortement sur les candidatures et les résultats du scrutin.
Après avoir, tout d'abord, envisagé favorablement le
Statut de l'Algérie, la masse musulmane et son élite politique devaient bientôt reconnaître que la réforme était
faussée, renonçaient à l'espérance qui les avait saisies au
moment de la libération de la France et concluaient que
la leur ne viendrait pas par la voie légale.

Les combats ayant commencé le 1er novembre 1954
pour ne plus cesser de s'étendre, le régime se mit à osciller
entre des attitudes diverses. En fait, beaucoup de ses
dirigeants discernaient que le problème exigeait une solution fondamentale. Mais, prendre les dures résolutions
que celle-ci comportait, vaincre tous les obstacles qui s'y
opposaient sur place et dans la métropole, braver la malveillance de la presse et des groupes parlementaires qui
se nourrissaient de l'émotion publique et des crises politiques provoquées par cette énorme affaire, c'était trop
pour des ministères chancelants. En dehors de quelques
gestes dans le sens de la négociation, de certains contacts
indirects avec ·l'organisation insurrectionnelle réfugiée au
Caire, de mesures épisodiques d'adoucissement de la
répression, de la nomination, presque aussitôt rapportée,
d'un ministre, le général Catroux, symbolique de l'apaise-

ment, on se bornait donc à entretenir, en soldats, en armes et en argent, la lutte qui sévissait dans toutes les régions de l'Algérie et au long de ses frontières. Matériellement c'était coûteux, car il y fallait des forces totalisant 500 000 hommes. Vis-à-vis du dehors c'était cher, parce que le monde, dans son ensemble, réprouvait ce drame sans issue. Enfin, du point de vue de l'autorité de l'État, c'était proprement ruineux.

Ce l'était surtout eu égard à l'armée. Assumant non seulement les épreuves du combat, mais aussi la rigueur, parfois l'odieux, de la répression, étant au contact des alarmes de la population française d'Algérie et des auxiliaires musulmans, hantée par l'angoisse d'un aboutissement qui serait, comme en Indochine, le revers militaire infligé à ses drapeaux, l'armée, plus que tout autre corps, éprouvait une irritation croissante à l'égard d'un système politique qui n'était qu'irrésolution.

Au début du printemps de 1958, si passive que la masse française demeurât en apparence, tout concourait donc à y répandre l'inquiétude. Chacun sentait que le déséquilibre financier exigeait des mesures rigoureuses, qu'à l'extérieur seul l'étranger tirait profit du rôle subordonné auquel nous nous étions réduits, surtout que la colonisation et, d'abord, celle de l'Algérie n'étaient plus qu'hypothèques stériles. Or, il devenait évident, même aux yeux les plus prévenus, que, le régime étant impuissant à résoudre ces problèmes, la question du salut public risquait fort de se poser. Du même coup se levait d'instinct au fond de beaucoup d'esprits, soit qu'on l'exprimât tout haut, soit qu'on en convînt en silence, un mouvement grandissant vers le recours à de Gaulle.

J'étais, alors, complètement retiré, vivant à La Boisserie dont la porte ne s'ouvrait qu'à ma famille ou à des personnes du village, et n'allant que de loin en loin à Paris où je n'acceptais de recevoir que de très rares visiteurs. Pourtant, j'avais fait beaucoup pour essayer de changer la situation avant qu'elle ne tournât mal. Dès le 16 juin 1946, j'exposais, à Bayeux, ce que devrait être notre Constitution, étant donné ce que sont notre peuple et notre temps. Puis, comme était finalement votée celle qui, à l'opposé, instituait la IVe République, j'avais tenté de rassembler le peuple français sur l'intérêt primordial et permanent de la France et d'aboutir à un régime nouveau. Mais, en dépit d'un grand effort d'information populaire, d'innombrables réunions publiques que j'animais en personne dans tous les départements de la métropole et de l'Algérie et dans tous les départements et territoires d'outre-mer, d'un vaste et ardent concours d'adhésions et de dévouements fourni par tous les milieux, surtout par les plus modestes, je n'avais pu l'emporter. Sans doute le « Rassemblement » obtenait-il, en 1947, d'impressionnants succès aux élections municipales, en particulier dans la capitale où mon frère Pierre devenait Président du Conseil de Paris, pour le rester — fait sans précédent — cinq années consécutives. Sans doute le Conseil de la République, qui venait d'être créé, voyait-il plus d'un tiers de ses membres former sous sa présidence un « Intergroupe du Rassemblement ». Mais la résistance acharnée et conjuguée des partis, la malveillance des syndicats et, simultanément, celle des dirigeants d'entreprises, qui, bien qu'opposés entre eux, se méfiaient, les uns et les autres, de mes projets de réforme sociale, l'hostilité de presque toute la presse, parisienne, provinciale, étrangère, l'interdiction faite par le gouvernement à la Radio française de diffuser mes discours, enfin un système électoral dit « des apparentements », adopté pour la circonstance et qui truquait la représentation des opinions par les suffrages, parvenaient à empêcher l'entrée à l'Assemblée Nationale d'un nombre suffisant de députés décidés à changer le régime. Aux élections législatives de 1951, cent vingt-cinq élus seulement l'étaient sous le signe de la croix de Lorraine. Ce que voyant, certains d'entre eux quittaient l'organisation dont ils s'étaient réclamés. C'est pourquoi, bientôt après, constatant la tournure des choses, je mettais un terme au « Rassemblement ». Depuis 1952 jusqu'en 1958, j'allais employer six années à écrire mes « Mémoires de guerre », sans intervenir dans les affaires publiques, mais sans douter que l'infirmité du système aboutirait, tôt ou tard, à une grave crise nationale.

Celle qui éclata, le 13 mai, à Alger ne me surprit donc nullement. Cependant, je ne m'étais mêlé d'aucune façon, ni à l'agitation locale, ni au mouvement militaire, ni aux projets politiques qui la provoquaient, et je n'avais aucune liaison avec aucun élément sur place ni aucun ministre à Paris. Il est vrai que Jacques Soustelle, un de mes compagnons les plus proches pendant la guerre puis au « Rassemblement », avait été Gouverneur Général de l'Algérie, nommé par Pierre Mendès France et rappelé par Guy Mollet. Mais jamais, ni au cours de sa mission, ni après son retour, il ne m'avait adressé la moindre communication. Il est vrai que, passant au Sahara, en 1957, pour assister à des tirs de fusées sur le terrain de Hammaguir et pour visiter l'exploitation commencée du pétrole à Edjelé et à Hassi-Messaoud, j'avais reçu à Colomb-Béchar Robert Lacoste, ministre de l'Algérie, mais sans le revoir ensuite. Il est vrai que deux ou trois personnages entreprenants, qui avaient participé à mon action au temps où j'en exerçais une, séjournaient en Algérie pour répandre l'idée qu'il faudrait bien, un jour, me charger du salut public. Mais ils le faisaient en dehors de mon aval et sans m'avoir même consulté. Il est vrai, enfin, qu'après la dissolution du « Rassemblement », plusieurs parlementaires qui en faisaient partie étaient devenus membres de tel ou tel des ministères qui se succédaient. Mais je n'avais avec eux aucun contact. Pourtant, je n'en voyais pas moins apparaître tous les signes de la tension croissante où se trouvaient à la fois les instances politiques à Paris et les milieux militaires, administratifs et populaires en Algérie.

Le 15 avril, était renversé le ministère Félix Gaillard. Après quoi, pendant quatre semaines, Georges Bidault, puis René Pleven ne parvenaient pas à en tirer un autre de la déliquescence du régime. Si Pierre Pflimlin semblait y réussir le 12 mai, c'était dans une atmosphère telle que nul ne croyait que cela pût être efficace. En même temps, à Alger, la fièvre ne cessait pas de monter et d'autant plus

que le ministre Robert Lacoste exprimait publiquement
la crainte d'un « Dien-Bien-Phu diplomatique », que
l'Union des associations d'anciens combattants exigeait
que, « par tous les moyens, soit instauré un gouvernement
de salut public », que le général Salan, commandant en
chef, télégraphiait à Paris pour évoquer la possibilité
« d'une réaction de désespoir de l'armée ». Je ne pouvais
donc douter que l'explosion fût imminente.

Je ne doutais pas non plus que, du coup, il me faudrait
entrer en ligne. En effet, à partir du moment où l'armée,
passionnément acclamée par une nombreuse population
locale et approuvée dans la métropole par beaucoup de
gens écœurés, se dressait à l'encontre de l'appareil officiel,
où celui-ci ne faisait qu'étaler son désarroi et son impuissance, où dans la masse aucun mouvement d'adhésion
et de confiance ne soutenait les gens en place, il était clair
qu'on allait directement vers la subversion, l'arrivée
soudaine à Paris d'une avant-garde aéroportée, l'établissement d'une dictature militaire fondée sur un état de
siège analogue à celui d'Alger, ce qui ne manquerait pas
de provoquer, à l'opposé, des grèves de plus en plus étendues, une obstruction peu à peu généralisée, des résistances
actives grandissantes. Bref, ce serait l'aventure, débou-
chant sur la guerre civile, en la présence et, bientôt, avec
la participation en sens divers des étrangers. A moins
qu'une autorité nationale, extérieure et supérieure au
régime politique du moment aussi bien qu'à l'entreprise
qui s'apprêtait à le renverser, rassemblât soudain l'opinion, prît le pouvoir et redressât l'État. Or, cette autorité-là
ne pouvait être que la mienne.

Du recommencement, dont l'obligation fond sur moi
dans ma retraite, je me sens donc l'instrument désigné.
Le 18 juin 1940, répondant à l'appel de la patrie éternelle
privée de tout autre recours pour sauver son honneur
et son âme, de Gaulle, seul, presque inconnu, avait dû
assumer la France. Au mois de mai 1958, à la veille d'un
déchirement désastreux de la nation et devant l'anéantissement du système prétendument responsable, de Gaulle,

notoire à présent, mais n'ayant pour moyen que sa légitimité, doit prendre en charge le destin.

J'ai peu d'heures pour m'y décider. Car les révolutions
vont vite. Cependant, il me faut fixer le moment où,
fermant le théâtre d'ombres, je ferai sortir « le dieu de la
machine », autrement dit où j'entrerai en scène. Vaut-il
mieux intervenir sans délai afin d'étouffer dans l'œuf le
malheur qui va naître, quitte à être ensuite contesté et
contrarié par des gens rassérénés, ou au contraire attendre
que, les faits devenant violents, le concert de toutes les
terreurs m'assure un consentement général et prolongé?
Évaluant les frais, je choisis d'agir aussitôt. Mais, alors,
vais-je m'en tenir à rétablir dans l'immédiat une certaine
autorité du pouvoir, à remettre momentanément l'armée
à sa place, à trouver une cote mal taillée pour atténuer
quelque temps les affres de l'affaire algérienne, puis à
me retirer en rouvrant à un système politique détestable
une carrière de nouveau dégagée? Ou bien vais-je saisir
l'occasion historique que m'offre la déconfiture des partis
pour doter l'État d'institutions qui lui rendent, sous une
forme appropriée aux temps modernes, la stabilité et la
continuité dont il est privé depuis cent soixante-neuf ans?
Vais-je faire en sorte qu'à partir de là il devienne possible
de résoudre le problème vital de la décolonisation, de
mettre en œuvre la transformation économique et sociale
de notre pays à l'époque de la science et de la technique,
de rétablir l'indépendance de notre politique et de notre
défense, de faire de la France le champion d'une Europe
européenne tout entière réunie, de lui rendre dans l'univers, notamment auprès du tiers monde, l'audience et
le rayonnement qui furent les siens au long des siècles?
Sans nul doute, voilà le but que je puis et que je dois
atteindre.

Soit ! En dépit des difficultés que je rencontre en moi-
même : mon âge — soixante-sept ans —, les lacunes de
mes connaissances et les limites de mes capacités, si rudes
que puissent être les obstacles que je ne manquerai pas
de trouver dans notre peuple, toujours mobile, et que presque tous ses cadres, politiques, intellectuels, sociaux, vou-

dront mener en sens opposé, enfin, malgré la résistance
que les États étrangers opposeront à la puissance renais-
sante de la France, je vais, pour la servir, personnifier
cette grande ambition nationale.

Il s'agit, pour commencer, de reprendre en main l'État.
A cet égard, j'ai le sentiment que, sur le moment, les résistances ne tiendront guère. Connaissant mon monde, je
pense qu'à Alger, aussi bien qu'à Paris, ce qui domine
chez ceux qui sont en charge c'est la crainte d'être entraînés
dans des actions de force et que beaucoup pensent à moi
dans l'espoir que je saurai leur éviter de les entreprendre.
Certes, le 13 mai, sont apparus en Algérie les « Comités de
Salut public », formés d'officiers et de civils, qui poussent
aux attitudes de combat et s'emparent des attributions
des préfets et des sous-préfets. Mais le haut-commandement
militaire donne l'impression qu'il ne tient pas à entrer
dans l'irréparable. Si l'armée réprouve ouvertement l'impuissance du système politique qui risque d'avoir des
conséquences désastreuses pour elle, si elle trouve expé-
dient de mettre sous sa coupe l'administration locale en
alléguant qu'ainsi sera facilitée la lutte contre l'insurrection,
maints éléments militaires n'envisagent pas volontiers
la perspective de la rupture avec la métropole, de
l'expédition lancée sur la capitale et de la prise du pouvoir.
Au bord du large Rubicon qu'est la Méditerranée, grands
chefs, officiers, soldats, souhaitent, en général, qu'apparaisse à Paris un gouvernement capable d'assumer les
responsabilités nationales et qui leur épargne à eux-mêmes
les aventures de l'indiscipline. Mais, étant convaincus
qu'un tel gouvernement le régime ne le fournira pas,
leur angoisse découvre soudain que c'est à moi d'y pourvoir. Dès le 14 mai, le général Salan, qui la veille a dû
céder pièce par pièce à la foule déchaînée le bâtiment du
Gouvernement, prononce au balcon du « Forum » quelques
phrases terminées par le cri de « Vive de Gaulle ! » Ainsi
est publiquement posée la question qui déjà, partout,
hante l'esprit de tout le monde.

A Paris, les milieux officiels ne pensent plus à autre
chose. En dehors des nouvelles que j'en ai par la radio et

par les journaux, les communications d'Olivier Guichard,
mon agent de liaison, me tiennent au courant d'une
confusion qui met mon personnage à l'ordre du jour dans
les propos et les calculs. D'autant plus que, face à la
dissidence, ce qu'on appelle encore par habitude le pouvoir donne aussitôt des signes d'abandon. Le 13 mai,
après l'émeute d'Alger, Félix Gaillard, renversé un mois
plus tôt, mais qui, faute qu'un autre ministère que le sien
ait été depuis mis en place, expédie les affaires courantes
de la présidence du Conseil, a télégraphié à Salan qu'il
n'y a pas lieu d'employer les armes contre les manifestants
et lui a attribué les pouvoirs civils en Algérie. Pendant
la nuit suivante, si le gouvernement de Pierre Pflimlin
est investi par l'Assemblée Nationale, c'est après un débat
où s'étale le désarroi général et à la faveur d'un vote qui
n'accorde à la confiance que 274 voix, tandis que le refus
et l'abstention en totalisent 319. Résultat qui, aux yeux
de tous, exclut jusqu'aux velléités de mesures vigoureuses.
D'ailleurs, le matin du 14, le gouvernement confirme le
général Salan dans ses pouvoirs et, après avoir prescrit
d'interrompre les communications avec l'Algérie, autorise
qu'elles soient rétablies. Au cours de l'après-midi, passant
quelques heures dans la capitale, comme je le fais souvent
le mercredi, le flot des informations qu'on m'apporte rue
de Solferino me donne la mesure des anxiétés qui, de toutes
parts, tout haut ou tout bas, interrogent le général de
Gaulle.

De Colombey, je leur réponds, le 15 mai. En une déclaration de sept lignes, est constatée la dégradation de l'État
qui est la cause du malheur menaçant, stigmatisée la
responsabilité du régime des partis dans ce processus
désastreux, affirmée mon intention d'y porter remède en
assumant de nouveau — j'y suis prêt — les pouvoirs de
la République.

A peine cette déclaration lancée, chacun comprend que
les faits vont s'accomplir. Assurément, les oppositions
partisanes se raidissent à mon sujet. Mais ce sont là gestes
de convention. Personne ne doute, en réalité, qu'à moins
d'aller à la dérive jusqu'au déchirement national, la situa-

tion ne peut avoir d'autre issue que de Gaulle. On voit
alors se former pour me rejoindre le cortège, à chaque
heure grossissant, des consentements, sinon des ardeurs.
En fait, la seule question qui, désormais, se pose à l'appareil politique est celle des formes dans lesquelles s'accomplira son renoncement.

Mais il faut faire vite. Pour prudent que soit encore le
Commandement à Alger, tous les impondérables sont
maintenant en mouvement et risquent de tout emporter.
Alors que le Président Coty s'est adressé publiquement,
le 14, aux généraux, officiers et soldats servant en Algérie
pour les adjurer « de ne pas ajouter aux épreuves de la
patrie celle de la division des Français », toutes les nouvelles annoncent que la tension militaire va croissant. Au
reste, dès le lendemain, la démission du général Ely, chef
d'état-major général, qui exerce l'autorité militaire la
plus haute et dont la conscience qu'il a de ses devoirs est
réputée, montre que l'armée, dans son ensemble, ne soutient plus le régime. Pour m'engager plus avant vis-à-vis
de la nation et faute de disposer de la radio qui m'est
barrée, je convoque la presse pour le 19 mai à l'Hôtel
d'Orsay.

En arrivant à Paris, je sens combien, en quelques jours,
l'atmosphère s'est alourdie. Il est vrai que le ministre de
l'Intérieur, Jules Moch, y contribue pour sa part. Suivant
ses ordres, la police a déployé le maximum de forces aux
abords de la conférence, comme si on pouvait penser que
de Gaulle allait se présenter à la tête d'une troupe de choc
pour s'emparer des bâtiments publics. Au moment même
où, venant de Colombey, incognito, sans autre escorte
que celle du colonel de Bonneval, mon aide de camp, et du
chauffeur Paul Fontenil, je vais voir les seuls journalistes,
le ministre inspecte en personne les longues colonnes de
voitures blindées et de camions armés qui occupent les
deux rives de la Seine. Ce spectacle dérisoire me confirmant
dans ma certitude qu'il est grand temps de remettre la
République en équilibre, je prends devant la presse le
ton du maître de l'heure. Au reste, les questions qu'elle
me pose et qui ont trait à ce que je ferai au pouvoir n'expri-

ment pas le moindre doute sur le fait que je vais m'y trouver. Bien entendu, c'est ma volonté de rétablir l'État à la fois dans son autorité et dans la confiance nationale que j'affirme à cette occasion. Ma conclusion est que je me tiens à la disposition du pays.

Or, les choses se précipitent. En Algérie, où Jacques Soustelle est parvenu sans que j'y sois pour rien, les comités de Salut public continuent d'installer leur dictature. Voulant savoir ce qui se passe dans les faits et dans les intentions, j'invite par télégramme le Commandement militaire à m'envoyer quelqu'un qui me rende compte de la situation. Mon message lui est transmis normalement, sans nul mystère, par le général Lorillot, nouveau chef d'état-major général, avec l'accord de son ministre Pierre de Chevigné. Effectivement, peu après, le général Dulac, accompagné de plusieurs officiers, viendra à Colombey pour me dire, de la part de Salan, que, si à très bref délai je ne prends pas le pouvoir, le Commandement ne pourra pas empêcher un déferlement militaire sur la métropole. A Paris, les milieux officiels affectent encore, il est vrai, de maintenir en fonctionnement le ministère et le parlement. C'est ainsi que sont renouvelés par les Chambres les « pouvoirs spéciaux » attribués au gouvernement et que celui-ci dépose un projet de réforme de la Constitution, tandis que les partis de la droite et du centre affectent de s'inquiéter de mon programme, que les partis de gauche parlent de « défendre la République », que la C.G.T. donne un ordre de grève, au demeurant très peu suivi. Mais l'opinion tout entière comprend à quel point ce jeu est vain. Les joueurs eux-mêmes n'y croient plus. Certains d'entre eux, non des moindres, se tournent ouvertement vers moi.

C'est ce que font, par exemple : Georges Bidault qui publie le 21 mai : « Je suis aux côtés du général de Gaulle » ; Antoine Pinay qui demande et obtient, le 22, de venir à Colombey et qui, m'ayant vu, dit partout : « Le Général ? Mais c'est un brave homme ! » et invite Pflimlin à me rencontrer d'urgence ; Guy Mollet, vice-président du Conseil, qui, le 25, prenant occasion de quelques mots que

j'ai prononcés à son sujet devant la presse, m'adresse
une lettre où, sous les précautions, se dessine le ralliement;
Vincent Auriol qui, le 26, m'écrit : « C'est votre ministre
d'État de 1945 qui vient vers vous... et qui, pour vous
donner sa confiance, n'attend que d'être assuré que vous
ramènerez au devoir les officiers qui ont désobéi ».

Au reste, les événements pressent cette évolution. Le
24 mai, un détachement parti d'Alger a atterri en Corse
sans coup férir, grâce à quoi des comités de Salut public
ont saisi l'autorité à Ajaccio et à Bastia. Les forces de
police envoyées, depuis Marseille, dans l'île pour y rétablir
l'ordre se sont laissé facilement désarmer. Que la solution
politique soit retardée et l'on verra certainement de semblables opérations exécutées dans la métropole, puis diri-
gées sur Paris. On me rapporte, de source officielle, que
cette irruption est prévue par le ministère de l'Intérieur
pour la nuit du 27 au 28. A partir de là, où ira-t-on?

J'accélère donc le progrès du bon sens. Le 26, je convoque
à La Boisserie le préfet de la Haute-Marne Marcel Diebolt
et le charge d'aller immédiatement dire de ma part à
Pflimlin que l'intérêt public lui commande de me voir.
Comme lieu de rencontre, je fixe la résidence, discrètement
située, du conservateur de Saint-Cloud, mon ami Félix
Bruneau. Le préfet remplit sa mission et le président du
Conseil me fait savoir que, le soir même, il se rendra à
l'endroit indiqué.

Je trouve Pierre Pflimlin calme et digne. Il me fait le
tableau de sa situation, celle d'un pilote aux mains de
qui ne répondent plus les leviers de commande. Je lui
déclare que son devoir est d'en tirer les conséquences et
de ne pas demeurer dans une fonction qu'en somme il
n'exerce pas, étant entendu que je suis prêt à faire ensuite
le nécessaire. Sans se prononcer explicitement sur cette
perspective, le président du Conseil me fait sentir qu'il ne
l'exclut pas. Cependant, il me prie d'user tout de suite
de mon prestige pour ramener à la discipline le Commandement en Algérie, ce à quoi lui-même reconnaît être
impuissant. « Rien ne montre », lui dis-je, « mieux que votre
demande, quelle solution s'impose à la République ».

Nous nous séparons cordialement et, à l'aurore, je rentre chez moi, convaincu que Pierre Pflimlin prendra bientôt la détermination que je lui ai tracée cette nuit-là.

Dès le matin, je hâte la marche en avant. Dans une nouvelle déclaration publique, j'annonce que : « J'ai entamé le processus régulier nécessaire à l'établissement d'un gouvernement républicain capable d'assurer l'unité et l'indépendance du pays » ; que « dans ces conditions je ne saurais approuver toute action, d'où qu'elle vienne, qui mette en cause l'ordre public » ; que « j'attends des forces terrestres, navales et aériennes présentes en Algérie qu'elles demeurent exemplaires sous les ordres de leurs chefs : le général Salan, l'amiral Auboyneau et le général Jouhaud ». Ainsi, laissant les augures des couloirs du Palais-Bourbon et des salles de rédaction s'interroger sur ce que peut être le « processus régulier » entamé pour mon avènement, je prescris aux chefs militaires d'arrêter toute intervention nouvelle. Ils le font effectivement.

La journée du 27 mai marque l'ultime essai de survivre tenté par le régime. Car le gouvernement fait adopter par l'Assemblée Nationale une réforme constitutionnelle qui, théoriquement, comporte de bonnes dispositions pour renforcer l'exécutif. Mais tout le monde sent qu'il est trop tard et que rien n'est plus possible. Également irréelles paraissent les réunions et les motions que multiplient les partis et leurs groupes. Sans plus d'importance est le conseil de Cabinet qui siège au cours de la nuit, dont la plupart des membres sont hagards par manque de sommeil et auquel plusieurs ministres s'abstiennent de participer. C'est fini ! Le 28, aux premières heures du matin, Pierre Pflimlin dit à ses collègues : « qu'il va s'entretenir avec le Président de la République ». Il y va, en effet, et lui donne sa démission.

Il ne reste plus au régime qu'à se démettre entre mes mains. Heureusement, le Président Coty prend les initiatives voulues pour que cela n'aille pas sans quelque dignité. Ce vieux et bon Français, bien qu'il soit depuis longtemps incorporé aux rites et coutumes en usage, veut avant tout servir la patrie. Au bord de l'abîme où celle-ci risque

d'être de nouveau plongée, trois données l'emportent dans
sa conscience sur toutes autres considérations. La première
est que, pour sauver le pays en conservant la République,
il faut absolument changer un système politique disquali-
fié. La seconde est que l'armée doit, sans délai, être
ramenée à l'obéissance. La troisième est que, seul, de
Gaulle peut faire ceci et cela. Mais, comme il est naturel,
le Président souhaite que le pouvoir me soit remis suivant
des règles et non jeté dans la fuite. C'est bien ainsi, d'ailleurs, que je l'entends. Aussi, quand, à midi, René Coty
me fait demander si j'accepterais de recevoir les présidents
des deux assemblées, Le Troquer et Monnerville, pour
ménager les formes avant que lui-même prenne une position publique, je réponds favorablement.

L'entrevue a lieu tard le soir dans la maison de Félix
Bruneau. Gaston Monnerville est acquis à l'idée de me
voir assumer le gouvernement. Tout au plus me suggère-
t-il de ne pas exiger pour plus de six mois les pleins pouvoirs que je tiens, au départ, pour nécessaires. Mais André
Le Troquer paraît bouleversé par le changement imminent.
Lui, qui fut mon ministre de la Guerre au temps du Comité
d'Alger, qui lors de la libération de Paris descendit à mes
côtés l'avenue des Champs-Élysées, qui se tint auprès de
moi quand on tirait à Notre-Dame, ne va pas jusqu'à
m'imputer la volonté d'être dictateur. Mais il déclare
que je ne pourrai pas éviter de le devenir étant donné
les conditions de mon accession au pouvoir. « C'est pourquoi », ajoute-t-il avec passion, « je m'y oppose ! » —
« Eh bien ! » lui dis-je, « si le Parlement vous suit, je n'aurai
pas autre chose à faire que vous laisser vous expliquer
avec les parachutistes et rentrer dans ma retraite en
m'enfermant dans mon chagrin ». Là-dessus se termine
l'entretien. En sortant, j'indique au secrétaire général de
la Présidence de la République, Charles Merveilleux du
Vignaux, qui est accouru aux nouvelles, que je regrette
de m'être infligé un dérangement inutile et que je reprends
la route de Colombey. J'y arrive à cinq heures du matin.

Avant midi, René Coty annonce qu'il adresse un message
aux Chambres. A quinze heures, ce message leur est lu.

Tout y est de ce qu'il faut dire : nécessité de changer de système politique ; évidence de la dégradation de l'État et de la menace d'une guerre civile imminente ; évocation du général de Gaulle, « le plus illustre des Français, qui, aux années les plus sombres de notre Histoire, fut notre chef pour la conquête de la liberté et qui, ayant réalisé autour de lui l'unanimité nationale, refusa la dictature pour établir la République » ; appel à lui afin qu'il vienne examiner avec le Chef de l'État ce qui est immédiatement nécessaire à un gouvernement de salut national et ce qui pourra être fait pour une réforme profonde de nos institutions ; engagement pris, si cette suprême tentative échoue, de donner sa démission de Président. Ce texte, qui sonne le glas, est écouté dans un silence complet par l'Assemblée Nationale et par le Conseil de la République. A l'Élysée, qui me l'a adressé par téléphone, je fais répondre que je vais venir. C'est par le parc que j'arrive, non par la cour d'honneur, dans l'espoir, du reste assez vague, d'échapper aux flots des photographes. J'y suis peu avant vingt heures. Les photographes y sont aussi.

René Coty, débordant d'émotion, m'accueille sur le perron. Seul à seul dans son bureau, nous nous entendons aussitôt. Il se range à mon plan : pleins pouvoirs, puis congé donné au Parlement, enfin Constitution nouvelle à préparer par mon gouvernement et à soumettre au référendum. J'accepte d'être « investi » le 1er juin par l'Assemblée Nationale, où je lirai une brève déclaration sans prendre part au débat. Nous nous séparons au milieu d'un tumulte de journalistes effrénés et de curieux enthousiastes qui ont envahi le parc. Après quoi, je fais publier que nous sommes d'accord et à quelles conditions. Ensuite, tout au long de la route qui me ramène en Haute-Marne, des groupes nombreux, qui guettent mon passage, crient : « Vive de Gaulle ! » à travers la nuit.

La journée du samedi 30 mai est employée par les partis à aménager leur résignation. Je reçois la visite et prends acte de la conversion, tout d'abord de Vincent Auriol qui s'offre à être vice-président du prochain Conseil des ministres, puis de Guy Mollet et de Maurice Deixonne

qui, en rentrant, diront à leur groupe socialiste « qu'ils
ont vécu là un des plus grands moments de leur vie ».
De son côté, le maréchal Juin est venu me certifier que
l'armée me suit comme un seul homme. Sur ma maison
je regarde alors tomber le dernier soir d'une longue solitude. Quelle est donc cette force des choses qui m'oblige
à m'en arracher ?

Tout est décidé. Restent les formalités. Je vais les
accomplir sans excès de désinvolture. Car il est bon que
devant le pays, dont l'équilibre est fragile, les choses se
passent suivant une procédure régulière. Ce qui arrive,
c'est, à coup sûr, une transformation profonde ; non point
une révolution. La République se renouvelle ; elle reste
la République. C'est pourquoi, si le retour du général
de Gaulle à la tête des affaires de la France ne saurait
ressembler à l'intronisation des ministères du régime expirant, j'ai cependant convenu avec René Coty des détails
de la transition.

A l'hôtel La Pérouse, où je descends d'habitude lors de
mes passages à Paris, je réunis, le 31 mai, les présidents
des groupes du Parlement. Seuls sont absents les communistes. Sauf François Mitterrand qui exhale sa réprobation,
les délégués présents, qui presque tous depuis douze ans
m'ont ouvertement combattu, n'élèvent aucune objection
à l'exposé que je leur fais de ce que je vais entreprendre.
Entre-temps, je forme le gouvernement. André Malraux
sera à mon côté et assumera les Affaires culturelles.
Quatre ministres d'État : Guy Mollet, Pierre Pflimlin,
Félix Houphouët-Boigny, Louis Jacquinot, et le garde
des Sceaux Michel Debré, représentant l'ensemble des
formations politiques à l'exception des communistes, vont
travailler sous ma direction à la Constitution future.
Quatre autres députés : Antoine Pinay, Jean Berthoin,
Paul Bacon, Max Lejeune, seront en charge respectivement des Finances, de l'Éducation nationale, du Travail,
du Sahara. L'ambassadeur Couve de Murville aux Affaires
étrangères, le préfet Emile Pelletier à l'Intérieur, l'ingénieur Pierre Guillaumat aux Armées, le gouverneur Bernard
Cornut-Gentille à la France d'outre-mer, se trouveront

sous ma coupe plus directe et je prends à mon propre compte les affaires de l'Algérie. Un peu plus tard, six parlementaires : Edouard Ramonet à l'Industrie et au Commerce, Robert Buron aux Travaux publics et aux Transports, Edmond Michelet aux Anciens Combattants, Roger Houdet à l'Agriculture, Eugène Thomas aux P.T.T., Jacques Soustelle à l'Information, et trois hauts fonctionnaires : Pierre Sudreau à la Construction, Bernard Chenot à la Santé publique, André Boulloche délégué à la présidence du Conseil, compléteront le gouvernement.

Le dimanche 1er juin, je fais mon entrée à l'Assemblée Nationale. La dernière fois que j'y étais venu, en janvier 1946, j'avais dû adresser à Edouard Herriot, qui se risquait à me faire rétrospectivement la leçon au sujet de la Résistance, la réponse assez rude et ironique qu'il méritait. L'incident avait eu lieu dans l'atmosphère de sourde hostilité dont m'entouraient alors les parlementaires. Par contraste, je sens aujourd'hui l'hémicycle débordant à mon égard d'une curiosité intense et, à tout prendre, sympathique. Dans ma courte déclaration j'évoque la situation : dégradation de l'État, unité française menacée, Algérie plongée dans la tempête, Corse en proie à une fiévreuse contagion, armée longuement éprouvée par des tâches sanglantes et méritoires mais scandalisée par la carence des pouvoirs, position internationale de la France battue en brèche jusqu'au sein de ses alliances. Puis j'indique ce que j'attends de la représentation nationale : pleins pouvoirs, mandat de soumettre au pays une nouvelle Constitution, mise en congé des Assemblées. Tandis que je parle, tous les bancs font totalement silence, ce qui convient aux circonstances. Ensuite, je me retire, laissant l'Assemblée débattre pour la forme. Malgré quelques interventions malveillantes, notamment celles de Pierre Mendès France, de François de Menthon, de Jacques Duclos et de Jacques Isorni, qui sont comme d'ultimes soubresauts, l'investiture est largement votée.

Il en est de même, le lendemain, des lois sur les pouvoirs spéciaux en Algérie et en métropole et, le surlendemain, de celle qui concerne la Constitution et exige une majorité des deux tiers. Je suis venu assister à cette suprême discussion, prenant plusieurs fois la parole en réponse aux orateurs, afin d'entourer de bonne grâce les derniers instants de la dernière Assemblée du régime. Le Conseil de la République ayant de son côté donné son approbation, le Parlement se sépare.

Si cette fin d'époque laisse de l'amertume en l'âme de beaucoup de ceux qui en furent les acteurs, c'est, par contre, un immense soulagement qui s'étend sur le pays. Car mon retour donne l'impression que l'ordre normal est rétabli. Du coup, se dissipent les nuages de tempête qui couvraient l'horizon national. Puisque, à la barre du navire de l'État, il y a maintenant le capitaine, chacun sent que les durs problèmes, toujours posés, jamais résolus, auxquels est confrontée la nation, pourront être à la fin tranchés. Même, le caractère quelque peu mythique dont on décore mon personnage contribue à répandre l'idée que des obstacles, pour tous autres infranchissables, vont s'aplanir devant moi. Et me voici, engagé comme naguère par ce contrat que la France du passé, du présent et de l'avenir m'a imposé, il y a dix-huit ans, pour échapper au désastre. Me voici, toujours contraint par l'exceptionnel crédit que me fait le peuple français. Me voici, obligé autant que jamais d'être ce de Gaulle à qui tout ce qui arrive au-dedans et au-dehors est personnellement imputé, dont chaque mot et chaque geste, même quand on les lui prête à tort, deviennent partout des sujets de discussion dans tous les sens et qui, nulle part, ne peut paraître qu'au milieu d'ardentes clameurs. Eminente dignité du chef, lourde chaîne du serviteur !

Ayant taillé, il me faut coudre. A Matignon, où je réside, m'assaillent les questions du moment : Algérie, finances et monnaie, action extérieure, etc. Mais, tout en prenant celles-ci en main, je dirige le travail de réforme des institutions. Sur ce sujet, dont tout dépend, j'ai depuis douze ans fixé et publié l'essentiel. Ce qui va être fait c'est, en somme, ce que l'on a appelé « la Constitution de Bayeux », parce que là, le 16 juin 1946, j'ai tracé celle qu'il faut à la France.

Michel Debré, secondé par une jeune équipe tirée du Conseil d'État, élabore le projet que j'examine à mesure avec les ministres désignés. Après quoi est demandé l'avis du « Conseil Consultatif Constitutionnel » de trente-neuf membres dont vingt-six parlementaires, créé par la même loi qui décida la révision et que préside Paul Reynaud. Je m'y rends à plusieurs reprises pour écouter d'utiles suggestions et préciser ma propre pensée. Le Conseil d'Etat présente ensuite ses observations. Enfin, le Conseil des ministres délibère sur l'ensemble, chacun, et pour commencer le Président Coty, faisant valoir ses remarques. Le texte, ainsi arrêté, va être soumis au peuple par référendum.

Dans aucune de ces discussions ne se dresse d'opposition de principe contre ce que j'ai, depuis longtemps, voulu. Que, désormais, le Chef de l'État soit réellement la tête du pouvoir, qu'il réponde réellement de la France et de la République, qu'il désigne réellement le gouvernement et en préside les réunions, qu'il nomme réellement aux emplois civils, militaires et judiciaires, qu'il soit réellement le chef de l'armée, bref qu'émanent réellement de lui toute décision importante aussi bien que toute autorité, qu'il puisse de par son seul gré dissoudre l'Assemblée Nationale, qu'il ait la faculté de proposer au pays par voie de référendum tout projet de loi portant sur l'organisation des pouvoirs publics, qu'en cas de crise grave, intérieure ou extérieure, il lui appartienne de prendre les mesures exigées par les circonstances, enfin qu'il doive être élu par un collège beaucoup plus large que le Parlement, cela est admis par chacune des instances consultées.

C'est aussi le cas pour l'institution d'un Premier Ministre, ayant, avec ses collègues, à déterminer et à conduire la politique, mais qui, ne procédant que du Président dont le rôle est capital, ne pourra évidemment agir sur de graves sujets que d'après ses directives.

Ont été l'objet du même assentiment général les dispositions concernant le Parlement, notamment celles qui placent certains de ses votes sous le contrôle d'un Conseil Constitutionnel tout justement appelé à la vie; celles qui limitent avec précision le domaine législatif; celles qui, par le vote bloqué, l'obligation de respecter l'ordre du jour, l'exclusion des interpellations à la manière d'autrefois et les scrutins qui les sanctionnaient, affranchissent le gouvernement des pressions, contraintes et chausse-trapes abusives, voire humiliantes, qui marquaient les débats de naguère; celles qui rendent incompatibles la fonction de ministre et le mandat de parlementaire; celles qui mettent des conditions rigoureuses à la pratique de la censure. Enfin, pour ce qui est des territoires d'outre-mer, le droit qui leur est reconnu, soit de rester dans la République avec un statut spécial, soit, à titre d'États autonomes, d'entrer dans la Communauté formée avec la métropole, soit, devenant indépendants, de s'associer à elle par des engagements contractuels, soit de s'en séparer aussitôt et complètement, est admis par tout le monde.

En fait, trois questions majeures donnent lieu à des échanges de vues entre le Comité Consultatif et moi. « Pourrons-nous encore », s'inquiètent les députés, « renverser le ministère, bien que celui-ci ne doive désormais procéder que du Président? » Ma réponse est que la censure prononcée par l'Assemblée Nationale entraîne obligatoirement la démission du gouvernement. « Quelle est », demande-t-on de maints côtés, « la justification de l'Article 16, qui charge le Chef de l'État de pourvoir au salut de la France au cas où elle serait menacée de catastrophe? » Je rappelle que, faute d'une telle obligation, le Président Lebrun, en juin 1940, au lieu de se transporter à Alger avec les pouvoirs publics, appela le maréchal Pétain et ouvrit ainsi la voie à la capitulation, et qu'au contraire c'est en annonçant l'Article 16 avant la lettre que le Président Coty évita la guerre civile quand il exigea du Parlement de cesser son opposition au retour du général de Gaulle. « La Communauté », s'interrogent les commissaires, « sera-t-elle une fédération comme le propose Félix Houphouët-Boigny, ou bien une confédération suivant le vœu de Léopold Senghor? » Je fais observer qu'au départ elle n'entrera dans aucun catalogue et que l'évolution, au demeurant prévue par le projet, la pétrira sans secousses.

Au total, le texte de la Constitution, tel qu'il sort, suivant mes indications, du travail de Debré et de ses collaborateurs, de l'examen qu'en ont fait en ma présence les ministres d'État, du rapport établi par le Comité Consultatif, de l'avis donné par le Conseil d'État, des décisions finales prises par le Gouvernement, est conforme à ce que je tiens pour nécessaire à la République.

Pourtant, ce qui est écrit, fût-ce sur un parchemin, ne vaut que par l'application. Une fois votée la Constitution nouvelle, il restera à la mettre en pratique de telle sorte qu'elle soit marquée, en fait, par l'autorité et l'efficacité qu'elle va comporter en droit. Ce combat-là, aussi, sera le mien. Car il est clair, qu'en la matière, ma conception n'est pas celle des tenants du régime qui disparaît. Ceux-là, tout en affirmant que c'en est fini de la confusion d'hier, comptent bien, au fond, que le jeu d'antan rendra la prépondérance aux formations politiques et que le Chef de l'État, sous prétexte qu'il est un arbitre dont on voudrait qu'il ne choisisse pas, devra la leur abandonner. Beaucoup d'entre eux apprennent donc sans plaisir mon intention d'assumer la charge. Quand ce sera chose faite, ils s'accommoderont d'abord de me voir jouer le rôle tel qu'il est et tel que je suis, comptant que je vais écarter d'eux la poire d'angoisse de l'Algérie et calculant qu'aussitôt après je quitterai bon gré mal gré la place. Mais comme, ce nœud gordien tranché, j'entreprendrai d'en dénouer d'autres, ils crieront au viol de la Constitution, parce que le tour qu'elle aura pris ne répondra pas à leurs arrière-pensées.

D'arrière-pensées, le peuple français n'en a pas, lui, en accueillant la Ve République. Pour la masse, il s'agit d'instituer un régime qui, tout en respectant nos libertés, soit capable d'action et de responsabilité. Il s'agit d'avoir un gouvernement qui veuille et puisse résoudre effectivement les problèmes qui sont posés. Il s'agit de répondre : « Oui ! » à de Gaulle à qui l'on fait confiance parce que la France est en question. M'adressant aux grandes foules, le 4 septembre à Paris, place de la République, le 20 à Rennes et à Bordeaux, le 21 à Strasbourg et à Lille, puis au pays tout entier le 26 par la radio, je sens se lever une vague immense d'approbation. Le 28 septembre 1958, la Métropole adopte la Constitution par dix-sept millions et demi de « Oui » contre quatre millions et demi de « Non », soit 79 % des votants. On compte 15 % d'abstentions, moins qu'il n'y en eut jamais.

Mais le sentiment public, aussi massivement exprimé sur une question capitale et qui n'appelle qu'une seule réponse, ne peut manquer de se disperser lors des élections législatives; l'Assemblée Nationale étant dissoute par le référendum. Car, sur ce terrain-là, les oppositions habituelles des tendances, les intérêts variés des catégories, les diverses conditions locales, la propagande des militants, le savoir-faire des candidats, entrent en jeu dans tous les sens. Pourtant, il est nécessaire que le vaste mouvement d'adhésion que mon appel vient de susciter se prolonge suffisamment dans le domaine des choix politiques et qu'il y ait au Parlement un groupe de députés assez nombreux et cohérent pour vouloir, appuyer, accomplir par le vote des lois, l'œuvre de redressement qui peut maintenant être entreprise.

Afin d'avoir une majorité, il faut un scrutin majoritaire. C'est ce que décide mon gouvernement qui fixe le système électoral en vertu de ses pouvoirs spéciaux, rejetant la représentation proportionnelle, chère aux rivalités et aux exclusives des partis mais incompatible avec le soutien continu d'une politique, et adoptant tout bonnement le scrutin uninominal à deux tours. Bien que je me sois abstenu de prendre part à la campagne électorale et que j'aie même invité mes compagnons de toujours à ne pas arborer mon nom pour étiquette, les résultats dépassent mes espérances. Au sein de l'Assemblée Nationale, qui totalise 576 membres, un groupe fidèle de l'« Union pour la Nouvelle République » en comprend 206 et constitue un noyau assez compact et résolu pour s'imposer longtemps à côté d'une « droite » et d'un « centre » multiformes et d'une « gauche » très diminuée. Signe caractéristique de ce profond renouvellement, Jacques Chaban-Delmas est élu Président pour la durée de la législature.

Le 21 décembre, les électeurs présidentiels : députés, sénateurs, conseillers généraux, maires et nombre de conseillers municipaux, élisent le Chef de l'État. Si remplie que soit ma carrière publique, c'est la première fois que je fais acte de candidature. Car c'est sans la poser que j'avais été élu deux fois par l'Assemblée Nationale de 1945 Président du Gouvernement provisoire après avoir, pendant cinq ans et en vertu des seuls événements, conduit la France dans la guerre. Georges Marrane au nom des Communistes, le doyen Albert Chatelet, pour une « Union des Forces démocratiques », se sont présentés également. Le collège des 76 000 notables donne au général de Gaulle 78 % des voix.

Le 8 janvier 1959, je me rends à l'Élysée pour assumer mes fonctions. Le Président René Coty m'accueille avec des gestes dignes et des propos émouvants. « Le premier des Français », dit-il, « est maintenant le premier en France ». Tandis qu'ensuite nous parcourons côte à côte dans la même voiture l'avenue des Champs-Élysées pour accomplir le rite du salut au Soldat inconnu, la foule crie à la fois : « Merci, Coty ! » et « Vive de Gaulle ! » En rentrant, j'entends se refermer sur moi, désormais captif de ma charge, toutes les portes du palais.

Mais, en même temps, je vois s'ouvrir l'horizon d'une grande entreprise. Certes, par contraste avec celle qui m'incomba dix-huit ans plus tôt, ma tâche sera dépouillée des impératifs exaltants d'une période héroïque. Les peuples et, d'abord, le nôtre n'éprouvent plus ce besoin de s'élever au-dessus d'eux-mêmes que leur imposait le danger. Pour presque tous — nous sommes de ceux-là — l'enjeu immédiat est, non plus la victoire ou l'écrasement, mais une vie plus ou moins facile. Parmi les hommes d'État avec qui j'aurai à traiter des problèmes de l'univers, ont disparu la plupart des géants, ennemis ou alliés, qu'avait fait se dresser la guerre. Restent des chefs politiques, visant à assurer des avantages à leur pays, fût-ce bien sûr au détriment des autres, mais soucieux d'éviter les risques et les aventures. Combien, dans ces conditions, l'époque est-elle propice aux prétentions centrifuges des

féodalités d'à présent : les partis, l'argent, les syndicats,
la presse, aux chimères de ceux qui voudraient remplacer
notre action dans le monde par l'effacement international,
au dénigrement corrosif de tant de milieux, affairistes,
journalistiques, intellectuels, mondains, délivrés de leurs
terreurs ! Bref, c'est en un temps de toutes parts sollicité
par la médiocrité que je devrai agir pour la grandeur.

Et, pourtant, il faut le faire ! Si la France dans ses
profondeurs m'a, cette fois encore, appelé à lui servir de
guide, ce n'est certes pas, je le sens, pour présider à son
sommeil. Après le terrible déclin qu'elle a subi depuis plus
de cent ans, c'est à rétablir, suivant le génie des temps
modernes, sa puissance, sa richesse, son rayonnement,
qu'elle doit employer le répit qui lui est, par chance,
accordé, sous peine qu'un jour une épreuve tragique à la
dimension du siècle vienne à l'abattre pour jamais. Or,
les moyens de ce renouveau, ce sont l'État, le progrès,
l'indépendance. Mon devoir est donc tracé et pour aussi
longtemps que le peuple voudra me suivre.

L'OUTRE-MER

En reprenant la direction de la France, j'étais résolu à la dégager des astreintes, désormais sans contrepartie, que lui imposait son Empire. On peut penser que je ne le ferais pas, comme on dit : de gaieté de cœur. Pour un homme de mon âge et de ma formation, il était proprement cruel de devenir, de son propre chef, le maître d'œuvre d'un pareil changement. Notre pays avait fourni, naguère, un immense et glorieux effort pour conquérir, organiser, mettre en valeur, l'ensemble de ses dépendances. Par l'épopée coloniale, il avait cherché à se consoler de la perte de ses possessions lointaines des xviie et xviiie siècles, puis de ses défaites en Europe : 1815, 1870. Il appréciait les succès de prestige que lui procuraient, à l'échelle universelle, des proconsuls de la taille des Bugeaud, Faidherbe, Archinard, Brazza, Doumer, Gallieni, Ponty, Sarraut, Lyautey. Il mesurait les services rendus dans les rangs de notre armée depuis plusieurs générations par de vaillants contingents africains, malgaches et asiatiques, la part prise par eux à notre victoire lors de la Première Guerre mondiale, le rôle joué au cours de la Seconde dans l'épopée de la France Combattante par nos territoires d'outre-mer, leurs troupes, leurs travailleurs et leurs ressources. Il était fier de la réussite humaine que représentait le début de développement moderne réalisé dans ces frustes contrées grâce à l'action de tant de soldats, d'administrateurs, de colons, d'enseignants, de missionnaires, d'ingénieurs. Quelle épreuve morale ce serait donc pour moi que d'y transmettre notre pouvoir, d'y replier nos drapeaux, d'y fermer un grand livre d'Histoire !

Cependant, à travers la tristesse, je voyais briller l'espérance. Certes, en d'autres temps, le bilan des charges que nous coûtaient nos colonies par rapport aux avantages que nous pouvions en tirer avait semblé positif. Une fois obtenue, d'une manière ou d'une autre, la soumission des populations, ce qu'il nous fallait dépenser pour entretenir et encadrer leur vie lente et reléguée n'excédait pas nos moyens, alors que le champ d'activité et le surcroît de puissance que nous offraient ces possessions étaient loin d'être négligeables. Mais tout changeait à vue d'œil ! Tandis que le progrès multipliait, là comme ailleurs, les besoins, nous avions à supporter sur de vastes étendues des frais croissants d'administration, de travaux publics, d'enseignement, de services sociaux, de soins sanitaires, de sécurité, en même temps que nous voyions grandir chez nos sujets une volonté d'émancipation qui leur faisait paraître notre joug comme pesant, voire intolérable. D'autant plus qu'en leur apportant notre civilisation nous avions institué dans chacun des territoires, au lieu des divisions anarchiques d'autrefois, un système centralisé préfigurant un État national, et formé des élites pénétrées de nos principes de droits de l'homme et de liberté et avides de nous remplacer tout au long des hiérarchies. Il faut ajouter que, du dehors, la solidarité affichée par le tiers monde à l'égard des non-affranchis, les propagandes et les promesses de l'Amérique, de la Russie, de la Chine, rivales entre elles mais cherchant toutes les trois des clientèles idéologiques et politiques, précipitaient le mouvement. Bref, quelque mélancolie que l'on pût en ressentir, le maintien de notre domination sur des pays qui n'y consentaient plus devenait une gageure où, pour ne rien gagner, nous avions tout à perdre.

Est-ce à dire, qu'en les laissant désormais se gouverner eux-mêmes, il nous fallait les lâcher, les « brader », loin de nos yeux et de notre cœur ? Evidemment, non. En raison de leur rattachement prolongé et de l'attrait que les anges

et les démons de la France exerçaient sur eux comme sur
tous ceux qui s'en sont approchés, ils inclinaient à conserver d'étroits rapports avec nous. Réciproquement, ce
que nous avions déjà fait de bon pour leur progrès, les
amitiés, les habitudes, les intérêts, qui en étaient résultés,
notre vocation millénaire d'influence et d'expansion, nous
engageaient à voir en eux des partenaires privilégiés. Pour
qu'ils parlent notre langue et partagent notre culture, nous
devrions donc les aider. Si leur administration novice, leur
économie naissante, leurs finances inorganisées, leur diplo-
matie tâtonnante, leur défense à ses débuts, recouraient à
nous pour s'établir, il faudrait nous y prêter. En somme,
conduire les peuples de « la France d'outre-mer » à disposer
d'eux-mêmes et, en même temps, aménager entre eux et
nous une coopération directe, voilà quelles étaient mes
simples et franches intentions.

Mais, parmi les territoires en cause, les réalités ne lais-
saient pas d'être diverses. Certains, qui sont depuis longtemps — parfois des siècles — confondus avec la France,
voudraient sans doute le rester, soit en tant que départements : Martinique, Guadeloupe, Guyane, Réunion, soit
avec un statut d'autonomie intérieure : Saint-Pierre-et-
Miquelon, Côte des Somalis, Comores, Nouvelle-Calédonie,
Polynésie, Wallis et Futuna. A ceux-là, il n'était que de
donner, par la Constitution nouvelle, la possibilité de
choisir. En Afrique Noire, marquée par l'extrême variété
des contrées, des tribus, des idiomes, les entités administratives que nous avions nous-mêmes créées : Sénégal, Soudan,
Guinée, Mauritanie, Dahomey, Côte-d'Ivoire, Haute-Volta,
Niger, Congo, Tchad, Oubangui, Gabon, offriraient tout
naturellement un cadre aux futurs États. Pour ceux-ci, il
n'était pas douteux que, sous l'impulsion des élites, les
populations décideraient d'aller à l'indépendance. Mais il
s'agissait de savoir si ce serait d'accord avec nous, ou sans
et, même, contre nous. Or, une grande partie des éléments
évolués, qu'endoctrinaient plus ou moins les surenchères
totalitaires, rêvaient que l'affranchissement fût, non pas le
terme d'une évolution, mais une défaite infligée par les
colonisés à leurs colonisateurs. D'indépendance, ils ne vou-

laient que celle-là. Malgré tout, on pouvait penser que, mis
au pied du mur, la plupart des dirigeants souhaiteraient,
par raison et par sentiment, garder de solides liens avec la
France. C'est à quoi répondrait, au début, la Communauté,
quitte à se transformer ensuite en série d'engagements
contractuels.

D'autre part, Madagascar, anciennement un État avec
son peuple, sa langue, sa tradition, traiterait à coup sûr de
préférence avec nous. Deux territoires : le Togo et le
Cameroun, placés sous notre tutelle par les Nations Unies,
voudraient en être dégagés, mais ne manqueraient sans
doute pas de demander que notre aide soit poursuivie.
Quant à nos protectorats, dont l'indépendance était en
principe reconnue, le Maroc où régnait son roi, la Tunisie
devenue république, il ne s'agissait que de leur rendre leur
entière souveraineté. J'y étais bien décidé, pensant, d'ailleurs, qu'ils voudraient nous rester attachés en esprit et
en pratique. Il en était ainsi, déjà, pour les royaumes du
Laos et du Cambodge, dont nous n'étions plus les suzerains,
mais où j'entendais maintenir l'exceptionnelle position de
la France. Il en serait ainsi peut-être — je projetais d'y
travailler — pour le Vietnam du Nord et du Sud, le jour
où ce pays, durement éprouvé et qui allait être terriblement
décimé et ravagé, sortirait enfin du malheur.

A condition de respecter les nationalités naissantes ou
réapparues, de nous garder d'abuser des troubles qui ne
pouvaient manquer de les assaillir, de fournir à chacune
l'appui raisonnable qui lui serait nécessaire, la chance
s'offrait qu'un vaste ensemble, fondé sur l'amitié et sur la
coopération, se formât autour de nous. Cette chance, je
voulais faire en sorte qu'elle fût assurée à la France, en
passant outre aux regrets du passé, en surmontant les préjugés, en donnant le tour voulu à nos relations avec
d'anciens sujets devenus des associés.

Et l'Algérie ? Là, nous étions, non point en face d'une
situation à régler à l'amiable, mais en plein drame ; drame
français autant que local. Dans notre vie nationale,
l'Algérie revêtait une importance sans comparaison avec
celle d'aucune de nos autres dépendances. Après les longs

et sombres épisodes de l'époque des Barbaresques, nous l'avions conquise au prix d'un énorme effort militaire où les deux adversaires prodiguaient les pertes et le courage. Encore nous avait-il fallu y réprimer ensuite maintes révoltes. Aussi étions-nous satisfaits d'être devenus les maîtres d'une terre qui nous avait coûté si cher. D'ailleurs, grâce à l'Algérie, notre situation en Afrique et dans la Méditerranée était puissamment renforcée. Nous y avions trouvé la base de départ de notre pénétration en Tunisie, au Maroc et au Sahara. Récemment, tout en y mobilisant, une fois de plus, nombre de bons « tirailleurs », nous y avions formé le gouvernement de notre libération et, avec nos alliés, rassemblé une bonne partie des moyens de notre victoire. Un million de Français y étaient installés qui, grâce à leurs capacités, à l'appoint de capitaux venus de la métropole et au concours de l'administration, réalisaient une éclatante mise en valeur économique de ce pays, tandis qu'y était créée, par notre argent, notre technique et le travail local, une magnifique infrastructure. Et voici que nous venions d'y découvrir des gisements de pétrole et de gaz qui pouvaient combler notre grave pénurie énergétique. Toutes sortes de raisons portaient donc le peuple français à tenir pour utile et, au surplus, méritée la possession de l'Algérie. Certes, ce n'était pas sans malaise et sans impatience qu'il supportait la lutte coûteuse qui y était engagée et, s'il avait condamné la IVe République, c'est surtout parce qu'elle n'en sortait pas. Mais il pensait que de Gaulle, maintenant qu'il était en place, allait trouver le moyen d'en finir au meilleur prix.

Aux « colons », le maintien de l'état des choses, quoi qu'il pût coûter à la France, apparaissait comme vital. Vivant au contact d'une population arabe et kabyle dix fois plus nombreuse que la leur et qui s'accroissait plus vite, ils étaient hantés par la pensée que, si la France cessait de gouverner, d'administrer, de réprimer, eux-mêmes seraient inéluctablement submergés, dépouillés, chassés. D'ailleurs, leur propre société et celle des musulmans, bien qu'elles fussent juxtaposées, restaient en réalité tout à fait étrangères l'une à l'autre. Ceux qui se nommaient « pieds-

noirs », venus ou nés sur une terre conquise, fiers de
l'œuvre qu'ils avaient réussie non sans risques à force
d'énergie, forts de leurs privilèges de condition, d'instruction, d'emploi, de fortune, disposant de tout ce qui était
important en fait d'entreprises agricoles, industrielles et
commerciales, fournissant presque entièrement les cadres
de chaque activité et les professions libérales, naturellement appuyés par le corps des fonctionnaires, assurés qu'en
tout cas l'armée finirait, une fois de plus, par rétablir
l'ordre à leur profit, n'avaient jamais cessé de se tenir
au-dessus et en dehors de la masse plus ou moins soumise
dont ils étaient entourés. Toute réforme allant dans le sens
de l'égalité des deux catégories leur semblait être un grave
danger. A leurs yeux, la tragédie dont, depuis plusieurs
années, la région était le théâtre devait absolument aboutir,
après l'écrasement de l'insurrection, au maintien de ce
qu'ils appelaient « l'Algérie française », c'est-à-dire à la
confirmation de notre autorité directe et de leur propre
suprématie. C'est par crainte d'être abandonnés qu'ils
avaient soutenu le mouvement du 13 mai contre le régime
d'hier. C'est pour changer en apparence, sans la modifier
au fond, la domination française, qu'ils affectaient à présent
de réclamer « l'intégration ». Ils y voyaient, en effet, le
moyen de parer à l'évolution vers l'égalité des droits et
l'autonomie algérienne, d'éviter de disparaître au milieu
de dix millions de musulmans et, au contraire, de noyer
ceux-ci parmi cinquante millions de Français. Armés d'une
longue expérience, ils pensaient que, de cette façon, avec un
solide gouverneur général, de bons préfets et, surtout, la
présence de puissantes forces de l'ordre, leur situation sur
place resterait ce qu'elle était. C'est cela qu'ils attendaient
et, au besoin, exigeraient du général de Gaulle, croyant
qu'il était « l'homme fort », mais n'imaginant pas qu'il pût
l'être pour une autre cause que la leur.

A leur intransigeance s'opposait celle, maintenant déterminée et parfois armée, des musulmans. Après avoir longuement pratiqué la résignation, périodiquement rompue par
la révolte ; après avoir, pendant un siècle, fourni aux
Français l'adhésion, plus ou moins sincère, de notables

soucieux de leurs propriétés ou candidats aux fonctions et aux honneurs, d'anciens combattants fidèles à la fraternité des armes, d'un certain nombre de personnes faisant carrière dans le service public ou la représentation politique ; après avoir caressé, puis perdu, des illusions successives quant à leur accession sans restrictions aux droits civiques et quant à un statut autonome de l'Algérie, les musulmans, dans leur ensemble, étaient désormais favorables au « Front de libération nationale » et à l'insurrection, même s'ils n'y participaient pas. Ils savaient bien, d'ailleurs, que si, jadis, le sort de leurs pères avait laissé le monde indifférent, à présent un vaste courant de sympathies, parfois actives, soutenait leur cause au-dehors. C'était le cas chez leurs voisins du Maghreb et les autres pays arabes. Mais même ailleurs se manifestait à leur égard une opinion favorable que formulait régulièrement l'Assemblée des Nations Unies. Au surplus, puisque la République française avait, en 1954, renoncé à sa souveraineté en Indochine, qu'en 1956 le Parlement avait voté une loi-cadre attribuant à chacun des territoires d'Afrique Noire, ainsi qu'à Madagascar, un Conseil autochtone de gouvernement et une assemblée élue, que la Tunisie et le Maroc venaient de se voir, en 1957, émanciper par Paris, les Algériens jugeaient qu'en fin de compte la force des choses, pourvu qu'eux-mêmes lui ouvrent la brèche, aboutirait à leur indépendance.

Cependant, tout en souffrant, les uns mort et passion dans les djebels où ils s'embusquaient, les autres mille avanies dans les villes et les villages où ils étaient en surveillance, tout en maudissant ceux des Français qui prétendaient les maintenir sous le joug, ils ne désespéraient pas de la France. Distinguant celle-ci de ceux-là, ils éprouvaient, en dépit de tout, de l'attachement pour une nation naturellement humaine et historiquement généreuse et souhaitaient lui rester associés dès lors qu'ils seraient libérés. Ce sentiment, ils l'exprimaient par l'attitude sans haine qu'ils observaient le plus souvent à l'égard de nos officiers, hommes de cœur et sans détours, et de nos soldats, garçons honnêtes et désintéressés. Et voici que l'avènement du général de Gaulle, en qui eux aussi voulaient voir le représentant d'une France auréolée par leurs espoirs, semblait ouvrir une ère nouvelle. A peine Salan et d'autres eurent-ils crié publiquement « Vive de Gaulle ! » qu'en maints endroits les musulmans se mêlèrent aux démonstrations des Français, ce qu'auparavant, et la veille même, ils ne faisaient spontanément jamais.

Quant à l'armée, elle attendait beaucoup de mon retour, notamment dans ses cadres généraux et supérieurs. Car, aux prises avec la rébellion, elle se préoccupait de ne pas être frappée dans le dos par la politique. Elle redoutait donc sans cesse l'anéantissement du pouvoir, la pression des puissances étrangères, un mouvement d'abandon de l'opinion excédée par l'effort militaire et financier et indignée des épisodes fâcheux de la répression qu'exploitaient certaines campagnes, le tout risquant d'avoir pour effet la dégradation de l'action militaire sur le terrain et, finalement, quelque grave revers. Au contraire, l'armée croyait que la restauration de l'autorité nationale lui donnerait le temps et les moyens de vaincre et découragerait l'adversaire. Quant à la solution politique qui devrait couronner son succès, elle la concevait sommairement comme un nouveau ralliement de l'Algérie à la France, avec, en compensation, une grande œuvre de développement économique, social et scolaire que la Métropole aurait à entreprendre. Ce qu'elle voyait sur place, en effet, lui inspirait de la sympathie pour des populations souffrantes et misérables et de rudes griefs à l'égard d'une colonisation qui les laissait si dépourvues. Mais, par-dessus tout, quels que pussent être les calculs personnels de tel ou tel de ses chefs et les ferments de trouble qu'entretenait dans ses états-majors un lot restreint d'officiers chimériques et ambitieux, l'armée ressentait le besoin d'être commandée par l'État. C'est pourquoi, dans l'immédiat, elle se félicitait de me voir gouverner la France et me faisait confiance au sujet de l'Algérie.

A l'instant même où je prenais la barre, j'étais donc, de pied en cap, devant ce sujet-là. Il va sans dire que je l'abordais sans avoir un plan rigoureusement préétabli. Les données en étaient trop diverses, trop complexes, trop mobiles, pour que je puisse fixer exactement à l'avance les détails, les phases, le rythme de la solution. En particulier, comment savoir, alors, quels Algériens pourraient et voudraient s'y prêter en fin de compte ? Mais les grandes lignes étaient arrêtées dans mon esprit. Au reste, dès le 30 juin 1955, alors que la rébellion sévissait sur la plus large échelle, j'avais déclaré dans une conférence de presse où l'on m'interrogeait sur le sujet : « Aucune autre politique que celle qui vise à substituer l'association à la domination en Afrique du Nord française ne saurait être ni valable, ni digne de la France ».

En premier lieu, j'excluais du domaine des possibilités toute idée d'assimilation des musulmans au peuple français. Peut-être eût-ce été concevable cent ans plus tôt, pourvu qu'on fût alors capable d'implanter en Algérie plusieurs millions de métropolitains et, réciproquement, d'installer en France autant d'Algériens immigrés ; tous les habitants de la patrie commune ayant alors effectivement les mêmes lois et les mêmes droits. Peut-être aurait-on pu encore s'y essayer au lendemain de la Première Guerre mondiale, dans l'euphorique fierté de la victoire. Peut-être, après la Seconde et dans l'esprit de la Libération, l'institution progressive d'une Algérie autonome et qui eût évolué d'elle-même vers un État rattaché à la France par des liens d'ordre fédéral, solution que contenait en germe le Statut mort-né de 1947, eût-elle été réalisable. A présent, il était trop tard pour n'importe quelle forme d'assujettissement. La communauté musulmane, étant donné ses origines ethniques, sa religion, sa manière de vivre, après avoir été si longtemps traitée en inférieure, tenue à l'écart, combattue, avait une personnalité trop forte et trop douloureuse pour se laisser désormais ni dissoudre, ni dominer, surtout à l'époque où, d'un bout à l'autre du monde, chaque peuple reprenait en main sa destinée. L'intégration n'était donc pour moi qu'une formule astucieuse et vide. Mais pouvais-je, à l'opposé, imaginer de prolonger le « statu quo » ? Non ! Car cela reviendrait à maintenir la France enlisée politiquement, financièrement et militairement dans un marécage sans fond, tandis qu'il lui fallait, au contraire, avoir les mains libres pour accomplir au-dedans d'elle-même la transformation exigée par le siècle et exercer sans hypothèque son action à l'extérieur. Ce serait, en même temps, enfermer notre armée dans l'impasse d'une vaine et interminable lutte de répression coloniale, alors que l'avenir du pays commandait qu'on la mît à l'échelle de la puissance moderne. Pour l'essentiel, j'étais donc fixé. Quoi qu'on ait pu rêver jadis ou qu'on pût regretter aujourd'hui, quoi que j'aie moi-même, assurément, espéré à d'autres époques, il n'y avait plus, à mes yeux, d'issue en dehors du droit de l'Algérie à disposer d'elle-même.

Mais, décidé à le lui reconnaître, je le ferais dans certaines conditions. D'abord, c'est la France, celle de toujours, qui, seule, dans sa force, au nom de ses principes et suivant ses intérêts, l'accorderait aux Algériens. Pas question qu'elle y fût contrainte par des échecs militaires, ou déterminée par l'intervention des étrangers, ou amenée par une agitation partisane et parlementaire ! Nous ferions donc sur le terrain l'effort voulu pour en être les maîtres. Nous ne tiendrions aucun compte d'aucune démarche d'aucune capitale, d'aucune offre de « bons offices », d'aucune menace de « révision déchirante » dans nos relations extérieures, d'aucune délibération des Nations Unies. Le moment venu, c'est, non point une assemblée conjoncturelle de députés, mais notre peuple tout entier, qui voterait les changements nécessaires. D'autre part, s'il était souhaitable, d'ailleurs pour l'Algérie surtout, qu'il y restât des Français, c'est à chacun d'entre eux qu'il appartiendrait d'en décider, notre armée assurant leur liberté et leur sécurité jusqu'à ce qu'ils aient choisi, dans un sens ou dans l'autre, où serait leur établissement. Enfin, il faudrait, qu'à l'avantage commun de la France et de l'Algérie, des traités aient institué entre elles des relations privilégiées, notamment quant à la condition des personnes, aux échanges économiques, aux rapports culturels, à l'exploitation des carburants sahariens. Ainsi, tenant pour une ruineuse utopie « l'Algérie française » telle qu'au début de mon gouvernement je l'entendais réclamer à grands cris, je comptais aboutir à ceci, qu'à l'exemple de la France, qui, à partir de la Gaule, n'avait pas cessé de rester en quelque façon romaine, l'Algérie de l'avenir, en vertu d'une certaine empreinte qu'elle a reçue et qu'elle voudrait garder, demeurerait, à maints égards, française.

Pour accomplir cette politique, telle était ma stratégie. Quant à la tactique, je devrais régler la marche par étapes, avec précaution. Ce n'est que progressivement, en utilisant chaque secousse comme l'occasion d'aller plus loin, que j'obtiendrais un courant de consentement assez fort pour emporter tout. Au contraire, si de but en blanc j'affichais mes intentions, nul doute que, sur l'océan des ignorances alarmées, des étonnements scandalisés, des malveillances coalisées, se fût levée dans tous les milieux une vague de stupeurs et de fureurs qui eût fait chavirer le navire. Sans jamais changer de cap, il me faudrait donc manœuvrer, jusqu'au moment où, décidément, le bon sens aurait percé les brumes.

Dès le 4 juin, à peine ai-je pris le pouvoir, je m'envole vers Alger. M'accompagnent : trois ministres, Louis Jacquinot, Pierre Guillaumat et Max Lejeune, le général Ely que j'ai remis à son poste de Chef d'état-major général, et René Brouillet chargé auprès de moi des affaires d'Algérie. Sur le terrain de Maison-Blanche, le général Salan m'accueille, entouré des élus, des principaux fonctionnaires et chefs militaires et de la municipalité. Traversant la ville, je suis, tout au long du parcours, l'objet d'acclamations effrénées. Au Palais d'Été, les Corps constitués me sont présentés suivant le rite traditionnel et j'écoute l'adresse du Comité de Salut public que me lit le général Massu. Puis je vais à l'Amirauté pour saluer la marine. Vers sept heures du soir, j'arrive au Forum.

Quand je parais au balcon du Gouvernement Général, un déferlement inouï de vivats soulève l'énorme foule qui est rassemblée sur la place. Alors, en quelques minutes, je lui jette les mots apparemment spontanés dans la forme, mais au fond bien calculés, dont je veux qu'elle s'enthousiasme sans qu'ils m'emportent plus loin que je n'ai résolu d'aller. Ayant crié : « Je vous ai compris ! » pour saisir le contact des âmes, j'évoque le mouvement de Mai auquel je prête deux mobiles, nobles entre tous : rénovation et fraternité. J'en prends acte et déclare qu'en conséquence la France accorde l'égalité des droits à tous les Algériens quelle que soit leur communauté. Ainsi sont balayées, du coup, la différence des statuts civiques et la séparation des collèges électoraux, ce qui, à terme et de toute façon, permettra à la majorité musulmane de se manifester comme telle. Ainsi est affirmé : « qu'il faut ouvrir des voies qui étaient fermées devant beaucoup ;... qu'il faut donner des moyens de vivre à ceux qui ne les avaient pas ;... qu'il faut reconnaître la dignité de ceux à qui on la contestait ;... qu'il faut assurer une patrie à ceux qui pouvaient douter d'en avoir une ». Au rapprochement des deux communautés, dont Alger donne ce soir l'exemple, j'appelle à participer « tous les habitants des villes, des douars, des plaines et des djebels, et même ceux qui, par désespoir, ont cru devoir mener sur ce sol un combat, certes cruel et fratricide, mais dont je reconnais qu'il est courageux. Oui ! moi, de Gaulle, à ceux-là j'ouvre les portes de la réconciliation ! » Entre-temps, je ne manque pas de décerner à l'armée, « qui accomplit ici une œuvre magnifique de compréhension et de pacification », le témoignage public de ma confiance.

Une ovation frénétique salue ce que j'ai dit. Pourtant, les perspectives ouvertes par mes propos ne comblent certainement pas les désirs de la masse — française pour les trois quarts — de mes auditeurs du Forum. Mais un souffle passe auquel, sur le moment, nul ne résiste. Chacun comprend que, cette fois, c'est la France qui parle, en toute autorité et en toute générosité. Chacun voit, qu'après la grande secousse que l'on vient de traverser, c'est l'État qui se dresse et s'impose. Chacun sent que, quoi qu'il arrive, c'est de Gaulle qui a le devoir et le droit de résoudre le problème. A Constantine, où l'assistance est formée principalement de musulmans, à Oran où au contraire les Français dominent de beaucoup, à Mostaganem où les deux communautés sont en nombre égal, je tiens le même langage : plus de discrimination entre les Algériens quels qu'ils soient ! Ce qui veut dire que le jour viendra où la majorité d'entre eux pourra choisir le destin de tous. C'est par cette voie que l'Algérie restera, à sa façon, française et non pas en vertu d'une loi que lui impose la contrainte.

Indépendamment de ces rencontres avec les foules, les multiples personnalités et délégations que je reçois me précisent les données immédiates de la situation algérienne. Si les Français de souche, dans leur ensemble, sont par-dessus tout français et, tout en comptant bien influencer, voire contraindre, la métropole, ne supporteraient pas d'en être effectivement séparés, ils n'en sont pas moins très accessibles aux menées de leurs activistes. Or, ceux-ci, dont les formations apparaissent, il est vrai, comme diverses et souvent rivales, semblent viser, à la faveur des émotions et des inquiétudes ambiantes, des buts politiques qui dépassent les limites de l'Algérie. Profitant des crises d'agitation qu'ils excellent à provoquer dans ces foules passionnées de la côte méditerranéenne, ils organisent réseaux et groupes de choc qui pourraient mener à la subversion sur place et, même, la susciter ailleurs. Naturellement, ils trouvent le concours de quelques militaires, théoriciens d'une action directe qui tendrait à la prise du pouvoir, au besoin par personnes interposées. Il va de soi que ces trublions se tiennent en liaison avec des éléments de la même sorte qui existent en métropole. Au reste, plusieurs incidents me démontrent leurs façons et leurs intentions. C'est ainsi qu'au Forum deux ministres, Jacquinot et Lejeune, ont été secrètement enfermés dans un bureau pour qu'ils ne puissent paraître au balcon. C'est ainsi qu'à Oran, pendant mon discours, des noyaux de gens agglomérés de-ci de-là dans l'auditoire font entendre, au milieu des « Vive de Gaulle ! » et des applaudissements, les cris perçants et rythmés de : « L'armée au pouvoir ! » — « Soustelle ! Soustelle ! » au point qu'il me faut m'interrompre pour les sommer de se taire. C'est ainsi qu'avant de regagner Paris, comme je donne audience au bureau du Comité de Salut public, certains de ses membres m'adjurent véhémentement de proclamer « l'intégration » en évoquant la menace d'une émeute, ce qui m'amène à leur répondre que, dans cette hypothèse, ils iraient tout de suite en prison.

Les musulmans, que je les voie assemblés pour m'entendre ou que je m'entretienne avec l'un ou avec l'autre, ne cachent pas le respect et l'espoir que ma personne leur inspire, mais, sur le fond, restent très réservés. Il est clair, qu'à part un petit nombre dont le dévouement est sincère et émouvant, et en dehors de ceux qu'une fonction officielle ou un mandat électif rangent apparemment parmi les loyalistes, le parti qu'ils ont pris en masse c'est : endurer et ne se point livrer.

Quant à l'armée, après la tension où elle a été plongée, mon apparition sur place la remet dans l'ordre normal. Recevant, partout où je vais, le rapport des généraux, réunissant toujours les officiers et, souvent, les sous-officiers pour leur adresser la parole et en interroger plusieurs, il m'est aisé de pénétrer ce que l'on pense. En fait, ce grand corps, qui par nature regarde l'immédiat plutôt que le lointain, est dans l'ensemble attaché à l'idée que la France doit garder la possession de l'Algérie, témoin de son ancienne puissance, terre imprégnée de glorieux souvenirs. Cependant, sous l'uniformité de l'attitude militaire, je vois que trois tendances sollicitent mes interlocuteurs. Pour les uns, « l'Algérie française » est une véritable mystique. Croyant ce qu'ils désirent, ceux-là sont convaincus qu'il suffit de la vouloir et de l'affirmer pour que cette solution s'impose et que la population « bascule » du côté qu'ils souhaitent. Pour certains, chez qui domine par-dessus tout la confiance qu'ils me portent, il n'est que de me suivre à présent comme autrefois. Pour d'autres enfin, et sans doute est-ce le plus grand nombre, du moment qu'à la tête du pays il y a maintenant un gouvernement qui en est un et qui gouverne, c'est à lui qu'il appartient de trancher ; l'armée, quoi que l'on puisse désirer dans ses rangs, n'ayant dès lors qu'à obéir. La conclusion que je tire c'est qu'en fin de compte c'est ce qu'elle fera.

Au demeurant, la situation ne lui inspire pas d'angoisse. En particulier, la protection des personnes et des biens est assurée aussi efficacement que possible par les 500.000

hommes qu'elle compte en Algérie. Ses éléments de choc :
légion, parachutistes, blindés, tirailleurs, commandos, formés surtout de volontaires et solidement encadrés, mènent
périodiquement dans tel ou tel massif montagneux ou
forestier, à grands coups de tirs d'artillerie et de bombarde-
ments aériens, des opérations offensives pour y réduire les
« fellaghas ». Souvent, les accrochages sont durs, tant le
terrain est difficile et l'adversaire acharné. La plupart
des autres unités, dont l'effectif est à base d'appelés du
contingent, protègent les localités, les voies de communication, les points sensibles, les ports, les aérodromes, escor-
tent les convois, ratissent les zones suspectes, soutiennent
les actions de police. Tout au long de la frontière de Tunisie
et de celle du Maroc, sont établis les « barrages », constitués
d'ouvrages défensifs, couverts d'obstacles, de mines, de
réseaux, et occupés en permanence ; grâce à quoi les forces
rebelles qui s'abritent chez les voisins ne pourront à aucun
moment pénétrer en Algérie avant que, la paix conclue,
nous ne leur ayons nous-mêmes gratuitement ouvert le
passage. L'aviation éclaire et appuie assidûment les actions
au sol, surveille le territoire, assure maints transports et
liaisons. La marine interdit par les croisières incessantes
de ses escorteurs et les patrouilles de ses vedettes tout
débarquement d'armes et de renforts destinés aux insurgés.
En outre, nos forces, indépendamment de leurs missions
opérationnelles, prêtent leurs hommes et leurs moyens à
de multiples aides, économiques, sociales, scolaires, sanitaires, fournies à la population. Dans tout ce dispositif,
qui excelle à empêcher que les choses tournent mal, mais
qui ne saurait saisir l'insaisissable, sont prodigués des
trésors d'ingéniosité, de conscience et de patience.

En vertu de tant d'efforts, la vie continue en Algérie.
Si, dans certaines régions très accidentées : les Aurès, les
Nementchas, le Hodna, les Bibans, l'Ouarsenis, le Dahra,
les Monts de Daia et de Tlemcen, l'Atlas Saharien, etc.,
les îlots de l'insurrection sont continuellement reformés à
peine ont-ils été dispersés; si, à partir de là, ont lieu maintes
agressions et destructions exécutées par des bandes ; si
la résistance combattante ou latente obtient partout le

concours et les subsides de la population, le fait est que, sur la partie la plus grande, et de beaucoup, du territoire, on ne tire que rarement; qu'en général dans la campagne c'est la nuit seulement qu'il est dangereux de sortir ; que dans les villes on ne se bat pas, moyennant le couvre-feu et sauf attentats isolés. D'ailleurs, ceux des fellaghas qui sont organisés en troupes régulières et dont à aucun moment le nombre ne dépassera trente mille ne s'arment qu'à grand-peine de fusils, de grenades, parfois de mitrailleuses et de mortiers, mais ne disposent pas d'un seul canon, d'un seul char, d'un seul avion. Aussi, les champs sont cultivés. Les transports et les transmissions fonctionnent. Les bureaux font leur office. Les écoles regorgent d'élèves. Les magasins servent les clients. Cultivateurs, ouvriers, dockers, mineurs, employés, fonctionnaires, travaillent régulièrement. Sur un million et demi de Français de souche, civils et militaires, qui se trouvent en Algérie et dont il meurt en moyenne soixante-dix quotidiennement, dix au plus sont tués chaque jour par l'insurrection. En Algérie, il n'y a pas, il n'y aura jamais, de soulèvement général.

Pendant mon inspection, j'ai à mes côtés le général Salan, commandant en chef et chargé des pouvoirs civils. Il est, de par sa carrière, très au fait des troupes et des services et, en vertu de son expérience aussi bien que de ses goûts, fort à son aise dans ce complexe de renseignements exploités et interprétés, d'intelligences entretenues chez les adversaires, d'entreprises feintes pour les tromper, de pièges tendus à leurs chefs, qui enveloppe traditionnellement les expéditions coloniales. Quant aux opérations elles-mêmes, réparties qu'elles sont entre des zones différentes, il s'en remet volontiers aux Commandants de Corps d'armée du soin de les mener. L'administration du territoire, la direction de l'économie, la gestion des finances, lui sont certes moins familières que le domaine militaire. Mais il dispose, pour les traiter, d'un cadre de fonctionnaires rompus aux affaires locales. C'est surtout le côté politique de sa tâche qui l'occupe, manœuvrant et intervenant parmi les courants qui agitent les Français de souche et s'efforçant de pénétrer et d'influencer les mouvements des esprits dans les milieux musulmans. Naturellement très impressionné par ce qui s'est passé à Paris, il semble éprouver à la fois le soulagement d'avoir été mis à l'abri de l'aventure et le regret de n'y avoir pas cédé. Au reste, marquant à mon égard une discipline qui paraît convaincue, il ne formule aucune objection à ce que je lui indique de mes intentions au sujet de l'Algérie et qui, pourtant, ne répond pas, j'en suis sûr, à sa manière de voir. En somme, son personnage, capable, habile et, par certains côtés, séduisant, comporte quelque chose d'ondoyant et d'énigmatique qui me semble assez mal cadrer avec ce qu'une grande et droite responsabilité exige de certitude et de rectitude. Mais, déjà, j'envisage de lui donner un autre emploi avant longtemps.

Je rentre à Paris le 7 juin. La semaine d'après sont mis en application avec la Tunisie et avec le Maroc les accords que j'ai proposés à leurs Chefs d'État dès le 3 et en vertu desquels nos troupes sont retirées de leur territoire, à l'exception de Bizerte d'une part, de Meknès, Port-Lyautey, Marrakech et Agadir d'autre part. Au début de juillet, je retourne en Algérie, accompagné de Pierre Guillaumat et, aussi, de Guy Mollet. Celui-ci y était venu, en 1956, comme président du Conseil et sa présence avait soulevé chez les « pieds-noirs » un tel ouragan de menaces qu'il s'était vu contraint de renvoyer de son ministère le général Catroux nommé huit jours auparavant. A présent, nonobstant quelques huées entendues à Alger et qu'il affronte d'ailleurs crânement, il participe sans encombre à la tournée que je consacre essentiellement aux postes militaires. Après ces deux voyages et jusqu'en décembre 1960, je me rendrai en Algérie à six autres reprises, la parcourant plusieurs fois tout entière. Quels chefs d'État ou de gouvernement en firent autant depuis 1830, bien que, pour la plupart, ils ne fussent pas septuagénaires? Mais, afin de décider, là aussi, là surtout, il me faut voir et entendre, me faire entendre et me faire voir.

C'est pour cela, qu'au mois d'août, je me rends en Afrique Noire. Pierre Pflimlin ministre d'État, Bernard

Cornut-Gentille ministre de la France d'outre-mer, Jacques Foccart chargé à mon cabinet des affaires africaines et malgaches, s'envolent avec moi. Il s'agit d'exposer solennellement à nos territoires en quoi consiste le référendum imminent; que, pour eux, voter « Oui! » c'est, tout en devenant souverains, maintenir la solidarité avec la métropole, et que voter « Non! » c'est rompre tous les liens. Il est certain que ma visite, l'impression qu'elle fera, les propos que je tiendrai, vont influer fortement sur l'attitude des évolués et la réaction des foules, par conséquent sur le résultat.

Ayant, le 21 août, fait escale à Fort-Lamy, où le président Toura Gaba me promet que, cette fois encore, le Tchad me suivra d'emblée, je vais à Madagascar. A côté du haut-commissaire Jean Soucadaux, m'accueille Philibert Tsiranana, président du Conseil de gouvernement. Ce qui ressort de nos entretiens, ainsi que des applaudissements de l'Assemblée représentative à laquelle je m'adresse d'abord, c'est que la réponse de la grande île a toutes chances d'être positive. Mais la passion de la multitude rassemblée au stade de Tananarive pour écouter mon allocution achève de m'en convaincre. Une tempête d'acclamations s'élève quand je déclare, en montrant sur la colline voisine la demeure historique des souverains, qui fut, en dernier lieu, celle de la Reine Ranavalo : « Demain, vous serez de nouveau un État, comme vous l'étiez quand ce Palais de vos Rois, là-haut, était habité par eux! » Brazzaville me reçoit ensuite. Dans ses faubourgs bouillonnants de Bas-Congo et de Potopoto, dans ses rues archipavoisées, autour du Gouvernement Général où viennent me voir les notabilités, devant la « case de Gaulle » où je descends, enfin sur le stade Eboué tout près de la cathédrale Sainte-Anne où je prononce mon discours, la capitale manifeste un enthousiasme délirant. Cependant, le milieu politique de la Fédération n'est pas tout entier convaincu. Si l'abbé Fulbert Youlou, maire de la ville, et ses amis ont déjà choisi le « Oui! », Barthélemy Boganda, président du Grand Conseil de l'Afrique-Équatoriale, affiche quelques réticences. Suivant le haut-commissaire Yvon Bourges, il n'y a, d'ailleurs, aucun doute sur ce que feront les territoires. En fin de compte, avant mon départ, Boganda qui est l'homme célèbre et le guide de l'Oubangui et Léon M'Ba qui gouverne le Gabon me l'affirment, chacun au nom de son pays, avec la même chaleur que j'ai rencontrée au Congo.

Me voici à Abidjan. Là aussi, l'accueil est magnifique, organisé par le président Houphouët-Boigny avec le vibrant concours de toute la population. Ce pays, en effet, tout comme l'homme qui le dirige, n'éprouve aucune hésitation et me le démontre sur le stade Géo André où je prends la parole devant une immense assistance. Mais, si la Côte-d'Ivoire est, grâce à son chef, engagée dans la bonne direction, s'il en est de même pour la Haute-Volta et le Dahomey gouvernés respectivement par Ouezzin-Coulibali et par Sourou-Migan Apithy, si le vote de la Mauritanie qui suit Moktar-Ould-Daddah doit être, à coup sûr, favorable, le Haut-Commissaire Pierre Messmer m'indique que dans le reste de l'Afrique-Occidentale l'issue est très aléatoire. Sans doute le « Rassemblement démocratique africain », qui représente le parti dominant, pour ne pas dire unique, dans les divers territoires — à l'exception du Sénégal — penche-t-il, en somme, vers le « Oui ! » Mais cette tendance risque fort de se retourner là où le chef du gouvernement, disposant d'une équipe politique active et voulant jouer le rôle de champion du marxisme intégral et de la revanche sur l'impérialisme, s'apprête à afficher un « Non ! » qui sera une proclamation.

C'est le cas en Guinée. Le jeune, brillant et ambitieux Sékou-Touré me le fait bien voir. A peine ai-je atterri sur le terrain de Conakry que je me trouve enveloppé par l'organisation d'une république totalitaire. Rien, d'ailleurs, qui soit hostile ni outrageant à mon égard. Mais, depuis l'aérodrome jusqu'au centre de la ville, la foule régulièrement disposée des deux côtés de la route en bataillons bien encadrés obéit comme un seul homme aux ordres des responsables, crie d'une seule voix : « Indépendance! » et agite des banderoles innombrables où est inscrit ce seul mot. Au-devant, s'alignent des femmes, rangées centaine par centaine, dont chaque groupe porte des robes de coupe et de couleur uniformes, et qui toutes, au passage du cortège, sautent, dansent et chantent au commandement.

La « réunion de travail » a lieu à l'Assemblée territoriale où le président du Conseil a rassemblé ses militants. Sur un ton péremptoire, il m'adresse un discours fait pour sa propagande et coupé par des rafales bien rythmées de hourras et d'applaudissements. Il en ressort que la Guinée, jusqu'à présent opprimée et exploitée par la France, refusera toute solution qui comporterait autre chose que l'indépendance pure et simple. Je réponds nettement et posément que la France a fait beaucoup pour la Guinée; qu'il y en a des signes éclatants, par exemple celui-ci que l'orateur que je viens d'entendre a parlé en très bon français; qu'elle propose une Communauté de pays disposant d'eux-mêmes et pratiquant la coopération et que, malgré ses charges qui sont lourdes, elle fournira son aide à ceux qui en feront partie; que la Guinée est entièrement libre de dire « Oui! » ou de dire « Non! »; que si elle dit : « Non! » ce sera la séparation; que la France n'y fera certainement pas obstacle, mais qu'évidemment elle en tirera les conséquences.

Pendant l'entretien que j'ai ensuite avec Sékou-Touré et au cours de la réception que je donne au palais du Gouvernement, j'achève de mettre les choses au point. « Ne vous y trompez pas! » lui dis-je. « La République française à laquelle vous avez affaire n'est plus celle que vous avez connue et qui rusait plutôt que de décider. Pour la France d'aujourd'hui le colonialisme est fini. C'est dire qu'elle est indifférente à vos reproches rétrospectifs. Désormais, elle accepte de prêter son concours à l'État que vous allez être. Mais elle envisage fort bien d'en faire l'économie. Elle a vécu très longtemps sans la Guinée. Elle vivra très longtemps encore si elle en est séparée. Dans cette hypothèse, il va de soi que nous retirerons aussitôt d'ici notre assistance administrative, technique et scolaire et que nous cesserons toute subvention à votre budget. J'ajoute, qu'étant donné les liens qui ont uni nos deux pays, vous ne pouvez douter qu'un « Non ! », solennellement adressé par vous à la solidarité que la France vous propose, fera que nos relations perdront le caractère de l'amitié et de la préférence au milieu des États du monde ».

Le lendemain, allant retrouver l'avion par la route que j'ai prise la veille, je n'y vois plus âme qui vive. La même discipline imposée qui l'avait, hier, garnie d'une foule compacte l'a, aujourd'hui, totalement vidée. Ainsi suis-je fixé sur ce qui, demain, sortira des urnes. A Sékou-Touré, qui me salue à mon départ, je dis : « Adieu, la Guinée ! »

L'atmosphère est tendue à Dakar. Le président du Conseil Mamadou Dia et nombre de politiques s'abstiennent d'être là pour me recevoir. Dans les faubourgs et dans la ville que je traverse d'un bout à l'autre, la multitude est noyautée de groupes houleux et vociférants. Le maire Lamine-Gueye, qui se tient à côté de moi, s'en montre navré et atterré. Sur la place Protêt où je vais me faire entendre, sont brandies de multiples pancartes et poussées de violentes clameurs réclamant l'indépendance. Prenant tout de suite le taureau par les cornes, je m'adresse comme suit à ceux qui crient et s'agitent devant moi : « Un mot d'abord aux porteurs de pancartes ! S'ils veulent l'indépendance à leur façon, qu'ils la prennent le 28 septembre ! Mais, s'ils ne la prennent pas, alors, qu'ils fassent ce que la France leur propose : la Communauté franco-africaine ! Qu'ils la fassent en toute indépendance, indépendance de l'Afrique et indépendance de la France ! Qu'ils la fassent avec moi, pour le meilleur et pour le pire ! Qu'ils la fassent dans les conditions que j'ai évoquées d'une manière précise, en particulier l'autre jour à Brazzaville, conditions dont je n'admets pas qu'on mette en doute la sincérité !... Nous sommes à l'époque de l'efficacité, c'est-à-dire à l'époque des ensembles organisés. Nous ne sommes pas à l'époque des démagogues. Qu'ils s'en aillent, les démagogues, d'où ils viennent, où on les attend ! » A mesure que je parle, les banderoles se replient et les hurlements se taisent. Ce que j'expose ensuite au sujet de la coopération franco-africaine telle que doit l'instituer la Constitution de demain est largement applaudi. Quittant la tribune, je vois les visages des élus et des officiels éclairés de sourires optimistes.

De fait, après mon départ, les éléments politiques sénégalais, qui avaient d'abord marqué une forte opposition au projet, s'y rallient presque tous. Du même coup paraît acquis le vote positif du Soudan, malgré les réserves de son guide politique Madeira Keita. Au Niger, enfin, où Djibo Bakari, chef du gouvernement, de connivence avec Sékou-Touré, veut entraîner la masse vers le « Non ! » mais sans avoir pu, à temps, s'assurer des moyens de la dictature, un vigoureux mouvement d'opinion le laisse seul sur sa position. Bientôt, il sera contraint de s'enfuir au Ghana, tandis qu'Hamani Diori prendra la direction du pays.

Rentré à Paris le 29 août, après un nouveau séjour à Alger, je conclus de mon voyage, qu'à l'exception — sera-t-elle définitive? — de la seule Guinée, toutes nos colonies d'Afrique Noire et celle de Madagascar sont résolues à rester attachées à la France, tout en devenant maîtresses d'elles-mêmes. Mais j'ai pu voir aussi qu'il est grand temps que nous leur ouvrions la voie; qu'à refuser ou même différer de prendre cette initiative, nous irions partout aux plus graves affrontements; qu'au contraire, en le faisant, nous inaugurons une féconde et exemplaire entreprise.

Le référendum constitutionnel, triomphal en métropole, l'est davantage encore outre-mer. Sauf la Guinée, tous les territoires d'Afrique Noire et Madagascar votent : « Oui! » à des majorités qui dépassent 95 %. En décembre, les mêmes chiffres y sont atteints pour ma propre élection comme Président de la Communauté.

En Algérie, l'enjeu n'est naturellement pas le même. Car, au point où en sont encore les choses, il ne saurait être question que le référendum soit l'autodétermination. Toutefois, et sans préjuger de ce que sera plus tard le statut de l'Algérie, c'est une magnifique occasion d'y mettre en œuvre le collège unique, d'y faire pour la première fois voter les femmes comme les hommes, d'y donner aux musulmans le moyen de montrer, sans se compromettre, qu'ils n'envisagent nullement de rompre avec la France et qu'ils sont sensibles aux intentions du général de Gaulle. Malgré les consignes d'abstention données par le « Front », le fait est que, sur quatre millions et demi d'électrices et d'électeurs inscrits, trois millions et demi prennent part au scrutin; que les « Non! » sont en nombre infime; que si dans les villages l'influence des autorités s'est exercée pour qu'on se rende au scrutin, cette pression n'a pu jouer dans les grosses agglomérations où, pourtant, les pourcentages sont les mêmes qu'à la campagne; qu'enfin la « Commission de contrôle électoral », créée pour la circonstance, à la tête de laquelle se trouve la haute conscience de l'ambassadeur de France Henri Hoppenot, composée de personnalités choisies pour être impartiales et qui a installé des commissaires dans tous les secteurs, rapporte que le mouvement des musulmans vers les urnes est général, qu'ils votent partout librement et que, souvent, en le faisant, ils disent : « C'est pour de Gaulle! » En novembre, les élections législatives, bien que le concours des votants y soit moindre, que ne s'y présente et que, par suite, ne soit élu aucun membre du « Front », donnent lieu à de semblables constatations.

Cependant, je n'avais pas attendu ces résultats électoraux en Algérie, ni les interprétations diverses auxquelles ils devaient donner lieu, pour faire avancer les affaires autant que le permettaient les conditions du moment. Remettre entièrement sous la coupe de Paris l'autorité à Alger; montrer aux insurgés que la France visait la paix, une paix qu'elle voulait conclure, un jour, avec eux et dans laquelle elle comptait que l'Algérie lui resterait attachée; mais, en même temps, renforcer notre appareil militaire de telle sorte qu'en aucun cas rien ne pût nous empêcher sur place d'être maîtres de nos décisions, c'est à quoi je m'employai d'abord.

Pour que l'autorité nationale s'exerçât avec régularité, tout ce qui était important au sujet de l'Algérie était évoqué sous ma présidence au sein d'un Conseil restreint réunissant les ministres — et, tout d'abord, le Premier — les hauts fonctionnaires et les généraux directement intéressés ; René Brouillet, puis Roger Moris, ayant à centraliser les affaires comme secrétaire général. Les mesures que j'avais à prendre l'étaient donc en toute connaissance de cause.

C'est ainsi que disparaissait l'espèce de gouvernement parallèle que prétendait exercer localement, depuis le 13 mai, le Comité de Salut public d'Alger. En juillet, comme ce Comité déclarait s'opposer aux élections municipales prévues et qui, précisément, devaient avoir pour effet d'en finir avec ses interventions dans les communes, comme Salan le laissait faire et, même, me transmettait le texte de ses proclamations, je rappelais publiquement à l'ordre le délégué général et faisais connaître que l'aréopage du 13 mai n'ayant droit à aucune autorité, ses motions n'avaient aucune valeur, ni légale, ni administrative. Passant à Alger au mois d'août, je refusais d'accorder au Comité l'audience qu'il me demandait. En octobre, je prescrivais aux officiers et fonctionnaires qui en étaient membres de cesser d'en faire partie. Ils s'en retiraient aussitôt. Du coup, le Comité et ses succursales perdaient l'apparence d'instances officielles qu'ils s'étaient donnée. En décembre, le général Salan était rappelé en France et nommé Inspecteur général des armées. En janvier, ce poste ayant été supprimé, il deviendrait gouverneur militaire de Paris. Paul Delouvrier le remplaçait comme délégué général et le général Challe comme commandant en chef. Ces désignations mettaient un terme à la confusion du pouvoir civil et du commandement militaire, rendaient au premier sa prépondérance et, par voie de conséquence, rétablissaient les préfets dans leurs attributions.

Il n'y avait pas plus de temps perdu pour faire savoir à l'organisme dirigeant de l'insurrection que la voie serait ouverte à des négociations lorsqu'il aurait reconnu que c'est celle-là qu'il fallait prendre. Dès le 12 juin, j'avais convoqué Abderrahmane Farès, président de la défunte Assemblée algérienne, dont je savais que, sans prendre publiquement parti, il se ménageait le moyen de correspondre avec Ferhat Abbas, président du comité qui allait s'intituler le « Gouvernement provisoire de la République algérienne ». Je proposai tout de go à Farès d'entrer dans mon gouvernement à titre de ministre d'État. Il y serait pour participer aux mesures relatives au destin de l'Algérie, comme Houphouët-Boigny y était pour ce qui concernait l'avenir de l'Afrique Noire. Ainsi que je m'y attendais, Farès réserva sa réponse « jusqu'à ce qu'il ait consulté quelques personnes ». Il se rendit alors en Suisse avec mon agrément et revint quinze jours plus tard. Ce fut pour me dire que mon offre l'honorait grandement, bien qu'il ne pût l'accepter. Ce fut aussi pour me développer des vues, dont il ne me cacha pas qu'elles étaient celles de ses lointains amis et d'après lesquelles des négociations pourraient être un jour engagées au sujet des conditions politiques et militaires d'un cessez-le-feu, sans que fût au préalable exigée la reconnaissance de l'indépendance, mais dans le but d'y aboutir ensuite. Peu après, je revis Farès. « Sachez », lui dis-je, « que nous serions, le cas échéant, disposés à parler de tout. Encore faudrait-il qu'on parlât. Si donc, un jour, quelqu'un était qualifié pour venir le faire, il trouverait dans la métropole la discrétion et la protection voulues ». D'un côté comme de l'autre, il n'y eut pas, alors, de nouvelle communication. Mais une bonne action est-elle jamais perdue ?

Peut-être aussi ne le serait pas celle qui consistait à proposer « la paix des braves », ce que je fis avec éclat, le 23 octobre, au cours d'une conférence de presse. Je précisais qu'on pourrait y parvenir, soit pas des cessez-le-feu locaux réglés entre les combattants, soit par un accord négocié entre le Gouvernement français et « l'Organisation extérieure » qui dirigeait la rébellion. Il est vrai que le « Gouvernement provisoire algérien », à qui ses dissensions intérieures interdisaient, à ce moment, toute autre attitude qu'une intransigeance passive, accueillit mon offre par une fin de non-recevoir. Mais la proposition pacifique de la France avait retenti profondément dans les esprits.

Il en avait été de même, quelques jours auparavant, pour le Plan de Constantine. Ce titre couvrait des actions de développement dont l'ensemble était plus considérable, de beaucoup, que tout ce qui avait été fait jusqu'alors d'un seul tenant. Après des études précises, menées sur la base du rapport établi par le conseiller d'État Roland Maspetiol, le Gouvernement avait, en effet, arrêté les décisions et ouvert les crédits nécessaires pour qu'en cinq ans les conditions de vie des musulmans algériens soient profondément transformées. Au point de vue économique et social, une phase bien déterminée de la mise en valeur industrielle et agricole de l'Algérie devait être menée à son terme pendant ces cinq années-là : distribution de gaz saharien dans toutes les régions du territoire et, par ce moyen énergique, établissement de grands ensembles, soit chimiques, comme celui d'Arzew, soit métallurgiques, telle la sidérurgie de Bône ; importants travaux de routes, de ports, de transmissions, d'équipement sanitaire; construction de logements pour un million de personnes; attribution à des agriculteurs musulmans de 250 000 hectares de terres aménagées pour la culture; création de 400 000 emplois nouveaux. Dans le domaine de l'instruction, au cours du même espace de temps, la scolarisation serait effective pour les deux tiers des filles et des garçons, en attendant d'être achevée après les trois années suivantes. Dans la fonction publique, en France métropolitaine, sur la totalité des jeunes gens accédant à l'administration, à la magistrature, à l'armée, à l'enseignement, aux services, un sur dix serait obligatoirement un arabe ou un kabyle et, en Algérie même, on accroîtrait notablement la proportion des musulmans travaillant dans les mêmes branches. Pour que le Plan portât un nom qui fût significatif, c'est à Constantine, place de la Brèche, que le 3 octobre j'annonçais au grand public ce qu'allaient être ces progrès. Je soulignais qu'ils seraient les fruits de la coopération de la métropole et de l'Algérie. Enfin, parlant de l'avenir, je déclarais que « celui-ci ne pouvait être fixé d'avance et par des mots, mais que, de toute manière, l'Algérie bâtirait le sien sur deux piliers : sa personnalité à elle et sa solidarité avec la France ».

Aussitôt le Plan connu, l'exécution commençait partout, activement dirigée par Delouvrier. Je la suivais avec soin. Dès décembre, j'allai voir sur place où en étaient l'exploitation du pétrole à Edjelé et à Hassi-Messaoud et la construction du pipe-line vers Bougie. En raison de sa vocation sidérurgique, Bône avait aussi reçu ma visite.

Il n'y aurait pas non plus de relâchement dans l'effort militaire. Rien n'eût été pire, en effet, que quelque incident fâcheux où nous aurions eu le dessous. Or, tant que se maintenaient dans plusieurs régions des îlots de résistance actifs et organisés, un accrochage malheureux avec des pertes sérieuses en hommes et en armement était à tout moment possible et, dans ce cas, nul doute que l'insurrection se fût aussitôt embrasée de tous côtés. En nommant le général Challe Commandant en chef et en séparant au sommet l'action des forces et les affaires civiles, j'entendais que les opérations prissent une tournure dynamique et aboutissent partout à la maîtrise certaine du terrain. Challe était, par excellence, qualifié pour y parvenir. Avant qu'il partît pour Alger, j'avais étudié avec lui et approuvé son projet, qui consistait à porter l'offensive, en concentrant les moyens voulus, successivement sur chacune des « poches » rebelles, à les réduire l'une après l'autre et à tenir ensuite les emplacements, fussent-ils très inconfortables, où elles pourraient se reformer. Cela comportait le choix des unités qui auraient à mener les attaques et qu'il fallait faire sortir du « quadrillage » général, organiser spécialement, renforcer en hommes et en matériel et, notamment, doter massivement d'hélicoptères. Grâce à la diligence de Pierre Guillaumat, ministre des Armées, le nécessaire fut fait pour que la phase nouvelle et décisive pût commencer au printemps de 1959.

Ces mesures militaires étant naturellement secrètes ne touchaient pas l'opinion. Au contraire, la direction imprimée à l'évolution politique de l'Algérie commençait à provoquer des remous. En effet, l'orientation que découvraient peu à peu mes actes et mes propos n'inquiétait pas seulement sur place les partisans de l'intégration, elle agitait en même temps, en France même, nombre de gens appartenant aux milieux de « droite » et du « centre », qui, dans ce domaine aussi, tenaient d'instinct pour la conservation. Mais, chez ceux qui se disaient de « gauche », on se gardait également, quoique pour des raisons différentes, d'affirmer l'approbation; le parti communiste niant systématiquement que de Gaulle voulût finir la guerre; les autres, d'ailleurs divisés à l'intérieur d'eux-mêmes sur le sujet, s'abstenant d'adopter à mon égard une attitude confiante et « a fortiori » élogieuse, alors même qu'au fond ils fussent pour la plupart satisfaits de la tournure que prenaient les choses. Parmi les « gaullistes », il n'était certes pas de mise de douter ouvertement que la voie suivie fût la bonne. Mais, pour ne pas se formuler tout haut, les appréhensions n'étaient pas moins réelles jusqu'au sein de mon Gouvernement. Il va de soi que, comme d'habitude, aucun soutien ne me venait de l'ensemble de la presse, toujours confinée dans l'aigreur, la critique et la ratiocination. Du côté des musulmans, c'est par un mutisme obstiné, dû non point à l'indifférence — à preuve le référendum — mais à la prudence, que le grand nombre accueillait mes initiatives; les seuls à élever la voix étant ou bien au-dehors les propagandistes du « Front », ou bien à Paris les quelques fidèles de « l'Algérie française ». Il faut ajouter que l'étranger, bien qu'il suivît partout mon entreprise avec beaucoup d'attention et non sans étonnement, se partageait entre le scepticisme quant à ma sincérité ou à mes possibilités — c'était là la tendance de l'Occident — et la méfiance hostile qui inspirait à la fois les officiels du tiers monde et ceux du bloc totalitaire. Assurément, à l'intérieur de notre pays, les oppositions et les doutes n'étaient pas assez déclarés et rassemblés pour me faire réellement obstacle; à l'extérieur, on se résignait à n'avoir pas de prise sur mon action. Mais, s'il s'agissait de servir la France, elle seulement, elle tout entière, une impulsion qui fût assez forte ne pouvait venir que de moi.

Cependant, au long des années 1959 et 1960, les territoires d'Afrique et de Madagascar s'organisent en tant qu'États. Tous le font sur des bases et sous des formes démocratiques, à l'exception de la Guinée totalitaire, sortie de notre orbite et qui, dès lors, ne manquera pas, à défaut de notre concours, de recourir à ceux que lui offrent des étrangers : Union Soviétique, États-Unis, Allemagne, Grande-Bretagne, Ghana, également satisfaits, quoique pour des raisons diverses, de la voir s'éloigner de la France. Nos anciennes colonies du Continent noir, ainsi que la grande île de l'océan Indien, deviennent donc des Républiques, se votent une Constitution, élisent chacune un Président et un Parlement, mettent en fonction une administration. Cet avènement à la souveraineté a lieu partout sans incident notable dans l'euphorie habituelle des commencements. Il faut dire que nous aidons puissamment à la mise en marche; la Communauté jouant, à cet égard, son rôle de soutien et de transition. Sous ma présidence se réunit à Paris, en février, mars, mai, septembre 1959, le « Conseil exécutif », formé des chefs d'État, qui règle les multiples questions posées par le transfert des compétences. En juillet, c'est à Tananarive que je réunis le Conseil. La capitale me prouve par ses manifestations à quel point Madagascar est reconnaissant à la France de lui rendre l'indépendance passée tout en l'aidant à s'ouvrir l'avenir. A l'occasion de ce voyage, je fais de nouveau visite à la Côte française des Somalis et aux Comores ; territoires de la République, qui témoignent avec enthousiasme leur joie d'avoir choisi de l'être. Je vais aussi revoir la Réunion, notre ancienne île Bourbon, passionnément française aux lointains de l'océan Indien et qui me le démontre, cette fois encore, d'une inoubliable façon.

Le « Sénat de la Communauté », constitué par les délégations de notre Haute Assemblée et d'élus africains et malgaches, s'ouvre en ma présence en juillet au Luxembourg et donne à certains éléments politiques de France et des pays d'outre-mer l'occasion de débattre de sujets d'intérêt commun. Le 14 juillet, sur la place de la Concorde, treize chefs d'État reçoivent de mes mains le « drapeau de la Communauté » et assistent au défilé de nos troupes et des leurs. Enfin, c'est progressivement, sans manquer de solliciter et de suivre nos conseils, que les jeunes gouvernements assument leurs responsabilités. Encore, à leur demande, maintenons-nous dans leurs cadres nombre de

fonctionnaires, de techniciens, de professeurs, de médecins,
d'officiers.

L'apparition de ces nations, presque toutes à leurs
débuts, chacune assemblant des fractions ethniques très
différentes, à l'intérieur de frontières qui n'avaient été
tracées, au temps de la colonisation, que pour des considérations de partage entre États européens ou de commo-
dités administratives, pourrait conduire à un morcellement
désordonné après la disparition de nos anciennes « Fédérations » d'Afrique-Occidentale et d'Afrique-Équatoriale.
Mais il se forme entre voisines des groupements que nous-
mêmes aidons à naître et à fonctionner. C'est ainsi que,
dès janvier 1959, le Congo-Brazzaville, la République
Centrafricaine, le Tchad, le Gabon, auxquels se joindra
bientôt le Cameroun, concluent à Paris l'« Union doua-
nière équatoriale ». C'est ainsi qu'en avril le « Conseil
de l'Entente », qui comprend : la Côte-d'Ivoire, le Dahomey,
le Niger et la Haute-Volta, et dont plus tard se rapprochera
le Togo, établit des règles et une pratique communes dans
les relations de ces pays étendus du Sahara jusqu'au golfe
du Bénin. Il est vrai que la tentative du Sénégal et du
Soudan de se fondre en une fédération appelée « Mali »
échouera, parce que les dirigeants libéraux et démocrates
de Dakar redouteront d'être étouffés par les marxistes de
Bamako, que Senghor, Président de l'Assemblée fédérale,
rompra avec Modibo Keita, chef du Gouvernement, que
le Sénégal reprendra son nom tandis que le Soudan gardera
celui de Mali. Mais ensuite se constituera une « Organisation des États riverains du fleuve Sénégal », où travaille-
ront ensemble le Sénégal, le Mali, la Mauritanie et, même,
la Guinée. En outre, dans maintes régions africaines, la
navigation sur les fleuves, l'utilisation des accès maritimes,
la construction de voies ferrées et de routes, font l'objet,
avec notre concours, d'arrangements multilatéraux. Sur tout
l'ensemble de nos anciens territoires, les lignes aériennes
sont exploitées par une société unique « Air-Afrique ».
Plus tard sera instituée l'« Organisation commune afri-
caine et malgache » à laquelle, sauf les Guinéens, adhéreront

tous les francophones, y compris même en dernier ressort la Ruanda et le Congo-Léopoldville.

Mais, comme on devait s'y attendre, à mesure que les États s'établissent en droit et en fait, ils sont portés à affirmer de plus en plus nettement chacun sa personnalité. Aussi notre Constitution a-t-elle sagement prévu, quant à leurs rapports avec nous, non seulement au départ le régime de la « Communauté » qui place dans le domaine commun les affaires étrangères, la monnaie, la défense, la Cour de cassation et l'enseignement supérieur, mais aussi, en vue de la suite, celui de l'« Association », en vertu duquel en tous domaines, et notamment en ceux-là, les engagements de coopération sont pris par traités spéciaux. Vers la fin de 1959, c'est le régime de l'Association que les nouvelles républiques sont, l'une après l'autre, amenées à nous proposer.

Les premières à le faire sont Madagascar et le Mali, celui-ci groupant encore à ce moment le Sénégal et le Soudan. Comme cette transformation est de droit, qu'elle ne comporte pour nous aucun dommage, qu'elle ne fait que modifier la forme sans nullement changer le fond de la solidarité franco-africaine, nous l'acceptons volontiers. Le 11 décembre, après être passé à Nouakchott, j'arrive à Saint-Louis pour y présider, le lendemain, le Conseil exécutif de la Communauté. Là, vivement encouragé par le Premier Ministre Michel Debré qui se trouve à mes côtés, je donne publiquement à entendre que la France est prête à approuver ce qui lui est demandé. Cependant, je dis aux chefs d'État réunis autour de moi, comme les pèlerins d'Emmaüs le disaient au voyageur : « Restez avec nous ! Il se fait tard ! La nuit descend sur le monde ! » Le 13 décembre, à Dakar, parlant à l'Assemblée générale du Mali, j'annonce officiellement que nous, Français, sommes d'accord pour que l'Association remplace la Communauté, ce qui déclenche, de la part des autres États, des démarches dans le même sens. Entre-temps, d'ailleurs, les Nations Unies ont, avec notre assentiment, levé la tutelle dont nous étions chargés sur le Togo et le Cameroun, reconnu leur entière souveraineté internationale et intro-

duit dans son sein leurs délégations, tandis que ces deux
pays nous demandent de maintenir avec nous, par voie
d'accords, des rapports très étroits. L'année 1960 va donc
être employée à conclure des traités de coopération pour
l'économie, l'enseignement, la culture, la défense, les
communications, la condition des personnes et des biens,
etc., avec quatorze États dont six : Madagascar, le Sénégal,
le Congo-Brazzaville, le Tchad, la République Centrafricaine
et le Congo, n'en voudront pas moins rester en titre
membres de la « Communauté ». Au mois de mai est précisé
à ces divers égards, par la voie parlementaire, le texte de
la constitution.

Ainsi s'édifie décidément entre la France, d'une part,
une importante partie de l'Afrique et Madagascar, d'autre
part, un ensemble d'hommes, de territoires, de ressources,
dont la langue commune est le français, qui au point de
vue de la monnaie constitue la « zone franc », où les produits
de toute nature s'échangent sur la base de la préférence,
où on se consulte régulièrement sur les sujets politiques
et diplomatiques, où, en cas de péril, on se porte mutuellement secours, où sont conjugués les transports maritimes
et aériens et les réseaux du télégraphe, du téléphone et de
la radio, où chaque citoyen se sait et se sent, d'où qu'il
vienne et où qu'il se trouve, non point du tout un étranger,
mais quelqu'un qui est bien vu, bienvenu et, dans une
large mesure, chez lui.

Pour que ces rapports nouveaux soient couronnés au
sommet et conformes à ce qui est pour moi un devoir, un
honneur et un plaisir, j'entretiens avec les chefs d'État
des relations personnelles d'amitié. Un secrétariat général,
qui est initialement celui de la « Communauté » ayant à
sa tête successivement Raymond Jannot et Jacques
Foccart et devient ensuite celui des « Affaires africaines
et malgaches », est, pour traiter celles-ci, l'instrument de
travail, l'organisme de liaison avec le Gouvernement, le
centre de correspondance, que j'ai besoin d'avoir auprès
de moi. C'est là, notamment, que se préparent et se règlent
les voyages officiels auxquels les chefs d'État sont conviés
et les fréquentes visites qu'ils me font à l'occasion de leurs

séjours et de leurs passages en France. Entre juillet 1960 et juin 1962, tous sont reçus solennellement à Paris. En outre, j'ai près de deux cents entretiens avec les uns et les autres.

De cette façon, Modibo Keita, Maurice Yameogo, Hubert Maga, Sylvanus Olympio, Fulbert Youlou, David Dacko, qui se trouvent à cette époque à la tête respectivement du Mali, de la Haute-Volta, du Dahomey, du Togo, du Congo, de la République Centrafricaine, sont fort bien connus de moi et, j'ajoute, hautement appréciés. Mais ceux qui, en vertu des circonstances et de leur personnalité, sont destinés à rester chefs d'État tant que je le serai moi-même deviennent mes familiers.

Ainsi d'Houphouët-Boigny, en Côte-d'Ivoire, cerveau politique de premier ordre, de plain-pied avec toutes les questions qui concernent non seulement son pays, mais aussi l'Afrique et le monde entier, ayant chez lui une autorité exceptionnelle et, au-dehors, une indiscutable influence et les employant à servir la cause de la raison. Ainsi de Philibert Tsiranana, qui déploie tout son bon sens et toute sa persévérance pour conduire Madagascar dans la voie du progrès moderne, pour lier la grande île au continent africain tout en l'en maintenant distincte, pour la mettre à l'abri des intrusions asiatiques. Ainsi de Léopold Senghor, ouvert à tous les arts et, d'abord, à celui de la politique, aussi fier de sa négritude que de sa culture française et qui gouverne avec constance le remuant Sénégal. Ainsi de Hamani Diori, Président du Niger, qui, à l'image de son pays où se joignent le désert et la savane, sait unir les vues lointaines et le sens pratique dans l'action qu'il mène au-dedans et au-dehors. Ainsi de Ahmadou Ahidjo, surmontant magistralement les complexités ethniques, religieuses, linguistiques et économiques du Cameroun, grâce à la prudence qu'il applique à l'intérieur et à la réserve qu'il observe à l'extérieur. Ainsi de Léon M'Ba, modèle de fidélité dans son attachement à la France et de dévouement au Gabon qu'il aura vu, avant de mourir, émerger d'une accablante misère et marcher vers la prospérité. Ainsi de François Tombalbaye, qui a pour mission de rassembler le Tchad au milieu des courants qui traversent le cœur de l'Afrique et que son ombrageuse passion maintient à la hauteur de la tâche. Ainsi de Moktar-Ould-Daddah, dont l'habileté se prodigue pour nous amener à tirer de dessous le sol pauvre de la Mauritanie les minerais qui l'enrichissent, tout en lui conservant son caractère de fière solitude. Au total, ces peuples africains et malgaches, que la France, en les colonisant, avait ouverts à tous les génies, bons et mauvais, des temps modernes, accèdent sans grave secousse à la liberté humaine et à la souveraineté nationale. Peut-être les amicales relations que le général de Gaulle entretient avec leurs chefs d'État y sont-elles pour quelque chose.

Cependant, leur accession à l'indépendance avec le concours de la France ne peut manquer d'entraîner sur la situation algérienne de profondes répercussions. Le sentiment qu'il y a là le signe d'une évolution générale et qui, après tout, peut être satisfaisante fait travailler les esprits. Sans doute une grande partie des colons et certains militaires sur place, ainsi que les gens qui, en métropole, encouragent leurs exigences, n'en sont-ils que plus portés à compter sur l'intransigeance pour briser la force des choses. Mais, chez les musulmans, on se demande : « Ce que la France fait pour les Noirs, ne le fera-t-elle pas pour nous? » Dans notre pays, la même idée gagne le sentiment populaire. Quant à moi, constatant dans toutes nos anciennes dépendances ce que sont les réalités psychologiques et politiques, quelles révoltes s'y lèveraient si nous refusions d'admettre ce qui est à la fois équitable et inéluctable et, au contraire, quelles perspectives de féconde coopération y sont ouvertes devant nous, je me sens confirmé, au sujet de l'Algérie, dans la conception que j'ai du problème et de sa solution. En tout cas, par-dessus tout, il me faut parvenir à dégager la France de charges et de pertes dont, autrement, le poids ira toujours croissant, tandis que les avantages qu'elle en tirait autrefois ne sont plus que de vides apparences. Mais, pour parvenir au but, que de chemin à parcourir! Encore dois-je le faire pas à pas.

L'année 1959 est employée à gagner du terrain. Le 8 janvier, venant assumer à l'Élysée mes fonctions de Président de la République, j'évoque dans mon allocution l'avenir de l'Algérie « pacifique, transformée, développant elle-même sa personnalité et étroitement associée à la France ». Le jour même, je prends des mesures de détente. Sept mille des musulmans détenus en Algérie sont remis en liberté. Tous les rebelles condamnés à mort voient leur peine commuée. Ben Bella et ses compagnons, qui avaient été naguère arrêtés à Maison-Blanche à la suite du détournement de l'avion qui les transportait vers Le Caire, quittent la prison de la Santé. Ils seront désormais gardés à l'île d'Aix dans des conditions honorables. Messali Hadj, vieux champion de l'indépendance, qui était assigné à résidence dans la métropole, est entièrement libéré. Le 25 mars, dans la première conférence de presse que je tiens à l'Élysée, je réponds à quelqu'un qui me demande si l'Algérie restera française : « La France, tout en s'efforçant d'aboutir à la pacification, travaille à la transformation où l'Algérie trouvera sa nouvelle personnalité ». Peu après, m'entretenant avec Pierre Laffont, directeur de *L'Echo d'Oran*, je dis : « Ce que veulent les activistes et ceux qui les suivent, c'est conserver « l'Algérie de papa ». Mais « l'Algérie de papa » est morte! On mourra comme elle si on ne le comprend pas ». A l'occasion de chacun des voyages que je fais successivement dans le Sud-Ouest, le Centre, le Berri, la Touraine, le Massif Central, je ne manque pas de tenir aux foules des propos du même genre. Par exemple, je déclare à Saint-Étienne : « Je ne préjuge pas de ce que sera demain l'Algérie... Mais il faut vouloir que la transformation humaine s'y fasse, et s'y fasse avec la France ». Entre-temps, des musulmans prennent la tête d'un grand nombre de communes algériennes, notamment de la ville d'Alger, à la suite des élections municipales qui ont lieu au mois de mai sur la base du collège unique et deviennent, en juin, la grande majorité des sénateurs algériens lors de leur renouvellement.

Bien entendu, mes déclarations et les faits qui les accompagnent ébranlent profondément ce qui paraissait immuable. Il en résulte un durcissement de l'opposition qui, à Alger, réaffirme que « la seule solution est l'extermination totale des hors-la-loi ou leur reddition sans condition » et s'efforce d'organiser des manifestations bruyantes, en particulier pour l'anniversaire du 13 mai. Chez les musulmans, commencent à apparaître quelques signes positifs. C'est ainsi que, le 1er mai, Ferhat Abbas déclare à Beyrouth : « Nous sommes prêts à rencontrer le général de Gaulle en terrain neutre, sans préalable... Nous discuterions avec le Gouvernement français... Il n'est pas exclu que le Front de libération nationale envoie une délégation à Paris ». C'est ainsi que, parmi les élus musulmans, la plupart des nouveaux sénateurs publient « qu'ils adhèrent entièrement à ma politique », que Chibi Abdelbaki Mosbah, député de Bône, dépose une proposition de loi tendant à constituer en Algérie une « commission d'apaisement et de réconciliation » destinée à s'interposer entre les combattants, que Ali Khodja, Président de la Commission départementale d'Alger, exprime publiquement le souhait « que l'on ouvre le dialogue avec le Front national de libération en vue du cessez-le-feu ». Dans les milieux politiques français, bien qu'on ne s'empresse pas d'adopter ouvertement la même tendance et le même vocabulaire que moi, la confiance de principe qu'une large fraction professe à mon égard et, de la part de plusieurs autres, des calculs d'opportunité font prévaloir l'opinion « qu'il faut laisser faire ,de Gaulle ». Seuls refusent leur consentement les communistes toujours de parti pris et, à l'autre bout du tableau, le groupement de plus en plus isolé et passionné d'éléments que réunissent pêle-mêle soit l'attachement traditionnel à « l'Algérie française », soit des raisons locales d'intérêt, soit des rancunes datant de l'époque de Vichy. Mais, dans le grand public, le sentiment se répand que de Gaulle suit la bonne voie pour sortir d'une situation dont on veut voir la fin. Ce profond sentiment populaire n'est assurément que très peu et très mal exprimé par ceux qui parlent ou qui écrivent, mais en fait il ne cessera plus d'orienter les attitudes.

Là-dessus commence l'offensive dirigée par le général Challe contre les poches de la rébellion. La première phase, en mars et avril, se déroule en Oranie où commande le général Gambiez. Elle est portée sur le massif de Frenda, la partie occidentale de l'Ouarsenis, celle du Dahra, et aboutit à la destruction d'une bonne moitié des « katibas » qui y sont embusquées. En mai et juin, dans l'Algérois, sous les ordres du général Massu, l'Est de l'Ouarsenis et les hauteurs qui, près de Médéa, de Blida et de Miliana, enveloppent la capitale sont à leur tour le théâtre de vifs combats. Là aussi, les résultats sont bons. La Grande et la Petite Kabylie — « les deux « jumelles » — vont être ensuite attaquées. Comme c'est une très importante zone-refuge de l'adversaire et qui empiète sur les deux Corps d'armée d'Alger et de Constantine, impartis aux généraux Massu et Olié, le général Challe exerce lui-même le commandement. Il le fait avec beaucoup d'autorité, de méthode et d'efficacité. L'opération débute par une pénétration profonde réalisée par surprise dans le Hodna, vaste massif par où, de crête en crête, de ravin en ravin et de forêt en forêt, les insurgés des deux Kabylies se tiennent en liaison avec ceux des Aurès et des Nementchas. Cela fait, la citadelle kabyle est investie à son tour.

A la fin du mois d'août, je vais voir les troupes et leurs chefs à l'Ouest, au Centre et à l'Est de l'Algérie. Pierre Guillaumat et le général Ely m'accompagnent. Sur place m'attendent Challe et Delouvrier. Le 27, j'arrive à Saïda d'où je rayonne par hélicoptère pour me poser en divers points de l'Ouarsenis et du Dahra et prendre contact avec les éléments qui sont maintenant implantés au cœur de ces massifs. Le 28, j'en fais autant dans l'Ouarsenis algérois, puis dans le Hodna, entre M'Sila et Bordj-Bou-Arréridj. Le 29, en voiture ! pour l'inspection de tout le barrage sur la frontière tunisienne depuis Tébessa jusqu'à la mer. Le 30, par Tizi-Ouzou, me voici en Grande Kabylie, d'abord à Tizi-Hibel où stationnent les unités de réserve de l'opération « Jumelles », puis dans le Djurdjura, au col de Chellata. C'est là qu'au printemps fut tué le fameux chef rebelle Amirouche. C'est là aussi, à 1 800 mètres d'altitude, que Challe a installé son poste de commandement, forêt d'antennes de radio grâce auxquelles il se tient continuellement au courant de la marche et du combat des commandos de chasse, des parachutistes et des légionnaires épars sur les sommets et les pentes de ces montagnes incroyablement creusées et tourmentées. Ainsi est-il en mesure d'envoyer à chaque instant aux points voulus des renforts héliportés tenus prêts en permanence et de régler tout accrochage sans délai. Après une dernière halte au col des Chênes je retourne à Paris.

Comme toujours, le contact pris directement avec les gens, là où ils opèrent, a précisé dans mon esprit des données que tous les comptes rendus n'éclairaient qu'insuffisamment. Il est maintenant pour moi évident que, si nous ne nous abandonnons pas, l'insurrection est et restera impuissante à maîtriser l'Algérie. Mais il ne l'est pas moins qu'elle peut et pourra indéfiniment entretenir ou faire renaître sa résistance dans des zones appropriées grâce à la complicité générale de la population. A ce sujet, divers indices m'ont frappé. Partout où je suis passé dans le bled, les paysans que les militaires avaient rassemblés devant moi se tenaient pleins de déférence, mais muets et impénétrables. Cependant, à Tizi-Ouzou, agglomération trop nombreuse pour qu'on pût, d'autorité, en réunir les habitants, presque personne n'était là, en dépit de force haut-parleurs qui annonçaient mon arrivée. Dans un village kabyle que l'on me faisait visiter et dont, manifestement, on s'efforçait qu'il soit un modèle, mon entrée à la maison commune était saluée de vivats, la municipalité se confondait en hommages, les enfants de l'école entonnaient *La Marseillaise*. Mais, au moment où j'allais partir, le secrétaire de mairie musulman m'arrêtait, courbé et tremblant, pour murmurer : « Mon Général, ne vous y laissez pas prendre ! Tout le monde, ici, veut l'indépendance ». A Saïda, où l'héroïque Bigeard me présentait le « commando Georges » formé de fellaghas faits prisonniers et ralliés, j'avisai un jeune médecin arabe affecté à cette formation : « Eh bien ! docteur, qu'en pensez-vous ? » — « Ce que nous voulons, nous autres, ce dont nous avons besoin », me répondit-il, les yeux remplis de larmes, « c'est d'être responsables de nous-mêmes et qu'on ne le soit pas pour nous ». Je suis donc plus certain que jamais que, malgré la supériorité écrasante de nos moyens, ce serait perdre inutilement nos hommes et notre argent que de prétendre imposer « l'Algérie française », que la paix ne peut résulter que d'initiatives politiques allant dans un autre sens et que la France peut et doit les prendre.

D'autre part, j'ai pu vérifier qu'à poursuivre indéfiniment une lutte chimérique nous mettrions en cause l'âme même de notre armée et, à travers elle, notre unité nationale. La nature des opérations conduit, en effet, à diviser nos forces en deux fractions de plus en plus distinctes. Tandis que la masse principale, soit plus de 400 000 hommes, est employée à occuper les villes et les campagnes et à défendre les barrages des frontières, ce sont des troupes spécialisées qui mènent les actions offensives. Challe y affecte, d'abord, les 10e et 25e Divisions parachutistes et les Commandos de l'Air qui arment les hélicoptères. Un peu plus tard, il y joint la 11e Division d'infanterie à base de légionnaires et de tirailleurs. Cela fait, au total, 40 000 combattants, à peine plus que n'en comptent les katibas qui leur sont opposées. Ces unités de choc, formées de volontaires et de militaires de carrière, dotées d'un matériel de choix, constamment engagées à part, attirant dans leurs rangs une élite d'officiers et de gradés, se font comme un apanage de leur rôle et de leur combat. Cadres et soldats en sont fiers, et à juste titre. Car il s'agit d'une lutte, à coup sûr périlleuse, souvent décevante, parfois épuisante, mais consistant en continuels affûts, quêtes, traques, surprises, débuscades, dérobades, poursuites, hallalis, qui ne manquent jamais d'imprévu ni d'attrait technique. Mais il s'agit aussi d'une sorte de croisade où se cultivent et s'affirment, dans un milieu tenu à l'écart, les valeurs propres au risque et à l'action. Pour profondément sensible et sympathique que je sois à cet ensemble concentré de qualités militaires, il me faut discerner combien il pourrait être tentant pour l'ambition dévoyée d'un chef de s'en faire, un jour, un instrument pour l'aventure.

A dessein, c'est donc aux officiers des « Forces d'intervention » réunis autour de moi au poste de commandement de Challe que j'ai révélé ce que serait l'étape prochaine de mon plan, sachant bien que mes paroles allaient être soigneusement notées et répandues. Ayant exprimé ma vive satisfaction quant à ce que mon inspection m'avait permis de constater au point de vue militaire, je déclarais que, « si la réussite des opérations en cours était, en tout état de cause, essentielle, le problème algérien ne serait pas pour autant résolu,... qu'il ne pourrait l'être, un jour, qu'à condition d'avoir les Algériens d'accord avec nous, ... que nous ne les aurions jamais que s'ils le voulaient eux-mêmes,... que l'ère de l'administration par les Européens était révolue,... que nous nous trouvions aux prises avec ce drame à une époque où tous les peuples colonisés de la terre étaient en train de s'affranchir, ... que nous ne devions donc agir en Algérie que pour l'Algérie et avec l'Algérie et de telle sorte que le monde le comprenne, ... que c'était l'intérêt de la France, le seul qui dût nous importer ». Je concluais : « Quant à vous, écoutez-moi bien ! Vous n'êtes pas l'armée pour l'armée. Vous êtes l'armée de la France. Vous n'existez que par elle, pour elle et à son service. Or, celui que je suis, à son échelon, avec ses responsabilités, doit être obéi par l'armée pour que la France vive. Je suis sûr de l'être par vous et vous en remercie pour la France ». C'était donc faire entrevoir à mes auditeurs ma décision de reconnaître le droit de l'Algérie à l'auto-détermination. C'était aussi requérir à l'avance leur discipline. Au commandant en chef, en présence du ministre des Armées, du chef d'état-major général et du délégué-général en Algérie, je précisai ensuite explicitement ce que j'allais, peu après, publier. Challe me répondit : « C'est jouable ! » et m'affirma qu'en tout cas je pourrais compter sur lui.

Le 16 septembre 1959, par ma voix, la France annonçait son intention de remettre aux Algériens le destin de l'Algérie. Suivant moi, ce destin pourrait être : ou bien la sécession complète par rapport à la France qui, alors, « cesserait de fournir à l'Algérie tant de valeurs et tant de

milliards », ne ferait désormais plus rien pour l'aider à
éviter « la misère et le chaos » et « prendrait les mesures
voulues pour le regroupement et l'établissement de ceux
des Algériens qui voudraient rester Français » ; ou bien
« la francisation », par laquelle « les Algériens deviendraient
partie intégrante du peuple français », recevraient l'entière
égalité des droits politiques, économiques et sociaux,
« résideraient où bon leur semblerait sur tout notre territoire » ; ou bien « le Gouvernement des Algériens par les
Algériens », Gouvernement appuyé sur l'aide de la France,
fondé sur le suffrage universel, pouvant certainement
inclure « l'actuelle organisation politique du soulèvement »,
mais ne lui attribuant pas « le privilège de s'imposer par le
couteau et la mitraillette ». Je constatais que l'Algérie ne
serait en mesure de disposer d'elle-même qu'après de
nouveaux progrès de la pacification, lesquels s'étendraient
sans doute sur plusieurs années, et qu'en attendant la
France continuerait l'effort qu'elle fournissait pour sa
transformation.

Le pas décisif était franchi. Assurément, avant que tout
fût réglé, il y aurait encore des délais, des combats, des
crises, des marchandages. Mais la France proclamait que
c'était aux Algériens, c'est-à-dire en fait aux musulmans,
qu'il appartenait de choisir ce qu'ils seraient ; elle ne prétendait pas en décider à leur place sous couvert de « l'Algérie française » ; elle prévoyait et admettait que l'Algérie
deviendrait un État et, cela fait, envisageait aussi bien de
s'en désintéresser totalement que de lui prêter sa coopération. Le 10 novembre, au cours d'une conférence de
presse, je confirmais la position prise. Je réitérais l'offre
déjà faite aux dirigeants de l'insurrection de discuter avec
le Gouvernement français, en toute sécurité, « les conditions
politiques et militaires de la fin des combats ». En même
temps, je citais quelques chiffres relatifs, soit à la pacification : deux fois moins d'exactions chaque mois et deux
fois moins de victimes civiles qu'il n'y en avait deux ans
plus tôt ; soit aux investissements financés directement par
le trésor français : deux cents milliards de francs anciens
dans l'année, trois cents milliards l'année prochaine ; soit

au développement du pays par rapport à ce qu'il était avant
le début de la rébellion : accroissement de 50 % de la production agricole, doublement de la consommation électrique, des échanges extérieurs, de la scolarité, quadruple-
ment du nombre des logements construits, quintuplement
des travaux de route, décuplement des implantations
d'usines ; soit à l'arrivée jusqu'au port d'embarquement de
Bougie du pipe-line du pétrole saharien, ce qui assurait,
désormais, à l'Algérie les ressources financières de base
dont elle avait toujours manqué.

Comme le catalyseur jeté dans le liquide bouillant y
précipite la cristallisation, ainsi la position prise par moi quant
à l'autodétermination provoque dans l'opinion la séparation
radicale des tendances. Dans la métropole, l'approbation
l'emporte massivement. J'en ai la preuve au cours du
voyage que je fais à la fin de septembre dans le Nord et le
Pas-de-Calais. Partout où j'y évoque ma décision, l'enthousiasme des foules se déchaîne. Déjà, les ministres, à qui
j'ai indiqué en Conseil le 26 août, à la veille de mon inspection militaire en Algérie, et précisé le 16 septembre avant
de prononcer mon allocution publique ce que je compte
déclarer, se sont montrés, dans leur ensemble, très favorables. Le 16 octobre, l'Assemblée Nationale, où le Premier
Ministre a fait ouvrir sur le sujet un débat dont lui-même
a demandé qu'il se terminât par un vote, exprime sa
confiance à une énorme majorité. Mais, en même temps, se
dressent avec virulence tous ceux qui sont résolus à faire
échouer mes projets.

En Algérie, excitant et exploitant l'émotion des Français
de souche, les activistes, dans les palabres qu'ils tiennent
et les tracts qu'ils répandent, parlent déjà de s'insurger.
Un « Front national français » s'y organise dans une semi-
clandestinité sous la direction d'Ortiz. « Il nous faut une
Charlotte Corday ! » crie, au cours d'une réunion, un orateur
vivement applaudi. Le grand journal des pieds-noirs,
L'Écho d'Alger, qui par la plume de son directeur Alain
de Sérigny avait jusqu'alors montré à mon endroit des dispositions modérées, adopte maintenant le ton le plus
hostile. Bon nombre des députés d'Algérie multiplient

d'âpres diatribes. Dans le bouillon de culture algérois, des fonctionnaires et des officiers entretiennent maints contacts fâcheux pour leur loyalisme. « On pourrait trouver », chuchote-t-on dans leurs bureaux ou leurs mess, « le moyen d'obliger le Général à venir à résipiscence ». En France même, Georges Bidault, avec quelques parlementaires, fonde le « Rassemblement pour l'Algérie française », où se montrent incontinent les agitateurs habituels des groupements dits « d'extrême-droite ». En décembre, l'ancien Président du Conseil entreprend en Algérie une série de conférences qui contribuent à ameuter les passions. A Paris, les propos et les articles où le maréchal Juin, natif de Bône, marié à Constantine, vieil officier de l'armée d'Afrique, exprime sa mélancolie, ceux où le général Weygand utilise l'occasion pour exhaler les rancœurs de Vichy, alimentent la malveillance de certains cercles, journaux, salons, états-majors. Bref, au début de 1960, à mesure que s'accentue l'adhésion nationale, on voit se former, au contraire, à l'horizon algérien le nuage précurseur d'un orage.

Celui-ci éclate, en effet. L'incident qui fait tomber la foudre est un entretien qu'un journaliste allemand a, dans le courant de janvier, obtenu par surprise du général Massu, commandant le Corps d'armée d'Alger où il est très populaire, et dans lequel ce valeureux soldat, mon compagnon de toujours, s'est laissé aller à déblatérer à l'encontre de ma politique. Bien que je comprenne que celle-ci puisse chagriner un homme comme celui-là — si je la fais, en suis-je moi-même heureux ? — bien que je mesure l'influence qu'exerce le milieu qui l'entoure, bien que je tienne compte du démenti partiel et surtout de l'assurance de fidélité qu'il a pris sur lui de publier, j'estime nécessaire de sanctionner son incartade. Il est appelé à Paris d'où il ne retournera pas à Alger. Comme, sur les entrefaites, Challe assiste le 22 janvier à un Conseil sur l'Algérie que je tiens à l'Élysée, je lui notifie la mutation de Massu. En dépit des objurgations du commandant en chef qui fait valoir les risques d'explosion et parle de prendre sa retraite, je maintiens ma décision.

De fait, les activistes civils et militaires d'Alger se saisissent de ce prétexte pour déclencher l'action qu'ils avaient préparée. Le 23, Pierre Lagaillarde, député à l'Assemblée Nationale, jeune homme d'action et de tribune qu'acclament les étudiants dont il préside l'association, occupe les Facultés à la tête d'une troupe nombreuse de manifestants, dont beaucoup qui appartiennent aux « Unités de défense territoriales », sorte de milice « pieds-noirs » créée en 1954, sont en armes et en uniforme. Lagaillarde lui-même porte sa tenue d'officier de réserve. Alors s'organise une citadelle, dont les occupants, retranchés dans les locaux et les souterrains, mettent l'université en état de défense, observent la discipline militaire et jurent de faire de la place le réduit de « l'Algérie française ». D'autre part, des mots d'ordre appellent la population à se réunir dans l'après-midi du lendemain, qui est un dimanche, au centre de la ville sur le « Plateau des Glières », pour démontrer qu'on est solidaire des « défenseurs » des Facultés et faire pression sur les autorités.

Celles-ci, pourtant, prennent des mesures pour dégager le « Plateau » où s'assemble une foule considérable, française d'ailleurs dans sa quasi-totalité. Deux colonnes, l'une de gardes mobiles, l'autre de parachutistes, doivent converger sur la place et disperser les manifestants. La première exécute sa mission, mais, au moment où elle débouche, est prise sous le feu de groupes armés, subit des pertes graves en tués et en blessés et riposte par une rafale qui fait tomber plusieurs civils. Cependant, les parachutistes ne sont pas intervenus, ce qui donne aussitôt l'impression que le loyalisme d'une partie, au moins, des forces de l'ordre n'est plus désormais assuré. Du coup et tandis que bouillonne le chaudron algérois, l'émotion et l'inquiétude se répandent dans la métropole et jusqu'au sein du Gouvernement. Pour moi, qui crois que les émeutiers n'ont pour but, dans l'immédiat, que de me contraindre à revenir sur l'autodétermination, je suis résolu à vider l'abcès, à ne faire aucune concession et à obtenir de l'armée une entière obéissance.

C'est ce que j'indique brièvement à la radio le 25 janvier,

qualifiant l'événement de la veille comme « un mauvais coup porté à la France », exprimant ma confiance à Delouvrier et à Challe et déclarant que « je ferai mon devoir ». Les jours suivants sont marqués d'une lourde incertitude. Le général Challe, qui a d'abord réagi comme un chef, condamné publiquement le désordre, affirmé qu'il le réprimerait, rassemblé d'importants renforts, placé un cordon de troupes autour de l'université pour l'isoler de la population, change ensuite d'attitude, s'absorbe en consultations de militaires et de civils, ne fait rien pour réduire Lagaillarde et ses gens et les laisse communiquer à leur gré avec la ville. Mais aussi, il donne à entendre à Paris qu'il va falloir composer. A Michel Debré, qui s'est rendu à Alger en compagnie de Pierre Guillaumat dans la nuit du 25 au 26, il le dit et le fait dire par un lot de colonels réunis pour la circonstance. Il m'en envoie le lendemain deux ou trois à l'Élysée pour que ce me soit répété. En fin de compte, comme Paul Delouvrier, craignant d'être soudain emporté par quelque hourvari, se résout, le 28 janvier, à se retirer d'Alger et à gagner Reghaïa, d'où il adresse à la ville une émouvante adjuration, le général en chef quitte son poste de commandement et accompagne le délégué-général. Ce jour-là même, il donne au général Ely, qui vient le voir de ma part et lui fixe la conduite à suivre, tous les signes de l'irrésolution. Pendant ce temps, les forces de l'ordre tergiversent ; une espèce de kermesse scandaleuse, mélangeant les insurgés, des civils et des soldats, se déroule sur les barricades autour des Facultés ; enfin Alger, en grève, sans transports, magasins fermés, paraît glisser à la dissidence. Mais, sans méconnaître la possibilité du pire, j'ai l'impression que, dans tout cela, il y a vis-à-vis de moi essai d'intimidation plutôt qu'ardeur à en découdre. Ayant laissé pendant quelques jours l'agitation « cuire dans son jus », je sens le moment venu d'en finir avec cette affaire en dissipant toute illusion.

Le 29 janvier, me voici donc de nouveau au micro et sur l'écran. J'ai revêtu l'uniforme. Pour l'essentiel, mon propos consiste, en premier lieu, à confirmer que « les Algériens auront le droit de choisir leur destin » et que « l'autodétermination, définie par le chef de l'État, décidée par le Gouvernement, approuvée par le Parlement, adoptée par la nation française, est la seule issue possible ». Puis, je m'adresse « à la communauté de souche française en Algérie » pour apaiser ses angoisses, à l'armée pour l'appeler à observer la discipline et lui donner l'ordre formel de faire en sorte que « force reste à la loi », enfin « à mon vieux et cher pays », la France, pour « lui demander de me soutenir quoi qu'il arrive ». Je termine en disant : « Tandis que les coupables, qui rêvent d'être des usurpateurs, se donnent pour prétexte la décision que j'ai arrêtée au sujet de l'Algérie, qu'on sache partout, qu'on sache bien, que je n'y reviendrai pas ! »

L'effet produit est immédiat. En France, tous les indices attestent une approbation générale. A Alger, où mon discours a été écouté sous un orage qui paraît symbolique, chaque Français comprend que les aventuriers doivent, ou bien se soumettre, ou bien aller aux extrémités vers lesquelles fort peu de gens se soucient de les accompagner. Dès lors, ceux qui commandent prennent décidément leur parti. Dans la journée du 30, le général Gracieux, placé par Challe à la tête du secteur d'Alger et à qui le général Crépin, successeur de Massu, donne des ordres formels, fait évacuer par la troupe les abords des Facultés et, ainsi, bloquer les rebelles ; ce que voyant, nombre d'entre eux quittent les lieux et viennent se rendre. Après quoi, ceux qui restent, sommés d'en faire autant, remettent leurs armes et demandent à s'engager dans des unités régulières. Ils y sont autorisés à l'exception de leurs chefs. Le 1er février, tout est terminé. Lagaillarde est arrêté et envoyé à Paris pour y passer en jugement. Ainsi est fait en même temps pour quelques autres meneurs, dont Alain de Sérigny et l'ancien député Demarquet. Ortiz, qui s'est enfui, réussit à gagner l'Espagne. Alger se calme et l'armée reprend sa tâche de pacification.

Dans le pénible règlement algérien, l'annonce de l'autodétermination, l'affaire des barricades, la démonstration de l'autorité de l'État, marquent une étape décisive. Il n'est plus douteux, désormais, que si dures et dramatiques que soient encore les traverses, une issue puisse être trouvée, que celle-ci doive déboucher sur l'émancipation accordée par la France à l'Algérie et quelque forme d'association entre les deux pays, qu'il n'en résultera pas la rupture de notre unité nationale. Compte tenu du libre choix qu'ont fait les départements et les territoires d'outre-mer qui restent dans la République, de ce qui est réalisé en Afrique Noire et à Madagascar, de ce qui se passe au sujet du Maroc et de la Tunisie, de ce qui continue au Laos et au Cambodge, de ce que l'on entrevoit comme possible, un jour, au Vietnam, on discerne que le changement de la colonisation en coopération moderne a maintenant de grandes chances d'être accompli de manière qu'il apporte à la France, non seulement l'allégement de charges devenues injustifiables, mais encore de fructueuses promesses pour l'avenir.

Cette œuvre capitale, le destin veut qu'il m'incombe de la diriger. Comme il est advenu au long de notre Histoire à ceux qui eurent, eux aussi, à imposer l'intérêt suprême, comme cela m'est arrivé à moi-même en d'autres temps, il me faut, pour y réussir, contraindre, parfois châtier, d'autres Français qui s'y opposent mais dont le premier mouvement a pu être de bonne foi. Il me faut surmonter le déchirement qui m'étreint tandis que je mets délibérément fin à une domination coloniale, jadis glorieuse, mais qui serait désormais ruineuse. Il me faut, à grand-peine, porter ailleurs l'ambition nationale. Cette tâche, je sens que la France m'appelle à l'accomplir. Je crois que le peuple m'écoute. Au jour voulu, je lui demanderai s'il me donne raison ou tort. Alors, pour moi, sa voix sera la voix de Dieu.

L'ALGÉRIE

Ma décision d'accorder aux Algériens le droit d'être maîtres d'eux-mêmes a tracé la route à suivre. La liquidation de la révolte des Barricades a montré que l'armée est fidèle au devoir, dès lors que, du haut de l'État, je lui donne les ordres voulus. Mieux que jamais, je vois ce qu'il faut faire. Moins que jamais, je doute qu'il m'incombe d'y parvenir. Mais, autant que jamais, j'ai besoin du concours des Français.

Du côté des Algériens, la masse musulmane se trouve, assurément, confirmée dans le sentiment que c'est du général de Gaulle qu'elle peut attendre la justice et la paix. Mais elle le pense sans le dire. Les dirigeants du « Front de libération nationale » se déclarent, en principe, disposés à entrer en négociations. Mais ils ne les engagent pas, empêtrés qu'ils sont dans leurs méfiances, leurs surenchères et leurs divisions. En France, tout donne à penser que la nation ne compte que sur moi pour aboutir à une solution. Mais elle ne pourra le prouver que quand elle aura la parole. Dans les milieux opposants, les tenants de l'Algérie française ne sont certes pas capables de m'imposer le maintien du « statu quo », ni les communistes de me contraindre à l'aplatissement. Mais la perspective de la libre autodétermination exaspère la fureur des premiers et provoque, chez les seconds, la même hostilité systématique qu'ils me témoignent dans tous les cas. Les

partis, tout en jugeant, au fond, que mon chemin est le
bon et qu'il faut me laisser faire, se gardent de le proclamer
et ne cessent de prodiguer les critiques et les réserves.
Presque tous les éléments qui se sont, politiquement,
rassemblés autour de moi pour le renouveau national
maintiennent à ma personne leur adhésion déterminée.
Mais beaucoup jugent très amer le calice de l'inéluctable.
Parmi les fonctionnaires et les militaires qui, soit sur place,
soit à Paris, ont en charge l'exécution, on pense le plus
souvent que mon autorité est nécessaire et que l'on doit
s'y plier. Mais ce n'est pas volontiers qu'on renonce aux
illusions algériennes dont on avait l'habitude. Les ministres
se conforment, sans nul doute, à mes directives. Mais
la plupart d'entre eux ne font que s'y résigner. Michel
Debré lui-même adopte avec un complet loyalisme chacune
de mes initiatives et, d'ailleurs, sait bien que l'État ne peut
connaître que la raison. Mais il en souffre et ne le cache
pas. Le matin où je lui donne à lire, avant que je ne la
prononce, l'allocution où je prévois « qu'il y aura, un jour,
une République algérienne », il laisse éclater son chagrin.

Dans cette vaste et pénible opération, ma responsabilité
est par conséquent sans partage. Soit ! Mais, faute qu'un
courant assez fort porte le pays vers le but et eu égard aux
possibilités encore intactes des résistances, je devrai procéder, non point par bonds, mais pas à pas, déclenchant
moi-même chaque étape et seulement après l'avoir préparée dans les faits et dans les esprits. Constamment, je
m'appliquerai à rester maître de l'heure, sans que ni les
remous de la politique, ni les aigreurs de la presse, ni les
pressions des étrangers, ni les émotions de l'armée, ni
les troubles des populations locales, n'infléchissent jamais
ma route. A deux moments essentiels, pour créer l'irré-
vocable, j'appellerai le peuple à approuver mes décisions
par-dessus les calculs, les embarras et les compromis.
Bref, je mènerai le jeu de façon à accorder peu à peu le
sentiment des Français avec l'intérêt de la France en
évitant qu'il y ait jamais rupture de l'unité nationale.

Dans l'immédiat, après la crise d'Alger, je m'emploie
à consolider l'acquis. Au Parlement, convoqué le 2 février

1960 en session extraordinaire, il est demandé d'attribuer au Gouvernement des pouvoirs spéciaux pour aménager l'administration et la justice, quant à leur organisation et quant à la situation des personnes, en
conséquence des faits qui viennent d'être révélés. Ces
pouvoirs sont aussitôt votés, non sans que les Socialistes
aient fait spécifier que c'est au Président de la République
lui-même qu'il appartient de les exercer, ce qui ne les
empêchera pas, plus tard, d'incriminer mon « pouvoir
personnel ». Au Gouvernement, deux ministres voient
mettre un terme à leurs fonctions. Il s'agit, d'abord, de
Jacques Soustelle. Depuis 1940 et jusqu'au jour où, douze
ans après, je me suis éloigné de tout, cet homme de talent,
cet intellectuel brillant, ce politique passionné, s'était
tenu auprès de moi. Mon retrait de l'action politique
l'avait laissé à lui-même. Nommé gouverneur-général de
l'Algérie, il avait vu, en 1954, se déclencher l'insurrection,
s'étaler les horreurs des massacres, s'élever vers lui les
adjurations et les acclamations des « pieds-noirs ». Devenu
leur homme, il était aussi celui de « l'Algérie française »
à leur façon. Si, en raison de nos anciens rapports, je l'avais
cependant fait entrer au Gouvernement — les tueurs du
F.L.N. tentant alors de l'assassiner — la tournure des
événements ne me permet plus de l'y maintenir. Bernard
Cornut-Gentille, moins ouvertement engagé, mais porté
vers la même tendance, quitte lui aussi son poste minis-
tériel. D'autre part, comme Pierre Guillaumat doit assumer
maintenant notre politique scientifique, atomique et spa-
tiale, c'est Pierre Messmer qui est mis en charge des Armées.
Il va de soi que je garde sous ma coupe directe les Affaires
algériennes. Au sein du Conseil spécial institué pour les
traiter et dont, auprès de moi, Bernard Tricot assure le
secrétariat, sont décidées, en particulier, la mutation
nécessaire de certains hauts fonctionnaires et chefs militaires, la dissolution des « Unités territoriales », qui ont
été lors des « Barricades » des éléments de trouble, voire
de révolte, la suppression dans les états-majors des
« Bureaux d'action psychologique », créés naguère dans
l'intention de tenir le Commandement informé de l'état

d'esprit des populations, mais qui, sous l'impulsion de quelques théoriciens militaires de l'activisme, sont devenus des officines d'excitation et d'agitation.

Du 3 au 7 mars 1960, accompagné par les ministres Messmer et Terrenoire, les généraux Ely, Lavaud et Challe, je vais revoir l'armée d'Algérie. D'Est en Ouest, aux points les plus sensibles des zones les plus actives : Hadjer-Mafrouch, Catinat, Col de Tamentout, Batna, Menaa, Barika, Aumale, Souk-el-Khemis, Ouled-Moussa, Bir-Rabalou, Boghari, Paul-Cazelles, Tiaret, Zenata, Zarifete, Cote 811, Souani, Montagnac, j'entends les rapports et donne mes instructions sur le terrain, passant les journées et les nuits au milieu des troupes, ne m'arrêtant dans aucune ville et n'admettant dans mon escorte aucun correspondant de journal. J'entends, en effet, que le voyage ait un caractère exclusivement militaire. Mais c'est compter sans la faculté d'invention et d'interprétation de la presse. Suivant sa trop fréquente propension à considérer tout événement d'en bas et sous l'angle de l'anecdote, elle intitule « tournée des popotes » le contact que le général de Gaulle prend avec les combattants. Mais, en outre, ne discernant pas que, si je conduis la France au dégagement, je veux aussi que nos forces soient maîtresses du territoire jusqu'au jour où je jugerai à propos de les en retirer, elle présente comme un retournement subit de ma politique les paroles d'action que j'ai adressées aux unités en opérations. Car, à ces soldats qui risquent et, parfois, sacrifient leur vie pour « l'honneur des armes de la France », j'ai dit, naturellement, que la lutte n'était pas finie, qu'elle pouvait se prolonger des mois et des mois encore, que tant qu'elle durerait l'adversaire devait être partout recherché, réduit, vaincu. Il est vrai que j'ai dit aussi que l'aboutissement serait une « Algérie algérienne », par décision et avec le concours de la nation française, ce qui précisait mon but. Mais la relation tendancieuse de ma visite provoque, sur le moment, une ébullition politicienne et journalistique et suscite, de la part des dirigeants du « Front de libération nationale », des déclarations belliqueuses, qui ajoutent leurs épines aux aspérités de ma tâche.

Cependant, à la fin de mai, les élections cantonales ont lieu en Algérie. L'événement est d'importance, parce que les conseils généraux sont, pour la première fois, renouvelés au collège unique, parce que le gouvernement a l'intention d'en tirer des commissions d'élus qui, à tous les échelons, assisteront les autorités, surtout parce que la sommation de ne pas voter, adressée aux musulmans par le F.L.N., et aux Européens par plusieurs organisations activistes, en fait un témoignage de l'opinion. Or, la participation atteint 57 % des inscrits, ce qui, compte tenu des très nombreux absents et du médiocre intérêt que soulève partout et toujours cette sorte de consultation, est une proportion très forte. Les musulmans ont voté en masse pour les listes qui se recommandaient de la politique du général de Gaulle. Quant aux « pieds-noirs », s'ils ont le plus souvent donné leurs voix aux candidats « Algérie française », un nombre appréciable d'entre eux, qui s'intitulent « libéraux », a cependant choisi l'opposé. J'en conclus que c'est le moment de faire un nouveau pas vers la paix.

Le 14 juin, parlant à la nation de son évolution générale, je déclare : « Le génie du siècle change aussi les conditions de notre action outre-mer et nous conduit à mettre un terme à la colonisation... Il est tout à fait naturel que l'on ressente la nostalgie de ce qui était l'Empire, tout comme on peut regretter la douceur des lampes à huile, la splendeur de la marine à voile, le charme du temps des équipages. Mais quoi? Il n'y a pas de politique qui vaille en dehors des réalités ». Puis, j'en viens au sujet brûlant : « Et l'Algérie? Ah ! je n'ai jamais cru que je pourrais, d'un instant à l'autre, trancher ce problème posé depuis cent trente ans... Mais, le 16 septembre, a été ouverte la route droite et claire qui doit mener vers la paix... L'autodétermination des Algériens quant à leur destin est la seule issue possible d'un drame complexe et douloureux ». Et, pour terminer : « Une fois de plus, je me tourne, au nom de la France, vers les dirigeants de l'insurrection. Nous les attendons ici pour trouver avec eux une fin honorable aux combats qui se traînent encore... Après quoi, tout sera fait pour que le peuple algérien ait la parole dans l'apaisement. La décision ne sera que la sienne. Mais je suis sûr qu'il prendra celle du bon sens : accomplir, en union avec la France et dans la coopération des Communautés, la transformation de l'Algérie algérienne en un pays prospère et fraternel ».

Le 20 juin, arrivent à Melun, dont nous leur avons ouvert la préfecture, Ali Boumendjel et Mohammed Ben Yahia. Je sais trop ce que ceux qui les envoient doivent d'apparente intransigeance aux passions de leurs militants, à la cohésion de leur propre comité et à la curiosité de la galerie mondiale pour attendre qu'un accord sorte de ce premier contact. D'ailleurs, l'organisme dirigeant du F.L.N. a publiquement spécifié que ses deux émissaires ne venaient que pour régler les conditions dans lesquelles une délégation, conduite par Ferhat Abbas, « Président du Gouvernement provisoire de la République algérienne », rencontrerait ensuite le Gouvernement français. Ces conditions, telles que Boumendjel et Ben Yahia les indiquent à leurs interlocuteurs, Roger Moris secrétaire général des Affaires algériennes et le général de Gastines, devraient impérativement comporter : des entretiens directs entre Ferhat Abbas et le général de Gaulle et la faculté assurée aux négociateurs qui s'installeraient dans notre pays, même, pourquoi pas? dans la capitale, de recevoir et d'aller voir qui bon leur semblerait, de faire toutes déclarations et conférences publiques qu'ils voudraient, de s'associer Ben Bella et ses compagnons de l'île d'Aix qui seraient mis en liberté. Il leur est, naturellement, répondu que tout cela ne serait concevable que si, d'abord, avaient cessé les combats et les attentats, et qu'en particulier le général de Gaulle, pendant qu'on tire sur ses soldats en Algérie et qu'on assassine jusque dans les rues de Paris des civils ses compatriotes, ne va pas conférer avec le chef des rebelles. Mais, précisément, nous sommes prêts à régler les modalités d'un « cessez-le-feu » et, ensuite, celles de l'autodétermination, en supposant et en attendant que celle-ci soit votée par les Français et les Algériens. Si les délégués du F.L.N. sont, de leur côté, disposés à de

tels pourparlers, toutes facilités de communications avec
Tunis leur seront constamment assurées. Huit jours durant,
les entretiens se prolongent sans résultat autre que celui-ci,
à mon sens d'ailleurs considérable : des mandataires de
l'insurrection ont ouvertement sollicité et obtenu d'être
reçus dans la métropole et longuement conversé avec
ceux du Gouvernement. On s'est séparés courtoisement,
en marquant de part et d'autre l'intention de se retrouver.

Le 5 septembre, devant la presse, j'explique nettement
où nous allons, dans quel esprit, avec quel espoir. Ayant
fourni des précisions sur ce qui se réalise au point de vue
de la gestion des affaires : communales par les conseils
municipaux dont les maires sont, maintenant, en grande
majorité des musulmans, départementales par les treize
conseils généraux dont les présidents le sont tous, régio-
nales par les commissions d'élus dont les trois quarts des
membres vont l'être, je parle de l'avenir tel qu'il résultera
prochainement des suffrages des Algériens : « En tout
cas, je crois qu'ils voudront que l'Algérie soit algérienne.
A mon sens, la seule question qui se pose est de savoir
si cette Algérie sera algérienne contre la France... ou en
association avec elle ». Quant aux modalités de la consultation par laquelle les Algériens en décideront, j'affirme
qu'elles devront être délibérées « avec toutes les tendances »,
ce qui veut dire évidemment que le Gouvernement négo-
ciera avec le F.L.N. Alors, j'élève le ton de la chanson :
« Je ne suis pas assez aveugle, ni assez injuste, pour méconnaître l'importance du mouvement des âmes blessées, des
espérances éveillées, qui a conduit en Algérie à l'insurrection... Tout en condamnant les attentats commis
contre les civils, tout en jugeant que les épisodiques embus-
cades, à quoi se réduisent maintenant les combats, ne
sont que du temps, des douleurs et du sang perdus, ... je
n'en reconnais pas moins le courage déployé par les combattants... Même, je suis convaincu, qu'une fois finis les
derniers accrochages, le souffle qui se lèvera sur l'Algérie
déchirée sera celui de la fraternité pour la coopération et
pour la paix... » J'achève ainsi ma conférence : « De divers
côtés, j'entends dire : « C'est de Gaulle qui peut résoudre

le problème. S'il ne le fait pas, personne ne le fera ». — Eh
bien ! alors, qu'on me laisse le faire ! »

Deux mois après, nouvelle intervention. Je suis, en
effet, sur le point de fixer la date du référendum et cette
approche soulève des agitations multiples. Ainsi, à Tunis,
où ils se sont fixés, les dirigeants de l'insurrection récusent-
ils d'avance le résultat en déclarant qu'aucun vote ne
sera valable en Algérie tant que l'armée française sera
présente sur le territoire. Ainsi, dans la métropole, relève-
t-on un accroissement spectaculaire des attentats du
F.L.N. contre des Français ou contre des musulmans
favorables à Messali Hadj. Ainsi, à Alger, les activistes
« pieds-noirs » organisent-ils des manifestations anti-de
Gaulle à l'occasion du prochain 11 novembre. Ainsi, en
France, l'âpreté qui, pour la première fois depuis 1958,
marque la discussion du budget étale-t-elle la vivacité
des impatiences et des inquiétudes. Mais, le 4 novembre,
dans une allocution à la nation, j'apparais, à dessein, en
pleine résolution et en complète assurance. « Ayant repris
la tête de la France », dis-je, « j'ai décidé, en son nom,
de suivre le chemin qui conduit, non plus à l'Algérie gou-
vernée par la métropole française, mais à l'Algérie algérienne. Cela veut dire une Algérie émancipée, ... une Algérie
qui, si les Algériens le veulent — et j'estime que c'est le
cas — aura son gouvernement, ses institutions et ses
lois ». Je répète que « l'Algérie de demain, telle qu'en
décidera l'autodétermination, pourra être bâtie, ou bien
avec la France, ou bien contre la France », et que celle-ci
« ne s'opposera pas à la solution, quelle qu'elle soit, qui
sortira des urnes ». De nouveau, j'offre aux dirigeants de
l'organisation extérieure de la rébellion « de prendre part,
sans restriction, aux pourparlers relatifs à la consultation
future, puis à la campagne qui se déroulera librement à
ce sujet, enfin au contrôle du scrutin, demandant simplement qu'on se mette d'accord pour cesser de s'entre-tuer ».
Mais je repousse catégoriquement leur prétention d'accéder
au pouvoir par la seule vertu des mitraillettes, après que
la France aurait retiré ses troupes et sans que le suffrage
universel eût, au préalable, décidé du destin de l'Algérie,

sous prétexte qu'ils seraient d'ores et déjà « le Gouvernement de la République algérienne ». Or, « celle-ci existera
un jour, mais n'a encore jamais existé ». Puis, je m'en
prends aux éléments qui, chez nous, « tendent à créer un
tumulte qui pourrait troubler l'opinion... C'est ainsi que
deux meutes ennemies, celle de l'immobilisme stérile et
celle de l'abandon vulgaire, s'enragent et se ruent dans
des directions opposées mais dont chacune conduirait
l'Algérie et la France à une catastrophe ». Je ne ménage
pas non plus les étrangers qui prennent sur ce sujet des
attitudes de propagande : « Tandis que l'Empire soviétique, qui est la puissance la plus terriblement impéria-
liste et colonialiste que l'on ait jamais connue, travaille
à étendre sa domination, tandis que la Chine communiste
s'apprête à prendre sa relève, tandis que d'énormes problèmes raciaux agitent maintes régions de la terre, et
notamment l'Amérique, on voit s'élever contre la France
des déclarations menaçantes de la part des oppresseurs
de l'Est, mais on voit aussi, dans le monde libre, paraître
des commentaires tendancieux... Contre ces essais d'agitation du dedans et du dehors, ... l'État est là !... Il y a
un Gouvernement, que j'ai nommé et qui remplit sa tâche
avec une capacité et un dévouement exemplaires... Il y
a un Parlement, qui délibère, légifère et contrôle... Le
pouvoir exécutif et le pouvoir législatif ne sont plus du
tout confondus, ce qui assure au Gouvernement l'initiative et la latitude voulues... Il y a un Chef de l'État à qui
la Constitution impose un devoir qui domine tout ». Je
termine : « La République est debout. Les responsables
sont à leur place. La nation sera appelée à trancher dans
ses profondeurs. Françaises, Français, je compte sur vous.
Vous pouvez compter sur moi ! » Au reste, c'est sur le
même ton, qu'au cours de mes voyages de cette année
1960, j'ai parlé à nos provinces : le Languedoc en février,
la Normandie en juillet, la Bretagne en septembre, les
Alpes au début et à la fin d'octobre. Toutes m'ont manifesté leur ardente approbation.

Cependant, les bons entendeurs à qui s'adressent mes
avertissements réagissent autant qu'ils le peuvent. Les

dirigeants du « Front de libération nationale » communiquent au sujet du référendum : « Il est clair qu'il s'agit de doter l'Algérie d'un statut octroyé, ... afin d'empêcher le peuple algérien de se prononcer pour l'indépendance ». Aussi adjurent-ils les musulmans de ne pas aller aux urnes. En France, les communistes déclarent : « Voter Oui, c'est dire Non à la paix ! » Les activistes dressent partout leur opposition. Sur place, ils se rassemblent en un « Front de l'Algérie française » qui enrôle, du premier coup, plus de 200 000 adhérents et auquel répond, dans la métropole, le « Front national pour l'Algérie française ». A Alger, on a pu croire, au lendemain de mon allocution, à une dissidence massive de fonctionnaires. Toutefois, un seul d'entre eux se démet de son poste, il est vrai des plus importants, et est aussitôt révoqué. Mais beaucoup d'autres expriment ouvertement leur désaccord. Le 11 novembre, une foule très houleuse manifeste dans les rues, pille divers bâtiments et lapide les forces de l'ordre. Dès le lendemain, commence la série des explosions de plastic, dont cette fois les ultras sont les auteurs. A Paris, le maréchal Juin fait connaître que : « Malgré l'amitié cinquantenaire qui l'a lié au général de Gaulle, il entend protester, en sa qualité de plus haut dignitaire de l'armée et en tant qu'Algérien, contre l'idée d'abandonner nos frères algériens ». A Saint-Sébastien, où déjà l'ont amené ses calculs, le général Salan déclare à la presse : « Je dis Non ! à cette Algérie algérienne... Il faut, dès maintenant, que chacun prenne ses responsabilités... Le temps des faux-fuyants est révolu ». Au procès qui vient de s'ouvrir pour juger les meneurs de la révolte des Barricades : Lagaillarde, Susini, Demarquet, Perez, Ronda, le tribunal militaire, usant d'une indulgence qui confine à la complicité, met aussitôt les inculpés en liberté provisoire, ce qui leur permet de gagner l'Espagne, d'où ils pourront, à leur gré, retourner en Algérie dans la clandestinité.

Mais, de mon côté, je hâte la marche en avant. Le 16 novembre, ma décision de procéder dès le début de janvier au référendum par lequel le peuple français accordera, ou non, aux Algériens le droit à l'autodétermination, est prise en Conseil des ministres, au sein duquel, peu après, sont arrêtés le texte de la question et la date de la consultation. Entre-temps, j'ai reçu nombre de notabilités algériennes, notamment beaucoup de musulmans récemment élus : maires de villes importantes, sénateurs, présidents de conseil général ; tous m'ont clairement fait entendre que la solution finale ne peut résulter que d'un accord avec le « Front de libération nationale » et qu'autrement aucun Gouvernement algérien ne serait possible. Le 22 novembre, Louis Joxe est nommé ministre d'État chargé des Affaires algériennes, de telle sorte que, dorénavant, le Gouvernement pourra, en sa personne, aller et venir constamment entre Paris et Alger. Le lendemain, Paul Delouvrier, délégué général, dont le loyalisme n'a fléchi à aucun moment mais qui avoue une extrême lassitude, est remplacé par Jean Morin. Le 5 décembre, avant que je ne prenne le décret convoquant les électeurs, Michel Debré expose la politique algérienne du Gouvernement à l'Assemblée Nationale qui en débat ensuite deux jours durant. Enfin, le 9 décembre, une Caravelle me transporte encore une fois en Algérie où je veux visiter plusieurs centres de population et m'adresser aux cadres de l'armée. A mes côtés sont Louis Joxe et Pierre Messmer. Partout, les faits et les gens me sont présentés par Jean Morin pour ce qui est civil et par le général Crépin pour ce qui est militaire. Crépin a, en effet, depuis six mois, remplacé Challe devenu Commandant en chef des forces alliées « Centre-Europe ».

Mon inspection est agitée. A Alger et à Oran, où cependant je ne dois pas passer, le « Front de l'Algérie française » a ordonné la grève générale et la fermeture des magasins. Le dimanche 11 décembre sera une journée sanglante dans les deux villes où se heurteront des cortèges opposés d'Européens et d'Arabes et où les forces de l'ordre seront amenées à faire feu. Dès mon arrivée, le 9, à Aïn-Temouchent dans l'Oranais, je constate l'attitude malveillante de beaucoup de « pieds-noirs ». Si, à Tenezara et à Tlemcen, l'accueil paraît plus sympathique, c'est parce que les Arabes n'ont pas été empêchés d'y prendre part. Mais,

le lendemain, dans l'Algérois, je trouve, à Blida, à Cher-
chell, à Zeddine, à Orléansville, une atmosphère pesante.
Les Français de souche me regardent passer en silence,
tandis que les musulmans n'osent pas quitter leurs maisons.
Au contraire, en Kabylie, où les Européens sont en petit
nombre, la population est dehors. Ainsi, à Tizi-Ouzou,
par contraste avec ce qui s'était passé à mon égard l'année
précédente, une foule kabyle considérable est assemblée
devant l'Hôtel de Ville pour m'entendre et m'acclamer.
Il en est de même à Akbou. J'aborde alors le Constantinois par Bougie où, autour de la Préfecture qui est ma
résidence pour la nuit, des heurts violents se produisent
entre les deux Communautés. Le 12, par Sétif et Télergma,
me voici dans l'Aurès, berceau et citadelle de l'insurrection.
Or, à Arris, à Kef-Messara, à Biskra, parcourant les rues
à pied, je me vois accompagné de chaleureuses escortes
populaires. Le 13 décembre, de Tébessa jusqu'à Bône,
je longe près de la frontière tunisienne le barrage de
défense sans qu'on y tire un seul coup de feu. A Ouenza,
a lieu ma visite des mines de fer qui sont en pleine activité
et où nombre de mineurs me font fête. Enfin, à Bône, sur
le terrain de départ, c'est l'ultime réunion d'officiers autour
de moi. En effet, comme Gambiez l'a fait dans l'Oranais
et Vézinet dans l'Algérois, le général Gouraud m'a présenté
ceux du Constantinois à mesure de mon passage. Tous
m'ont entendu leur parler, assez clair pour comprendre
que l'Algérie va disposer d'elle-même, assez ferme pour
savoir que moi, leur chef, j'ai fixé mon but et que je n'en
changerai pas, assez haut pour mesurer quel désastre
national serait la défection des soldats et, au contraire,
quelle est la valeur exemplaire de leur discipline. Quittant
la terre d'Algérie, le dernier salut que je reçois est celui
de Gouraud. « Mon général », me dit-il, très ému, « je vous
réponds de moi-même et de mes subordonnés ! »

Pendant cinq jours, ce qui a passé devant mes yeux,
retenti à mes oreilles et pénétré dans mon esprit me laisse
une nette impression des réalités algériennes au moment
où le vote sur l'autodétermination va déchirer les derniers
voiles. La guerre est quasi finie. Le succès militaire est

acquis. Les opérations se réduisent pour ainsi dire à rien. La politique prend toute la place et, dans ce domaine-là, les deux Communautés sont plus éloignées l'une de l'autre qu'elles ne l'ont jamais été : la masse musulmane convaincue qu'elle a droit à l'indépendance et qu'elle l'obtiendra tôt ou tard, les Européens résolus pour la plupart à la lui refuser à tout prix. Le risque va donc croissant de voir les attentats et la révolte changer de sens. On doit, dans ces conditions, prévoir que les activistes de « l'Algérie française », quoi qu'ils entreprennent d'excessif, trouveront le concours du plus grand nombre de « pieds-noirs » et maintes connivences dans la police, la fonction publique et la justice locales. Il faut également penser que des incidents plus ou moins graves surviendront du fait de certaines unités militaires dont une partie des cadres considère que l'Algérie est une conquête indispensable à la France. Par contre, je ne doute pas qu'en fin de compte l'armée, dans son ensemble, restera disciplinée et que je serai suivi par la masse du peuple français. Par-dessus tout, je tiens pour évident que la situation, à mesure qu'elle se prolonge, ne peut plus offrir à notre pays que des déboires, peut-être des malheurs, bref, qu'il est temps d'en finir.

Avant le référendum, je m'adresse encore par trois fois à la nation. Qui donc, en effet, mieux que celui qui porte la charge peut préciser de quoi il retourne? Le 20 décembre, je déclare : « Le peuple français est appelé à dire s'il approuve, comme je le lui propose, que les populations algériennes choisissent elles-mêmes leur destin... La France va donc prendre, d'une manière solennelle, la décision d'y consentir. Elle va la prendre suivant son génie qui est de libérer les autres quand le moment est venu... Elle va la prendre avec l'espoir, conforme à son intérêt, d'avoir affaire dans l'avenir, non point à une Algérie inorganique et révoltée, mais à une Algérie apaisée et responsable... Je demande donc un Oui franc et massif aux Françaises et aux Français ». C'est sur ce point que j'insiste, le 31 décembre, dans mon allocution de fin d'année. « Donnez », dis-je, « au projet qui vous est soumis une

majorité immense. D'abord parce que c'est le bon sens...
Mais aussi, parce que s'il arrivait, par malheur, que la
réponse du pays fût négative, ou indécise, ou marquée
par beaucoup d'abstentions, quelles conséquences entraîne-
raient cette impuissance et cette division ! Au contraire,
que le référendum soit positif et éclatant, voilà la nation,
son Gouvernement, son Parlement, son Administration,
son Armée, bien fixés sur la route à suivre et sur le but à
atteindre ! Voilà les Algériens bien éclairés sur l'avenir !
Voilà l'étranger bien prévenu que la France sait ce qu'elle
veut ! » J'ajoute, pour qu'il n'y ait de mon fait aucune
ambiguïté, qu'il dépend du vote national que je poursuive,
ou non, ma tâche. C'est là-dessus, enfin, que je conclus
mon appel du 6 janvier : « Françaises, Français... en vérité
— qui ne le sait ? - l'affaire est entre chacune de vous,
chacun de vous, et moi-même ».

Le 8 janvier 1961, la nation, comme je le lui ai demandé,
me répond franchement et massivement. Sur 27 millions
et demi d'inscrits, il y a plus de 21 millions de votants. 15
millions cinq cent mille disent : « Oui ! », 5 millions
disent : « Non ! », soit une majorité positive qui atteint
76 %. Le résultat est d'autant plus frappant que le « Non »,
ardemment préconisé par les tenants de « l'Algérie française » et par le Parti communiste, offre en outre aux rancunes et aux mécontentements de toutes sortes l'occasion
de se manifester. En Algérie, où 4 760 000 électeurs sont
inscrits, 2 800 000 vont aux urnes. Cette proportion de
59 % de votants est remarquable dans une région que les
chefs de l'insurrection ont sommée de s'abstenir et qui
compte au moins un million d'hommes éloignés de leur
commune. Le « Oui » obtient 1 920 000 voix — 70 % des
suffrages —, le « Non » 790 000.

C'est fait ! Le peuple français, offrant la liberté à sa
conquête, accorde aux Algériens le droit de disposer de
leur sort. Or, il est certain qu'ils choisiront l'indépendance.
Reste à conduire l'affaire de telle sorte qu'ils le fassent
au moment que nous aurons choisi et que cet avènement
de leur territoire au rang d'un État souverain soit prononcé par nous-mêmes. Un référendum final sera donc

nécessaire. Mais nous, Français, pouvons nous demander
si le mieux n'est pas que cela nous conduise à abandonner
délibérément l'Algérie, considérée comme « boîte à
chagrins », à en retirer notre administration, notre enseignement, notre action économique, nos crédits, nos forces,
à concentrer d'office autour d'Alger et d'Oran les habitants
qui veulent rester Français, à renvoyer d'où ils viennent
les Algériens qui vivent chez nous, à assister de loin et
sans y prendre intérêt à l'existence d'un pays qui ne nous
serait plus de rien, bref à y agir comme si, en matière de
colonisation comme en amour, « la victoire, c'est la fuite ».
Au demeurant, cette séparation totale, désastreuse pour
l'Algérie, ne le serait pas pour nous et il m'arrive de l'envi-
sager franchement. Cependant, tout compris, je persiste
à croire qu'il peut y avoir mieux à faire : parvenir à une
association réciproquement privilégiée de la France et de
l'Algérie.

Or, à cet égard, rien de ce qui serait imaginé et, le cas
échéant, voté n'aurait de réalité si ceux qui luttent pour
l'indépendance n'y participaient pas au premier chef. Car
c'est en eux qu'à présent les Algériens, même si tous, à
beaucoup près, ne les suivent pas ouvertement, se reconnaissent dans leur immense majorité. En somme, il s'agit
d'amener le « Front de libération nationale » à s'accorder
avec nous, afin que, tout combat ayant cessé, il soit proposé aux citoyens de l'un et de l'autre pays de décider,
par leur vote, tout à la fois l'institution de l'Algérie indépendante et une organisation contractuelle de ses rapports
avec la France.

Je ne doute évidemment pas, qu'avant que de tels
pourparlers puissent aboutir et, même, s'engager, nous
devions rencontrer du côté de la partie adverse beaucoup
de tergiversations, de préventions, de marchandages. Par
toutes sortes de renseignements nous en savons assez sur
le compte de l'organisme qui se dit le « G.P.R.A. » pour
discerner qu'il serait contraire à sa nature d'en venir
rapidement à des décisions constructives. Non point que,
parmi les dirigeants de l'insurrection, il y ait des doutes
sur la nécessité, pour un futur État algérien, d'avoir des

relations préférentielles avec la France. D'ailleurs, tout
en brandissant l'étendard de la révolte, des hommes comme
Ferhat Abbas, Krim Belkacem, Boumendjel, Ben Khedda,
Boulahrouf, Ahmed Francis, etc., sont trop pénétrés de
nos idées, trop liés à nos valeurs, trop conscients des conditions géographiques, historiques, politiques, économiques,
intellectuelles, sociales, où leur pays se trouve par rapport
au nôtre, pour ne point désirer un avenir d'association.
Mais la méfiance qu'ils éprouvent vis-à-vis des instances
officielles françaises telles qu'ils les ont naguère connues,
le doute dont les nourrit la lecture de notre presse quant
à la sincérité et à la solidité de mon Gouvernement, le
manque de compétences pratiques dont ils sont eux-mêmes
marqués, enfin les rivalités qui les opposent les uns aux
autres de plus en plus âprement à mesure que se rapproche
la perspective d'un pouvoir effectif, les portent à s'en
tenir à de verbeuses attitudes de propagande. Ils redoutent
la confrontation et les engagements précis que comporterait une véritable négociation.

Comment, pourtant, pourraient-ils s'y dérober longtemps encore? Quoi qu'ils en disent, le vote du 8 janvier
pèse maintenant d'un poids décisif et les met au pied du
mur. Ils savent, d'ailleurs, que l'opinion mondiale en tire
déjà les conséquences. En Tunisie et au Maroc, dont le
concours est indispensable aux troupes qu'ils forment en
dehors des frontières, ainsi qu'à leurs liaisons avec la résistance intérieure, ils constatent que les gouvernements
ont grand-hâte qu'on en finisse. Ils n'ignorent pas que
même les maquisards des djebels en viennent à se demander
pourquoi se prolongent leurs terribles épreuves, puisque
les offres du général de Gaulle les rendent désormais sans
objet. Déjà, en juin 1960, les chefs de ce que les rebelles
appellent la Willaya IV, c'est-à-dire de l'Algérois, avaient
demandé à traiter d'un cessez-le-feu pour leurs bandes.
J'avais fait venir à Paris en grand secret et reçu moi-même
avec égards ces délégués : deux « militaires » Si Salah et
Si Lakdar et un « politique » Si Mohammed. M'ayant vu
et entendu, ils s'étaient montrés très désireux d'arriver
à un arrangement, très assurés d'entraîner dans la bonne

voie la plupart de leurs camarades et, en dépit de mes
mises en garde, très convaincus d'obtenir le consentement
tacite des dirigeants du « Front ». Il est vrai, qu'après
plusieurs mois d'allées et venues à travers les maquis et,
sans doute, l'intervention de l'organisme suprême, le
responsable « politique » avait fait assassiner les deux
autres. Mais la tentative en disait long sur l'ébranlement
moral que mes propositions suscitaient chez les combattants.

En février 1961, répondant à des sollicitations que nous
adressent, depuis la Suisse, des émissaires du « Front »,
je juge utile d'envoyer à Lucerne un porte-parole officieux. Celui-ci sera quelqu'un dont la partie adverse ne
puisse douter qu'il exprime directement ma manière de
voir. D'après mes instructions il devra faire comprendre
à ses interlocuteurs que mon but consiste, non point du
tout à tenir la France accrochée à l'Algérie, mais au
contraire à l'en dégager et que c'est cela qui aura lieu de
toute façon. C'est donc aux Algériens qu'il appartient de
faire en sorte que, s'ils croient en avoir besoin, elle continue
ensuite à les aider. Georges Pompidou, accompagné de
Bruno de Leusse, confère à loisir, le 20 février et le 5 mars,
avec Ali Boumendjel et Taïeb Boulharouf. Après leurs
échanges de vues, nous proposons et le « Front » accepte
d'ouvrir enfin sur notre territoire des négociations réelles,
portant à la fois sur le cessez-le-feu, les modalités de
l'ultime référendum et l'avenir de l'Algérie. Ainsi va
commencer à Évian, reprendre à Lugrin, se renouer aux
Rousses, se terminer à Évian, la série des entretiens qui,
en l'espace de neuf mois, aboutira aux conventions sur la
base desquelles le peuple français accordera explicitement
l'indépendance à l'Algérie et remplacera par une étroite
coopération la domination qui, depuis cent trente-deux
ans, résultait de sa conquête. Mais, avant qu'on en vienne
là, des scènes d'apaisement et des crises déchirantes vont
encore alterner sur le théâtre où le drame se joue.

Le Président Bourguiba, pour sa part, a tout de suite
compris que le référendum du 8 janvier ouvre une issue
dont, pour la Tunisie, les conséquences seront capitales.

Il demande à me voir. Nous passons ensemble à Rambouillet la journée du 27 février. J'ai devant moi un lutteur, un politique, un chef d'État, dont l'envergure et l'ambition dépassent la dimension de son pays. Depuis toujours, il est le champion de l'indépendance tunisienne, ce qui l'oblige à surmonter en lui-même maintes contradictions. Il s'est sans cesse opposé à la France, à laquelle, cependant, l'attachent sa culture et son sentiment. A Tunis, il a renversé le régime beylical et épousé la révolution, bien qu'il croie à la vertu de ce qui est permanent et traditionnel. Il s'incorpore à la grande querelle arabe et islamique, tout libre-penseur qu'il soit et imbu de l'esprit et des manières de l'Occident. Présentement, il soutient l'insurrection en Algérie, non sans redouter pour demain le voisinage malaisé d'une république bouillonnante. S'il a tenu à me faire visite, c'est assurément pour marquer qu'il approuve mon action en vue d'une négociation algérienne et qu'il souhaite jouer un rôle conciliateur au cours de la confrontation. Mais c'est aussi pour obtenir quelques avantages au moment où l'Algérie va en recevoir beaucoup.

Habib Bourguiba pose, d'abord, la question de Bizerte. Il en demande l'évacuation. Je lui rappelle que, dès 1958, en retirant « proprio motu » les forces françaises du territoire tunisien, j'ai tenu à ce qu'elles gardent la base navale jusqu'à nouvel ordre. Ce maintien fut, d'ailleurs, spécifié dans les lettres que, tous deux, nous avons alors échangées. Depuis, les Français ont cessé d'occuper militairement l'arsenal, rendu aux Tunisiens l'administration de la ville et laissé leurs troupes y cantonner, elles aussi. En fait, la présence de notre petite garnison et les travaux de réparation de quelques navires de guerre sont, pour Bizerte, d'un bon rapport. « De toute façon », dis-je au Président, « cela ne durera plus longtemps. Il est vrai que, dans la situation actuelle de tension internationale, où l'O.T.A.N. ne couvre pas la Tunisie et où celle-ci entend rester neutre, la France ne saurait laisser à la merci d'un coup de main hostile cette base dont l'emplacement, au milieu de la Méditerranée, peut être d'une très grande importance stratégique. Mais nous sommes, comme vous le savez, en train de nous doter d'un armement atomique. Dès que nous aurons des bombes, les conditions de notre sécurité changeront du tout au tout. En particulier, nous aurons de quoi nous garantir de ce qui pourrait éventuellement se passer à Bizerte quand nous en serons partis. Vous pouvez donc être assuré que nous nous en retirerons dans un délai de l'ordre d'une année ». — « J'en prends acte volontiers », me répond Habib Bourguiba. « Dans ces conditions, je n'insiste pas pour la solution immédiate du problème ». Il le répétera au cours de la séance plénière que nous tiendrons ensuite en présence de Michel Debré, de Maurice Couve de Murville, de Mohammed Masmoudi et de Sadok Mokaddem.

Mais la question de Bizerte n'est, pour le Président, qu'un détour pour en venir à l'essentiel. Ce dont il est anxieux surtout, c'est de procurer à son pays certains agrandissements du côté de ses confins sahariens, si, comme on peut le prévoir, le grand désert doit être un jour remis à une Algérie souveraine. Bien entendu, c'est le pétrole qui soulève cette convoitise. On n'en a pas découvert sur le territoire tunisien. Or, justement, les Français en trouvent et en exploitent des sources abondantes à proximité, dans les régions d'Hassi-Messaoud et d'Edjelé. Ne pourrait-on modifier la frontière de telle sorte que la Tunisie soit mise en possession de terrains pétrolifères? Ce serait, suivant Bourguiba, d'autant plus justifiable que la délimitation entre le Sahara et le Sud de l'ancienne Régence a été naguère tracée d'une façon vague et contestable. Mais je ne puis donner suite à cette demande du Président. Pour nous, Français, le développement de nos recherches et de notre exploitation du pétrole saharien sera, demain, un élément capital de la coopération avec les Algériens. Pourquoi irions-nous d'avance la compromettre en livrant à d'autres un sol qui, à cette condition, peut revenir à l'Algérie? Si, d'ailleurs, nous le faisions au profit de la Tunisie, quel prurit d'excitation en recevraient les prétentions marocaines sur Colomb-Béchar et sur Tindouf, pour ne point parler de ce que la Mauritanie, le Mali, le Niger, le Tchad, la Libye, pourraient vouloir revendiquer! Or, il est de notre intérêt de régler, le moment venu, l'exploitation rationnelle du pétrole saharien d'un seul tenant. Certes, nous prenons en considération les avantages que certains pays voisins voudraient tirer de cette mise en valeur et la participation qu'ils seraient prêts à y prendre. Précisément, par faveur accordée à la Tunisie, nous achevons d'y construire un pipe-line qui amènera à La Skhirra une partie du pétrole provenant d'Edjelé et nous allons bâtir une raffinerie sur le port d'embarquement. D'autre part, nous proposons aux riverains du Sahara d'organiser avec nous, en attendant qu'ils le fassent aussi avec l'Algérie souveraine, un groupement pour la recherche, le financement, l'évacuation, l'achat, de tout ce qui est et sera trouvé d'huile et de gaz dans le désert. Mais rien ne justifierait que nous consentions à en démembrer le territoire. Bourguiba accueille sans plaisir cette fin de non-recevoir. Cependant, nos entretiens m'ont paru assez francs et cordiaux pour que je croie pouvoir lui dire au moment de nous séparer : « J'envisage avec confiance l'avenir de nos relations ». Il acquiesce chaleureusement.

La veille, était mort subitement Mohammed V, roi du Maroc. Nous étions liés par une amitié de vingt ans. Au nom de la France, je lui savais gré d'être resté pendant la guerre, et jusque dans les plus mauvais jours, fidèle à ses engagements, de n'avoir pas cédé, après notre défaite initiale, aux avis de dissidence que lui faisait passer Hitler, ni plus tard aux insidieux conseils de Roosevelt qui, lors de la Conférence d'Anfa, l'incitait à dénoncer le traité de protectorat. Parce qu'ensuite il personnifiait l'important concours en combattants et en ressources que le Maroc apportait à notre effort pour la victoire, je l'avais fait compagnon de la Libération. De son côté, le souverain m'avait, de tous temps, remercié d'avoir, en sauvegardant l'intégrité et l'honneur de la France, permis au Maroc de conserver les siens. Il était sensible aux égards qu'en Afrique du Nord, puis à Paris, je lui avais témoignés. Il partageait mon intention de transformer les rapports franco-marocains en une coopération étroite de deux États souverains. Enfin, il m'était resté reconnaissant de lui avoir adressé l'assurance de ma sympathie et de ma compréhension, quand il s'était vu, en 1953, exiler à Madagascar et n'oubliait pas qu'en le recevant discrètement à son retour de Tananarive deux ans après je lui avais dit : « Sire, vous avez souffert. Je vous en félicite. En vous infligeant cette épreuve, on vous a rendu service. Car il faut avoir souffert pour être grand! » Depuis mon retour au gouvernail, nous nous étions retrouvés en relations de confiance. Tandis qu'il n'accordait aux insurgés algériens réfugiés sur son territoire d'autres facilités que celles que lui imposait l'élémentaire solidarité arabe, il poussait les dirigeants rebelles à entrer dans la voie de la paix. En tout cas, j'étais sûr que, lui régnant, les difficultés que nous causait le Maroc demeureraient limitées.

Or, voici qu'à ce sujet la disparition soudaine de Mohammed V risque de poser un sérieux problème. Car, en raison de l'agitation des milieux politiques du pays, on peut redouter que la crise ouverte par la succession du roi ne provoque de grandes secousses. Mais il n'en est rien. Le jeune Prince Hassan, saisissant immédiatement l'initiative, accède d'autorité au trône de son père. Pour ombrageux que soit le nouveau roi en ce qui concerne la souveraineté nationale, il entend maintenir avec la France des rapports exceptionnels. Au total, nous pouvons penser que, de la part du Maroc, comme de celle de la Tunisie, le « Front » algérien va, désormais, recevoir des encouragements à bien faire, autrement dit à négocier.

Au lendemain du référendum, indépendamment des contacts secrets qui préparent les pourparlers, c'est en vue de leur ouverture que se prennent les positions publiques. Le 16 janvier 1961, le « G.P.R.A. » déclare, une fois de plus, qu'il est prêt à entrer en négociations avec le Gouvernement français, quitte à proclamer, le 2 février, par la voix de Ferhat Abbas et de Boumendjel, alors reçus en Malaisie, que l'autodétermination exige, au préalable, l'évacuation de l'Algérie par l'armée française. En France, nombre de parlementaires algériens musulmans, parmi lesquels tous les sénateurs, s'organisent pour la première fois en un « Rassemblement démocratique algérien » et réclament l'ouverture d'entretiens avec le « G.P.R.A. ». A l'inverse, divers indices annoncent qu'une crise grave soulevée par l'activisme est en train de couver. Le 25 janvier, le général Challe fait connaître qu'il prend sa retraite parce qu'il est en opposition avec la politique du Gouvernement. En mars, le tribunal militaire, bien que la fuite en Espagne des meneurs des « Barricades » ait bafoué la justice, prononce à leur égard des verdicts d'indulgence scandaleuse. Les éléments politiques qui tiennent pour « l'intégration » se groupent à Vincennes, sous l'impulsion de Jacques Soustelle, en un comité dont le manifeste affirme : « C'est nous qui servons la loi, c'est le pouvoir qui l'enfreint ! » A Alger et à Oran, les commandos ultras de toutes sortes forment clandestinement « l'Organisation de l'armée secrète ». En métropole, comme en Algérie, redoublent les attentats au plastic montés par cette O.A.S. et qui prennent l'allure de menaces ou de châtiments dirigés contre des notables du Parlement ou de la fonction publique et des responsables de l'ordre. Sentant que le vent mauvais va se lever sans rémission, je m'explique moi-même, le 11 avril, au cours d'une conférence de presse, plus ouvertement que jamais.

Observant que : « L'Algérie nous coûte — c'est le moins qu'on puisse dire — plus cher qu'elle ne nous rapporte », je répète que « la France considère avec le plus grand sang-froid une solution telle que l'Algérie cesserait de lui appartenir ... et ne fait aucune objection au fait que les populations algériennes décideraient de s'ériger en un État qui prendrait leur pays en charge ». Je précise ma conviction que « cet État sera souverain au-dedans et au-dehors ». Ce ne sont pas, d'ailleurs, les résultats militaires obtenus par le F.L.N. qui me font parler comme je parle. « En effet, la rébellion, qui, naguère, tuait quotidiennement une cinquantaine de personnes, en tue à présent en moyenne sept ou huit, dont quatre ou cinq musulmans... Cependant, les événements m'ont confirmé dans ce que j'ai démontré depuis vingt ans, sans aucune joie, certes, mais avec la certitude de bien servir, ainsi, la France ». Suit le rappel de ce qu'a été mon action pour la décolonisation. Puis, je déclare : « Si j'ai fait tout cela, ce n'est pas seulement en raison de l'immense mouvement d'affranchissement que la guerre mondiale et ses conséquences déclenchaient d'un bout à l'autre du monde, ... mais c'est aussi parce qu'il m'apparaît contraire à l'intérêt actuel et à l'ambition nouvelle de la France de la tenir rivée à des obligations et à des charges qui ne sont plus conformes à ce qu'exigent sa puissance et son rayonnement ». Je mets, alors, les dirigeants de la rébellion en demeure de négocier. « Certes, il est malaisé à un appareil essentiellement insurrectionnel d'aborder, avec le minimum de sérénité nécessaire et au plan voulu, des questions comme celles de la paix, de l'organisation d'un État et du développement économique d'un pays. Mais ces dirigeants, étant donné qu'ils ne domineront pas sur le terrain, où c'est notre armée qui tient la situation, étant donné qu'ils ont de grandes responsabilités à cause de l'influence qu'ils exercent sur les musulmans, étant donné qu'ils semblent appelés à jouer un rôle éminent dans les débuts de l'Algérie nouvelle, il s'agit de savoir si, en définitive, ils seront capables de passer au positif ».

Tout est dit ! Les jours suivants, du haut de vingt tribunes, au cours de mon voyage en Aquitaine et dans le Périgord, je renouvelle mes propos qui sont salués par de grandes ovations populaires. Toutes les conditions se trouvent ainsi réunies pour que le « Front » ne puisse plus différer de répondre à la convocation. Mais, auparavant, je dois m'attendre à ce que les ultras passent à l'attaque en prenant directement pour cibles ma personne et mon pouvoir.

Aux premières heures du 22 avril 1961, j'apprends que le général Challe, transporté secrètement à Alger par un avion de l'Armée de l'Air, vient de déclencher un coup de force. Exécutant ce qui a été préparé par l'équipe des colonels : Argoud, Broizat, Gardes, Godard, plusieurs régiments de parachutistes se rangent sous ses ordres, ce

qui lui permet de faire arrêter le délégué général Jean
Morin, le général Gambiez commandant en chef, le général
Vézinet commandant le Corps d'armée d'Alger, le préfet
de police René Jannin, ainsi que le ministre Robert Buron
qui est là en inspection, de s'emparer des principaux bâtiments publics et d'obtenir le concours d'une partie de
l'état-major et de certains éléments de l'administration
et de la police. Il a trouvé sur place les généraux Zeller et
Jouhaud et va être incessamment rejoint par le général
Salan. Avec ces trois complices, il forme une sorte de
directoire qui proclame l'état de siège et se donne, en
toutes matières, les attributions d'un gouvernement. Il
semblerait, à première vue, que leur groupe puisse entraîner
une notable partie des troupes et des services. En effet,
Challe les a commandés récemment et brillamment. Avant
lui, Salan a exercé sur place tous les pouvoirs. Zeller et
Jouhaud furent chefs d'état-major respectivement de
l'Armée et de l'Armée de l'Air et le dernier, originaire
d'Oran, y a une grande popularité. C'est dire, qu'indépendamment de l'attachement à « l'Algérie française » et de
l'esprit d'aventure qui animent certaines unités, ils peuvent trouver partout, dans les cadres et les rangs, pour
faire admettre leur autorité, des réflexes d'obéissance et
des liens personnels. D'autre part, le fait que les mutins
se dressent contre moi et mon Gouvernement, mettent en
prison les représentants de l'autorité publique, proclament
que « les individus ayant participé directement à l'entreprise d'abandon de l'Algérie et du Sahara seront déférés
devant un tribunal militaire créé pour connaître des
crimes commis contre la sûreté de l'État », leur coupe
toutes les issues et les engage aux extrêmes. Je ne me
dissimule donc pas que cette tentative effrénée ait, en
Algérie, des chances de saisir initialement l'avantage et
je m'attends à ce qu'elle soit conduite à lancer sur Paris
une expédition qui, grâce à d'actives complicités au
milieu d'une passivité assez généralisée, essaierait de
submerger le pouvoir. Ma décision est prise. Il faut réduire
la dissidence sans composer, ni différer, en affirmant dans
toute sa rigueur la légitimité qui est mienne et en amenant

ainsi le peuple à prendre parti pour la loi et l'armée pour la discipline.

Afin que cela soit marqué immédiatement sur le terrain, Louis Joxe, ministre d'État, et le général Olié, devenu chef d'état-major général de la Défense nationale depuis que le général Ely a atteint la limite d'âge, sont envoyés à tous risques en Algérie dès le matin du 22 avril. Ils y notifieront leurs ordres aux échelons hésitants. C'est ce qu'annonce aussitôt par la radio Michel Debré, déclarant que « le Gouvernement a la volonté de faire respecter la volonté nationale... et que tous les chefs en Algérie ne doivent l'obéissance qu'au chef de la nation : le général de Gaulle ». Le même jour, sont suspendus les transports maritimes et aériens vers l'Algérie. En métropole, il est procédé à des arrestations préventives, notamment celles de suspects dans les milieux militaires. Le Conseil des ministres décrète l'état d'urgence et défère nommément à la justice les chefs de la mutinerie. Le lendemain, après avoir, conformément à la loi, consulté le Premier Ministre, ainsi que les Présidents du Sénat, de l'Assemblée Nationale et du Conseil Constitutionnel, qui tous, dans leur inquiétude, me donnent un avis favorable, je décide d'appliquer l'Article 16 de la Constitution. Ainsi, quoi qu'il arrive, serais-je en mesure de prendre sans délai et sans intermédiaire toutes les dispositions qu'exigerait le péril public. En même temps, chacun comprend par là qu'à l'exemple du chef de l'État on ne saurait ruser avec le devoir.

Pourtant, il apparaît, le dimanche 23 avril, que Challe a marqué quelques points. Il a été rallié par une quinzaine de régiments, la plupart parachutistes. Le faux « Commandant en chef » a pu faire arrêter le général de Pouilly, commandant le corps d'armée d'Oran, qui, voulant lui prêcher la raison, avait consenti à le voir à la condition de rester libre. Après diverses tergiversations, le général Gouraud, commandant le corps d'armée de Constantine, s'est décidé pour la rébellion. En font également partie : le général Bigot commandant l'Aviation en Algérie, le général Petit adjoint au Commandant militaire du Sahara et le général en retraite Gardy ancien inspecteur de la Légion. C'est à grand-peine que Louis Joxe et le général Olié ont pu regagner Paris après être passés par Tlemcen, Constantine et Bône. A Alger et à Oran, apparaît la milice O.A.S., en tenue spéciale, qui prend le contrôle des commissariats de police et des prisons, libère les détenus activistes et commence à mettre des gens sous clef. Cependant, à huit heures du soir, je suis, en uniforme, sur les écrans et au micro, pour assumer « urbi et orbi » mes responsabilités.

« Un pouvoir insurrectionnel s'est établi en Algérie par un pronunciamiento militaire. Ce pouvoir a une apparence : un quarteron de généraux en retraite. Il a une réalité : un groupe d'officiers partisans, ambitieux et fanatiques. Ce groupe et ce quarteron possèdent un savoir-faire expéditif. Mais ils ne voient la nation et le monde que déformés à travers leur frénésie. Leur entreprise conduit tout droit à un désastre national... Et par qui? Hélas! Hélas! par des hommes dont c'était le devoir, l'honneur, la raison d'être, de servir et d'obéir... Au nom de la France, j'ordonne que tous les moyens, je dis tous les moyens, soient employés pour barrer la route à ces hommes-là, en attendant de les réduire. J'interdis à tout Français, et d'abord à tout soldat, d'exécuter aucun de leurs ordres... L'avenir des usurpateurs ne doit être que celui que leur destine la rigueur des lois... Devant le malheur qui plane sur la patrie et la menace qui pèse sur la République,... j'ai décidé de mettre en œuvre l'Article 16 de la Constitution. A partir d'aujourd'hui, je prendrai, au besoin directement, les mesures qui me paraîtront exigées par les circonstances. Par là même, je m'affirme, pour aujourd'hui et pour demain, en la légitimité française et républicaine que la nation m'a confiée, que je maintiendrai, quoi qu'il arrive, jusqu'au terme de mon mandat ou jusqu'à ce que me manquent soit les forces, soit la vie, et dont je prendrai les moyens qu'elle demeure après moi... Françaises, Français ! Aidez-moi ! »

Tous, partout, m'ont entendu. En métropole, il n'est personne qui n'ait pris l'écoute. En Algérie, un million de transistors ont fonctionné. A partir de ce moment, la dissidence rencontre sur place une résistance passive qui se précise à chaque instant. Il est vrai que, ce soir-là même, le Gouvernement, alerté de divers côtés, a pu tenir pour possible une irruption des rebelles aux environs de Paris, averti ceux qui le peuvent de leur barrer éventuellement la route et mis en place les forces de l'ordre dont il dispose dans la capitale. Mais, au long de la journée suivante, se multiplient les indices de la déconfiture de Challe. Dans le Constantinois, la défaillance de Gouraud n'est pas suivie par ses subordonnés. Les généraux Lennuyeux à Constantine, Ailleret à Bône, Géliot à Sétif, restent dans le devoir, ainsi que le général Fourquet commandant l'Aviation. En Kabylie, le général Simon a gagné le bled pour échapper aux mutins. Dans la région d'Alger, le général Arfouilloux, que Joxe, lors de son passage, a nommé commandant du Corps d'armée en remplacement de Vézinet prisonnier, tient bon à Médéa où il regroupe des éléments fidèles. Si, à Oran même, le général Gardy, secondé par le colonel Argoud, a été installé par les parachutistes pour le compte de la rébellion, au contraire, à Tlemcen, les généraux Perrotat et Foucault leur interdisent l'accès de la zone. A Sidi-bel-Abbès, centre de la Légion étrangère, le colonel Brothier rétablit la discipline. A Mers-el-Kébir, où s'est rendu l'amiral Querville commandant la Marine, qui, ensuite, coupant court aux questions qu'il se pose à lui-même, a sagement pris la mer, la base navale ne se laisse pas circonvenir. Aucun des navires de guerre qui patrouillent au large de la côte ne fait mine de passer à la mutinerie. A Alger même, la garde mobile, rassemblée dans sa caserne, n'accepte pas d'obtempérer aux ordres des usurpateurs. En outre, sur tout le territoire, un nombre croissant de soldats, de sous-officiers, d'officiers, expriment leur refus de se prêter à l'entreprise de la dissidence. Comme les hommes du contingent se montrent à cet égard d'heure en heure plus déterminés, le « quarteron » rebelle fait savoir qu'il va avancer la date de leur libération sans qu'il obtienne, pour autant, la fin de l'agitation. Il n'est pas jusqu'à ceux des régiments d'intervention où l'on a d'abord été entraîné à la « malaventure »

qui ne montrent des signes d'hésitation, voire de retournement. Dans la soirée de ce lundi 24, les quatre généraux
rebelles se décident à paraître au Forum où la population
est convoquée pour les entendre. Bien qu'ils se disent
certains de l'emporter, bien que Challe proclame « qu'ils
sont là pour se battre, pour souffrir, pour mourir s'il le
faut », bien que la foule les acclame, l'anxiété plane sur
cette assemblée de « pieds-noirs ».

Sans qu'on ait, d'aucun côté, engagé le moindre combat,
la journée du 25 avril voit l'écroulement de l'absurde et
odieuse tentative. A Constantine, Gouraud déclare qu'il
s'est trompé et qu'il se replace sous mon autorité. A Oran,
les parachutistes évacuent la ville pour retourner à leurs
précédents emplacements, Gardy et Argoud disparaissent et
le général Perrotat reprend en main tout le Corps d'armée.
De Blida et de Maison-Blanche se sont envolés les avions
« Nord » qui auraient pu, techniquement parlant, transporter sur Paris les commandos du coup d'État. Tous
ont gagné la métropole aux ordres du Gouvernement. A
Alger, les zouaves se réunissent « pour adresser au général
de Gaulle une motion de fidélité » ; près de La Redoute,
les recrues de l'Aviation défilent en criant : « Vive de
Gaulle ! » ; les gardes mobiles, sortant de leur quartier des
Tagarins, prennent position aux principaux carrefours,
liquident la permanence de l'O.A.S. et rentrent en possession du Commissariat central. Quand la nuit tombe, il ne
reste plus dans la capitale algérienne d'autre troupe rebelle
que le 1er Régiment Étranger de parachutistes qui garde
encore le Gouvernement-général et le quartier Rignot où
fonctionne un débris d'état-major rebelle. Vers minuit,
à la radio qui vient d'être libérée, la speakerine annonce :
« L'ordre et la légalité vont être restaurés en Algérie ».
Peu après, le « quarteron », que des civils pleins d'angoisse
adjurent sur le Forum, paraît au fameux balcon. Comme
le courant électrique est coupé à leur micro, les Quatre
ne peuvent se faire entendre. Qu'auraient-ils à dire, d'ailleurs? Zeller, en civil, se perd dans la foule. Il se rendra
quelques jours après. Au milieu des derniers légionnaires
qui quittent la ville en chantant le refrain d'Edith Piaf :

« Je ne regrette rien ! », Salan et Jouhaud, dans un camion, fuient vers le camp de Zeralda. De là, tous deux s'enfonceront dans la clandestinité pour diriger l'action de l'O.A.S. Quant à Challe, après avoir, dès l'après-midi, envoyé à son ministre un officier pour annoncer sa soumission, il a paru ensuite changer d'avis et, finalement, au lever du jour, se constitue prisonnier entre les mains des gendarmes. Transporté aussitôt à Paris, il est écroué à la Santé.

L'effondrement de cette équipée exorcise désormais dans les esprits le spectre d'une intervention militaire s'emparant de l'État ou, tout au moins, le contraignant à maintenir le « statu quo » en Algérie. Pour assuré que je fusse d'être, en définitive, obéi par l'armée et suivi par le pays, je trouve, bien sûr, satisfaisant de voir l'hypothèque décidément dissipée. Je n'en suis pas moins attristé jusqu'au fond de l'âme par le gaspillage de valeurs qui résulte de l'événement et, notamment, par la perdition des grands chefs qui l'ont suscité et de certains des exécutants. Joxe se rend aussitôt sur place pour remettre en ordre la police et l'administration. A Messmer, qui l'accompagne, incombe la tâche cruelle d'amputer, dissoudre et sanctionner dans tout l'ensemble des unités coupables.

Mais, si la loi est dure, elle est la loi et il faut que passe la justice. Pour ce qui est des chefs rebelles, quelle instance va devoir la rendre ? Aucune cour civile ne serait compétente. Le tribunal militaire normal n'atteindrait pas au plan voulu et, d'ailleurs, ce qui s'est passé pour l'affaire des « Barricades » fait redouter, en l'occurrence, une nouvelle défaillance de sa part. C'est pourquoi, en vertu de l'Article 16 de la Constitution, est institué, pour juger les principaux inculpés, un Haut Tribunal militaire. Sous la présidence d'un magistrat éminent et entre tous qualifié, Maurice Patin, Président de la Chambre criminelle de la Cour de cassation, il comprendra neuf juges : cinq officiers et quatre civils, et c'est le Procureur Général près la Cour de cassation qui soutiendra l'accusation. Dès le 29 mai, s'ouvre le procès de Challe, de Zeller et de Gouraud. Trois jours après, l'arrêt est rendu. La peine infligée aux coupables, quinze années de réclusion aux deux premiers,

dix au troisième, tient compte avec indulgence de leurs
états de service d'antan, du fait qu'ils se sont d'eux-mêmes
livrés aux autorités sans qu'il y ait eu perte d'hommes,
enfin des mobiles de leur faute qui — je le sais, je le sens, —
n'étaient pas tous de bas étage.

Une fois prononcé en justice l'épilogue de cet attristant
complot, il va encore s'écouler un an avant que le problème
de l'Algérie, maintenant tranché dans les principes, soit
résolu dans les faits. Certes, les combats se réduiront,
désormais, à de rares et minimes escarmouches. Mais la
suite des jours n'en sera pas moins agitée. Des négociations traînées en longueur en raison de l'incertitude collé-
giale et des ambitions rivales des dirigeants du F.L.N. ;
une agression subite et vaine lancée par ordre du
Président de la République tunisienne contre nos troupes
à Bizerte et à la frontière du Sahara ; des crimes
sans nombre perpétrés par l'O.A.S. et qui visent à établir
en Algérie et à étendre en métropole un pouvoir clandestin
de la terreur ; des actions de défense menées par les musulmans, surtout à Alger et à Oran, pour répondre à ceux qui
les massacrent ; enfin, dans les partis français, une malveillance qui ne se retient plus dès lors qu'on voit s'éva-
nouir le fantôme de la subversion militaire et apparaître
l'issue du drame, voilà qui va, pendant ce temps, remplir
la vie publique du pays ainsi que ma propre existence.
Mais, pour combattre ces adversités, j'ai de bonnes armes :
la cuirasse dont me revêt le soutien lucide du peuple, le
glaive qu'est la certitude de suivre la seule route qui vaille.

Le 20 mai 1961, les deux délégations se réunissent à
Évian. Louis Joxe conduit celle du Gouvernement, Krim
Belkacem celle du « Front ». Pour bien marquer qu'il
s'agit de la paix, j'ai pris, la veille, plusieurs mesures
significatives. Une trêve d'un mois est prescrite à nos
troupes, ce qui veut dire qu'elles suspendront toutes opérations offensives et se borneront, si on les attaque, à
repousser les assaillants. Une division tout entière et
plusieurs escadrilles d'aviation sont ramenées dans la
métropole. Parmi les dix mille musulmans condamnés en
Algérie pour des actes de rébellion, six mille sont libérés.

Ahmed Ben Bella et ses codétenus quittent l'île d'Aix pour être installés au château de Turquant. Pendant les neuf mois que durera la négociation en quatre phases officielles, les intervalles étant meublés de contacts officieux, nous ne cesserons pas de nous montrer à la fois clairs, patients et fermes. Attitude qui répond, d'ailleurs, au caractère de Louis Joxe, chargé de mener les pourparlers. Il souhaite ardemment parvenir à un accord, mais il entend le bâtir valable et, par conséquent, raisonnable. Comme ses laborieuses fonctions de secrétaire général du Gouvernement, puis de ministre, l'ont placé depuis vingt ans au centre de l'éventail des affaires publiques, il embrasse complètement les multiples questions, politiques, économiques, financières, sociales, administratives, scolaires, militaires, posées par la construction d'un État algérien à partir de l'État français, puis par leur coopération étroite. Comme il est un homme de cœur, il s'applique à ce que les conventions à conclure ménagent la condition des personnes et, d'abord, celle des Européens qui va être péniblement mise en cause par la mutation des pouvoirs. Comme il est dévoué à l'entreprise du renouveau national, il s'attache à faire en sorte que l'affranchissement de l'Algérie porte la marque de la générosité et de la dignité de la France.

Mais, pour que nous consentions à accorder à l'Algérie un régime d'association, plutôt que de l'abandonner à elle-même, certaines conditions doivent être remplies. Il faut que soit décidée une profonde osmose, humaine, économique, culturelle, entre elle et notre métropole ; que se maintiennent, dans tous les domaines, des courants d'échanges préférentiels ; que les produits soient importés et exportés en franchise réciproque ; que les monnaies respectives appartiennent à la zone franc ; que les nationaux de chaque pays puissent, à leur gré, se rendre dans l'autre, y résider où bon leur semble, y exercer leur profession, y introduire, y laisser ou en retirer librement ce qui leur appartient. Il faut que la communauté française y reçoive, quant à ses personnes, ses biens, ses droits civiques, son mode de vie, sa langue, ses écoles, etc., des garanties rigoureuses, soit que ses membres choisissent, tout en gardant en France leur nationalité française, de devenir Algériens et, dans ce cas, aient obligatoirement leur part dans les pouvoirs publics, l'administration, la justice, soit qu'ils veuillent, en Algérie, rester citoyens français et, alors, bénéficient d'une convention privilégiée d'établissement. Il faut que l'énorme investissement réalisé par la France pour la découverte, l'exploitation, le transport, des pétroles sahariens nous reste acquis dans le présent et nous assure, dans l'avenir, une préférence formelle quant à la recherche et à la mise en œuvre de nouvelles sources de carburants. Il faut que la série des expériences atomiques et spatiales, que nous avons ouverte dans le désert et qui revêt une importance extrême, s'achève comme il est prévu, ce qui implique le maintien sur place de notre appareil militaire et technique. Moyennant quoi, nous sommes disposés à aider par excellence au développement de l'Algérie, en lui allouant chaque année une importante subvention financière, en poursuivant l'exécution de notre Plan de Constantine, en prêtant aux diverses activités le concours de nos techniciens, en accueillant sur la plus vaste échelle ses travailleurs et ses étudiants, en fournissant assez d'enseignants à chaque échelon dans l'éducation nationale pour que l'élite algérienne soit formée à la culture française et que le peuple soit instruit en français.

Mais l'opération historique qui consiste, pour la France, à doter l'Algérie de la souveraineté et de la responsabilité, pour celle-ci à les assumer, pour toutes deux à demeurer largement solidaires, nous voulons qu'elle s'accomplisse d'une manière délibérée, par la voie démocratique. Il n'y aura donc d'accord que s'il commence par la fin des combats. Il n'y aura d'indépendance algérienne et d'association entre les deux pays qu'après qu'elles auront été votées par les Français et les Algériens. Il n'y aura de Gouvernement souverain de l'Algérie que celui qui y sera régulièrement élu, quitte à prévoir une période transitoire pendant laquelle se maintiendra l'autorité suprême de la France. En outre, l'armée française restera en Algérie

jusqu'à ce que l'État nouveau ait fait la preuve de sa capacité de tenir ses engagements.

Pour qu'il en soit ainsi, nous aurons, au long des discussions, à franchir les montagnes de méfiance et les abîmes
d'outrecuidance derrière lesquels se retranche le F.L.N.
Car, dans tout sujet débattu, il voit, de notre part, l'intention de garder une emprise directe sur l'Algérie ou, pour
le moins, des prétextes à y intervenir, alors qu'au contraire
c'est de cela que nous voulons nous débarrasser. Aussi
accumule-t-il les préalables à un arrangement. Invoquant
tour à tour la « légitimité » de son pouvoir, l'unité de la
nation algérienne, l'intégrité du territoire, il réclame :
tantôt que le cessez-le-feu ne soit prescrit qu'après le
règlement de toutes les autres questions, tantôt que nos
forces aient d'abord quitté la place, tantôt qu'avant tout
l'organisme dirigeant de la rébellion prenne le pouvoir
effectif du pays, tantôt que nous n'exigions pas pour la
communauté française une situation spéciale, tantôt que
nous renoncions à exercer au Sahara des droits particuliers.
Quant à nous, pour surmonter les obstacles de cette dialectique et aboutir à l'essentiel, nous nous servons des
arguments irréfutables que nous procure ce que nous tenons
dans nos mains. Pour que le texte et l'application
de l'accord commencent par le cessez-le-feu et non pas
par le transfert de notre autorité, pour que l'autodétermination résulte d'un référendum, en France, puis en
Algérie, et non pas du seul serment prononcé naguère
sur la Soumman, pour que le pouvoir algérien procède,
lui aussi, de l'élection et non pas d'un décret révolutionnaire, nous donnons à nos interlocuteurs le choix entre
l'aide généreuse et fructueuse de la France et le chaos
qu'aurait à subir une Algérie abandonnée par nous. Pour
que des garanties soient assurées aux « pieds-noirs »,
répondant à leurs droits et laissant une chance à la coopération des deux communautés, nous évoquons l'alternative qui consisterait à regrouper les Européens et ceux
des musulmans qui voudraient rester Français dans une
zone restreinte où ils seraient majoritaires et que la France
protégerait comme étant de son territoire. Pour garder

la disposition des gisements de pétrole que nous avons mis en œuvre et celle des bases d'expérimentation de nos bombes et de nos fusées, nous sommes en mesure, quoi qu'il arrive, de rester au Sahara, quitte à instituer l'autonomie de ce vide immense. Pour qu'aussi longtemps qu'il sera utile notre armée reste en Algérie, dont elle domine entièrement le territoire et les frontières, il ne tient qu'à nous d'en décider.

En somme, la négociation consiste, en ce qui nous concerne, à amener le F.L.N. à se résoudre aux dispositions que comportent nécessairement, d'une part une procédure satisfaisante quant à l'accession de l'Algérie à l'indépendance, d'autre part une association effective du nouvel État et de la France, faute de quoi nous en viendrions à une rupture complète en assurant nos intérêts, ce dont, bien évidemment, nous avons tous les moyens ; dilemme qui ne manque naturellement pas d'imprimer maintes saccades aux pourparlers. Ceux-ci, qui s'engagent à Évian, sont suspendus le 13 juin. On se retrouve au château de Lugrin à la fin du mois de juillet sans parvenir encore à s'entendre. Pendant que les discussions déroulent leurs péripéties, mes instructions orales et écrites orientent, à mesure, notre délégation.

Mais aussi, je ne cesse pas d'expliquer en public ce à quoi nous sommes résolus. Ainsi s'éclairent et, souvent, se convainquent les esprits. Ainsi sont remises au point les réalités que les organes de l'information déforment inlassablement. Le 8 mai 1961, parlant au pays à l'occasion de l'anniversaire de la Victoire et quelques jours après la crise d'Alger, je dis : « Aux populations algériennes de prendre en main leurs affaires. A elles de décider si l'Algérie sera un État souverain au-dedans et au-dehors. A elles aussi de décider si cet État sera associé à la France, ce que la France pourra accepter moyennant une contre-partie effective à son concours et une coopération organique des Communautés ». Je m'adresse alors aux « pieds-noirs » : « Quelle tâche féconde peut s'offrir, dans ces conditions, aux Algériens de souche française ! De tout cœur, je leur demande, au nom de la France, le jour même où

nous commémorons une victoire à laquelle ils ont tant
contribué, de renoncer aux mythes périmés et aux agitations absurdes d'où ne sortent que des malheurs et de
tourner leur courage et leur capacité vers la grande œuvre
à accomplir ». Parcourant, du 28 juin au 2 juillet, la
Lorraine qui me fait un magnifique accueil, je m'exprime
dans le même sens devant beaucoup d'auditoires populaires. Le 12 juillet, je m'adresse de nouveau à la France
« qui a épousé son siècle » : — « En Algérie, il fallait que
notre armée l'emportât sur le terrain de telle sorte que
nous gardions la liberté entière de nos décisions et de
nos actes. Ce résultat est atteint. Nous pouvons donc
prendre sur place maintes mesures d'apaisement, transférer
dans la métropole d'importantes unités, réduire de plusieurs semaines la durée du service militaire... Cela étant,
la France accepte sans aucune réserve que les populations
algériennes instituent un État complètement indépendant.
Elle est prête à organiser, pour cela, avec les éléments
politiques algériens, et notamment ceux de l'insurrection,
la libre autodétermination. Elle demeure disposée à maintenir son aide à l'Algérie, dès lors qu'y serait assurée la
coopération organique des communautés et qu'y seraient
garantis ses propres intérêts. Faute de cette association,
il lui faudrait, en fin de compte, regrouper dans telle ou
telle zone, afin de les protéger, ceux des habitants qui se
refuseraient à faire partie d'un État voué au chaos, leur
procurer les moyens de s'installer dans la métropole si
tel était leur désir, ne s'occuper en aucune façon du destin
de tous les autres et leur fermer l'accès de son territoire ».

S'il semble que la pièce aille à son dénouement, j'aurai
donc fait mon possible pour bien éclairer la scène. Il est
vrai que, plus mon action apparaît comme claire et droite,
plus les équipes professionnelles de l'objection la présentent comme obscure et tortueuse aux lecteurs et aux
électeurs. Le moindre inconvénient de leur contestation
sans trêve n'est pas l'effet produit au-dehors. Car, de ce
fait, l'étranger, naguère accoutumé à voir le Gouvernement
de la France perpétuellement affaibli par l'esprit général
d'abandon, incline volontiers à croire que de Gaulle, battu

en brèche à son tour, ne saurait tenir, lui non plus, une position de fermeté.

Sans doute est-ce dans cette illusion que le Président Bourguiba se risque à exiger soudain, par une note comminatoire du 6 juillet, que la France retire immédiatement ses forces de Bizerte et accepte de rectifier la frontière entre le Sahara et le Sud-Tunisien. Le 18, il passe à l'attaque. Des troupes tunisiennes, amenées de l'intérieur, jointes à la garnison de la ville et accompagnées de nombreux miliciens du « Destour », ouvrent le feu sur nos soldats, leur coupent les accès à la rade, bloquent les installations de la base, notamment l'aérodrome, et obstruent le goulet pour l'interdire à nos bâtiments. En même temps, dans l'extrême Sud, un important détachement tunisien franchit la frontière saharienne, assiège notre poste de Garet-el-Hammel et occupe le terrain dit « de la borne 233 ». Vraisemblablement, Bourguiba estime que Paris reculera devant la décision de déclencher une action d'envergure au moment même où vont commencer les pourparlers de Lugrin et où l'opinion française et internationale n'attend plus que la fin de tout conflit en Afrique du Nord. Il compte donc qu'une négociation s'ouvrira sur la base des faits qu'il vient d'accomplir et, par conséquent, lui donnera satisfaction. Ainsi, le « combattant suprême » reprendra-t-il aux yeux du monde arabe, pendant qu'il en est temps encore, la figure d'intransigeant ennemi du « colonialisme français » et, d'autre part, obtiendra-t-il la cession des terrains pétrolifères désirés.

Mais, pour résolu que je sois à dégager notre pays de ses entraves outre-mer, pour conciliant, voire prévenant, que j'aie été depuis toujours à l'égard de la Tunisie, je n'admets pas qu'on manque à la France. C'est pourquoi notre risposte militaire est rude et rapide. A Bizerte, dès le 19 juillet, une vive action aérienne et une descente de parachutistes nous remettent en possession de l'aérodrome où débarquent ensuite des renforts. D'autres seront, un peu plus tard, amenés par mer à la « Baie des Carrières ». L'amiral Amman, qui commande la base, peut alors rompre le blocus, s'emparer des quartiers de la ville qui bordent le port, débarrasser le goulet des éléments adverses qui le tiennent et des épaves qui l'obstruent, rétablir les communications maritimes et aériennes et mettre en débandade les assaillants très éprouvés. Cela fait, le cessez-le-feu est accordé au gouverneur tunisien et nos troupes prêtent leur assistance à la population privée de ravitaillement et qui cherche à fuir de toutes parts. Quant à la frontière saharienne, elle est vite et brillamment dégagée par nos forces mobiles du désert. Au total, leur vaine agression a coûté aux Tunisiens plus de sept cents pauvres morts, plus de huit cents infortunés prisonniers et plusieurs milliers de malheureux blessés. Nous avons eu vingt-sept soldats tués.

Il est vrai qu'en France c'est à de Gaulle que s'en prennent les partis. Tous, sur des tons différents, condamnent notre action militaire et réclament l'ouverture immédiate d'une négociation avec Tunis sans tenir le moindre compte de l'agression commise contre nos troupes à Bizerte et au Sahara. Comme d'usage, à l'opposé de ces multiples sommations du lâcher-tout, il ne s'élève, pour m'appuyer, que des voix rares et mal assurées. Mais, sachant ce que vaut, par rapport à ce qui est en jeu, l'aune de tels discours et écrits, je me garde d'arrêter notre contre-offensive militaire avant qu'elle l'ait emporté totalement sur le terrain.

Ne changent rien non plus à notre action, ni l'agitation de l'O.N.U., ni l'essai d'intervention de son secrétaire général Dag Hammarskjöld. Celui-ci, qui au même moment se trouve ouvertement en désaccord avec nous parce qu'il se mêle directement du Gouvernement du Congo, prend en personne position en faveur de Bourguiba. Il va le voir à Tunis, tient avec lui d'amicales conférences et, de là, le 26 juillet, alors que les combats ont cessé, se rend à Bizerte comme s'il lui appartenait de régler le litige sur place. Cette démarche tourne à sa confusion. Car, suivant les instructions données, nos troupes ne tiennent aucun compte des allées et venues du médiateur non qualifié et l'amiral Amman refuse de le recevoir. Il ne reste au Président Bourguiba qu'à enregistrer comme pertes sèches son erreur et son échec. Il s'en remettra d'ailleurs, comme un jour sera guérie l'amitié blessée de la Tunisie et de la France.

Au demeurant, ce fâcheux événement n'a influé en rien sur les négociations en cours avec le F.L.N. Mais en sera-t-il de même des changements soudains que les rebelles apportent, le 27 août, à leur organisme dirigeant? En particulier, Ferhat Abbas n'est plus Président. Benyoussef Ben Khedda lui succède. On peut se demander, d'abord, si ce remplacement de l'ancien chef nationaliste par quelqu'un de plus jeune et, apparemment, de plus « révolutionnaire » ne va pas conduire le « G.P.R.A. » à durcir son intransigeance. Mais, bientôt, un communiqué du nouveau « Premier » donne à penser le contraire. « Quant à nous », déclare Ben Khedda, « nous sommes persuadés qu'une négociation franche et loyale, qui permettra à notre peuple d'exercer son droit à l'autodétermination et d'accéder à l'indépendance, pourra mettre fin à la guerre et ouvrir la voie à une coopération fructueuse des peuples algérien et français. Voilà ce que nous souhaitons ! » Il est vrai qu'ensuite un discours du même Ben Khedda semble tout remettre en question, en affirmant que le référendum n'est aucunement nécessaire et qu'« on doit en faire l'économie ». Mais, peu après, on nous fait savoir « qu'il n'y a là qu'une clause de style ». Chez nos interlocuteurs se poursuit donc le cheminement vers l'objectif que nous leur avons désigné.

Pour Ferhat Abbas, sa mise à l'écart anéantit de longues ambitions, parmi lesquelles celle que, depuis vingt ans, il nourrissait à mon sujet et dont lui-même m'avait fait part à Alger pendant la guerre mondiale. Avec passion et intelligence, il me développait alors, au cours d'un entretien, le projet politique qu'il poursuivait à la tête de « l'Union populaire algérienne » : instituer, d'accord avec nous, un État algérien démocratique qui serait fédéré avec la France. Mais il fallait que fussent brisées les résistances acharnées que les colons et l'administration opposaient à cette évolution. « Parce que vous êtes qui vous êtes et que votre action présente va vous rendre tout-puissant », me disait-il, « vous pourrez agir dans ce sens comme aucun autre Français ne l'a jamais osé et ne l'osera jamais. » Mais, étant donné, qu'en pleine guerre, dans la situation terrible où était alors notre pays, il y avait à résoudre des questions plus impératives et plus urgentes que celle-là, j'avais écouté Ferhat Abbas avec réserve autant qu'avec intérêt. Comme, en souriant, je lui disais : « De la future République algérienne, telle que vous la concevez, vous vous voyez, sans doute, le Président? » il m'avait gravement répondu : « Je ne puis rien souhaiter de mieux que de me trouver un jour auprès de vous, au nom de l'Algérie, pour accompagner la France ! » Dix ans après, lorsque la rébellion était déjà déclenchée, sans qu'il y eût d'abord participé, et que lui-même, parlementaire français, s'apprêtait à aller prendre, au Caire, la tête du F.L.N., Ferhat Abbas avait sollicité mon audience. Je ne la lui avais pas accordée. Car, à quoi bon cette entrevue en un temps où, détaché de toutes affaires publiques, je n'avais en main aucun pouvoir?

Naguère, pour la même raison, j'avais fait la même réponse à Ho Chi-minh, Président du Vietnam, qui venant, en 1946, de négocier à Fontainebleau avec la IVe République sentait que l'accord envisagé allait mourir avant de naître et demandait instamment à me voir dans ma retraite. Peut-être, l'un et l'autre de ces chefs d'un mouvement qui emportait leur peuple dans la lutte contre le nôtre espéraient-ils, avant qu'on en vînt là, rencontrer en ma personne une France déliée des impuissantes astuces des partisans? Peut-être, si j'étais à cette époque resté en place, les événements, en effet, eussent-ils tourné autrement? Mais à quoi et pourquoi aurais-je feint d'engager la France quand je n'en répondais pas?

Tandis que le F.L.N., tout en changeant de guide, marche maintenant vers la paix, c'est au contraire la guerre à outrance que déchaînent, à leur façon, les éléments groupés sous le vocable de l'O.A.S. Il n'y a pas là simplement une explosion spontanée de colères et de déceptions. Il s'agit d'une entreprise de grande envergure, visant à imposer, à force de crimes, une politique intitulée dérisoirement « l'Algérie française » et qui ne tend qu'à creuser

entre les deux peuples un infranchissable fossé. Cette
sédition compte, qu'en multipliant les tueries de musulmans, elle amènera leur communauté à redoubler, de
son côté, les combats et les assassinats et qu'une telle
ambiance algérienne de massacres réciproques empêchera
les pourparlers prévus. Mais aussi, pensant que la peur,
jadis « ressort des assemblées », est devenue celui de la
société tout entière, les doctrinaires du terrorisme visent à
épouvanter par des attentats incessants l'opinion et les
pouvoirs publics, afin de les contraindre à aller dans le
sens qui leur est enjoint. Pendant plus d'une année, l'O.A.S.
déploie donc son activité sanglante. Elle le fait sous l'autorité théorique de Salan et de Jouhaud, respectivement
cachés à Alger et à Oran et qui gardent maintes influences
dans l'administration, la police et l'armée. Elle obéit,
en réalité, à des hommes de main, comme Jean-Jacques
Susini, possédés par la passion totalitaire. Elle utilise les
déserteurs et les fanatiques que lui procurent l'écume de
la masse militaire, celle surtout des unités étrangères,
et la pègre suscitée comme toujours par le tumulte latent.
Elle exploite l'illusion et la fureur de la plupart des « pieds-
noirs » qui ne cessent d'attendre d'un coup de force provi-
dentiel ce qu'ils croient être le salut. Elle se relie, enfin,
à toutes sortes d'officines politiques, de réseaux complo-
teurs, de résidus des anciennes « milices », qui dans la
métropole veulent à tout prix faire échouer la République
et, souvent, assouvir des rancunes accumulées contre
de Gaulle depuis 1940.

A partir des premiers entretiens d'Évian, les principales
villes algériennes, avant tout Alger et Oran, deviennent
le théâtre d'une tragédie quotidienne. Contre les musulmans, les tueurs de l'O.A.S. emploient de préférence la
mitraillette et le pistolet, exterminant des gens d'avance
désignés, ou tirant indistinctement sur tout ce qu'ils rencontrent aux rayons des boutiques, à la terrasse des cafés,
sur le trottoir des rues. Généralement, les commandos
du crime opèrent en automobile pour se soustraire rapidement à la poursuite, d'ailleurs bien rare et molle, des
policiers. Contre ceux des Français que l'on veut faire

disparaître ou, tout au moins, effrayer, on se sert principalement de bazookas ou de bombes, dont les explosions
nocturnes — plus de quinze cents en quelques mois —
entretiennent l'atmosphère belliqueuse et que salue, du
haut des balcons pavoisés aux couleurs de l'O.A.S., un
tintamarre général de casseroles et de hurlements. De leur
côté, les musulmans, retranchés la nuit dans leurs quartiers
où flottent des drapeaux F.L.N., tirent sur ce qui leur
paraît menaçant et répondent par leurs clameurs à celles
des Européens. En l'espace d'une année, au cours des
« ratonnades », une douzaine de milliers d'hommes, de
femmes, d'enfants, sont abattus par l'O.A.S. Celle-ci tue
ou blesse, en outre, plusieurs centaines de membres des
forces de l'ordre : inspecteurs de police, gendarmes, C.R.S.,
et organise méthodiquement l'assassinat d'une trentaine
de commissaires, d'officiers, de magistrats. Du reste, le
23 février 1962, Salan, sous sa signature, prescrit aux
équipes du meurtre « d'ouvrir systématiquement le feu
sur les unités de la gendarmerie mobile et des C.R.S. »
Les complicités sont telles dans la population européenne
et, même, à divers étages de la fonction et de l'ordre
publics que l'arrestation, « a fortiori » la condamnation
des coupables ne se produisent qu'exceptionnellement.
Si, dans de telles conditions, le délégué général Jean Morin
et le général en chef Ailleret parviennent à exercer leurs
fonctions, c'est parce qu'ils sont installés hors d'Alger,
respectivement à Rocher-Noir et à Reghaïa.

En métropole, bien que le ministre de l'Intérieur Roger
Frey et la police déploient les plus grands efforts, se multiplient les destructions par le plastic : plus d'un millier.
Ainsi de celle où le maire d'Évian, Camille Blanc, trouve
la mort, ou de celle qui vise André Malraux et aveugle
une petite fille. Le coup de maître est tenté, le 9 septembre
1961. Dans la nuit, au sortir de Pont-sur-Seine, sur la
route qui conduit de l'Élysée à Colombey, la voiture où
je me trouve avec ma femme, l'aide de camp, colonel
Teisseire, et le garde Francis Marroux est tout à coup
enveloppée d'une grande flamme. C'est l'explosion d'un
mélange détonant destiné à faire sauter une charge de

dix kilos de plastic cachée dans un tas de sable et beaucoup plus qu'assez puissante pour anéantir « l'objectif ». Par extraordinaire, cette masse n'éclate pas.

Aussi les choses suivent-elles leur cours. Quelques jours plus tôt, à l'occasion d'une conférence de presse, j'avais précisé dans quelles conditions serait créé l'État algérien : « Normalement, un tel État ne peut sortir que du suffrage des habitants... Cela veut dire : un référendum qui instituera l'État et, ensuite, des élections d'où sortira le Gouvernement définitif ... Un pouvoir provisoire algérien peut mener le pays à cette autodétermination et à ces élections, pourvu qu'il ait assez de consistance et qu'il soit d'accord avec nous... Mais si, malgré ce que propose la France, on ne pouvait aboutir, alors il faudrait bien que nous en tirions les conséquences ». J'indiquais lesquelles : fin de notre aide, regroupement des Français. J'abordais aussi l'affaire du Sahara : « Notre ligne de conduite est celle qui assure nos intérêts et qui tient compte de la réalité... Nos intérêts consistent en ceci : libre exploitation du pétrole et du gaz que nous avons découverts, disposition de terrains d'aviation et droits de circulation... La réalité, c'est qu'il n'y a pas un seul Algérien qui ne pense que le Sahara doive faire partie de l'Algérie... C'est dire que, dans le débat franco-algérien, la question de la souveraineté du Sahara n'a pas à être considérée. Mais il nous faut une association qui sauvegarde nos intérêts. Si la sauvegarde et l'association ne sont pas possibles, nous devrons, de toutes les pierres et de tous les sables sahariens, faire quelque chose de particulier... » Du 20 au 24 septembre, les départements de l'Aveyron, de la Lozère, de l'Ardèche, reçoivent ma visite, m'entendent expliquer mon action et m'approuvent chaleureusement.

Comme toujours, le destin de la France dépend de ses soldats. Le 2 octobre, je l'affirme dans une allocution à la radio : « Pour ce qui est de l'Algérie, nous n'avons pas cessé, depuis trois ans, de nous approcher du but que j'ai fixé au nom de la France... Mais, pour que s'accomplisse cette solution claire et ferme, l'armée française devait et doit être maîtresse du terrain. Cela a été. Cela est. Il

fallait, il faut, que l'armée restât et reste fidèle au devoir.
Elle l'a été. Elle l'est. Honneur à elle ! » Mon voyage en
Corse et en Provence, entre le 7 et le 10 novembre, me
donne maintes occasions de faire applaudir ce thème,
maintenant familier au bon sens du grand nombre. Le
23 novembre, je suis à Strasbourg, qui fête l'anniversaire
de sa libération. Beaucoup d'officiers y ont été convoqués
pour assister à la prise d'armes et écouter ce que de Gaulle
va dire. Aux Strasbourgeois et, à travers eux, aux Français,
c'est de l'armée que je parle. Après avoir célébré l'exploit
de la division Leclerc, j'indique pourquoi et comment
le désengagement voulu de la France et de ses armes,
que l'Algérie accrocha si longtemps, va nous permettre
de bâtir une défense nationale adaptée à notre époque.
J'indique en quoi celle-ci doit consister. Ainsi est mis en
lumière l'intérêt essentiel que la fin de l'affaire algérienne
présente quant à notre puissance. Ainsi est offert à notre
armée un champ immense de rénovation. Mais comment ne
ferais-je pas sentir tout ce que le renoncement aux services
accomplis et aux succès remportés outre-mer depuis tant
et tant d'années exige d'abnégation militaire? Évoquant
les souhaits émouvants qu'a si longtemps suscités le rêve
de « l'Algérie française », je déclare : « Chacun peut s'expliquer, et moi tout le premier, que dans l'esprit et le cœur
de beaucoup se soient fait jour l'espoir, voire l'illusion,
qu'à force de le vouloir on puisse faire que, dans le domaine
ethnique et psychologique, les choses soient ce que l'on
désire et le contraire de ce qu'elles sont ». Mais, pour
conclure, je m'écrie : « Malgré tout, dès que l'État et la
nation ont choisi leur chemin, le devoir militaire est tracé
une fois pour toutes. Hors de lui, il ne peut y avoir, il n'y a,
que des soldats perdus. En lui, au contraire, le pays trouve
l'exemple et le recours ! »

Le 29 décembre, dans mon message de fin d'année,
j'affirme encore ce que nous voulons, et j'observe : « Il
semble aujourd'hui possible que tel doive être, en effet,
l'aboutissement d'un drame cruel ». Trois jours après,
des ordres sont donnés qui ramènent en France deux nouvelles divisions et la quasi-totalité de l'aviation de combat.

Enfin, le 5 février 1962, j'annonce que, sans doute, l'épreuve est près de son terme : « Qui peut contester de bonne foi que l'œuvre généreuse et indispensable consistant à changer en rapports de coopération les rapports de domi- nation qui nous liaient à nos colonies doive être achevée là où elle ne l'est pas, c'est-à-dire en Algérie?... Nous appro- chons de notre objectif... L'issue que nous tenons pour la meilleure, et dont nous avons avec quelque peine fait mûrir les éléments, j'espère, positivement, que nous allons l'atteindre bientôt ».

Là-dessus, s'ouvre, aux Rousses, la phase décisive de la négociation. Louis Joxe, accompagné cette fois de deux autres ministres, Robert Buron et Jean de Broglie, reprend directement contact avec les mandataires du « Front », Krim Belkacem, Saad Dahlab, Lakdar Ben Tobbal. Pour finir, la conférence se transporte à Évian. Les accords sont conclus le 18 mars 1962. Il s'y trouve tout ce que nous avons voulu qu'il y soit. Dans l'immédiat, c'est le cessez- le-feu. Pour l'avenir, une fois l'indépendance de l'Algérie accordée par le peuple français et, ensuite, votée par le peuple algérien, ce sera : l'association étroite de la France et de l'Algérie en matière économique et monétaire ; une coopération culturelle et technique approfondie ; une condition privilégiée des nationaux de chaque pays sur le territoire de l'autre ; des garanties complètes et précises aux membres de la communauté française qui voudront rester sur place ; des droits privilégiés pour nos recherches et notre exploitation du pétrole au Sahara ; la poursuite de nos expériences atomiques et spatiales dans le désert ; la disposition de la base de Mers-el-Kébir et de divers aérodromes assurée à nos forces pendant au moins quinze années ; le maintien pour trois ans de notre armée en Algérie là où nous le jugerons à propos. Pour la transition, il est entendu que la République française va, d'une part, envoyer en Algérie un haut-commissaire qui sera l'autorité suprême, notamment quant à l'ordre public, et d'autre part instituer un « exécutif provisoire algérien » qui assumera l'administration, organisera le référendum et, la réponse du peuple étant prévue comme positive, fera élire une Assem-

blée Nationale Constituante d'où procédera le Gouvernement. Comme, en attendant, il n'existe pas de souveraineté
algérienne et que, par conséquent, les accords d'Évian ne
constituent pas un traité, c'est sur une Déclaration du Gouvernement français proposant aux électeurs d'approuver
le texte, que le peuple votera en France et en Algérie.

Le soir même, j'annonce à la nation que, sous réserve
qu'elle y souscrive, le drame est terminé et le problème
résolu. « Ce qui vient d'être décidé », dis-je, « répond à
trois vérités qui sont aussi claires que le jour. La première,
c'est que notre intérêt national, les réalités françaises,
algériennes et mondiales, l'œuvre et le génie traditionnels
de notre pays, nous commandent de vouloir qu'en notre
temps l'Algérie dispose d'elle-même. La seconde, c'est
que les grands besoins et les vastes désirs des Algériens
pour ce qui est de leur développement imposent à l'Algérie
de s'associer à notre pays. Enfin, la troisième vérité, c'est
que, par-dessus les combats, les attentats et les épreuves
et en dépit de toutes les différences de vie, de race, de religion, il y a, entre la France et l'Algérie, non seulement
les multiples liens tissés au long des cent trente-deux ans
de leur existence commune, non seulement les souvenirs
des grandes batailles où les enfants de l'un et de l'autre
pays luttèrent côte à côte dans nos rangs pour la liberté
du monde, mais encore une sorte d'attrait particulier et
élémentaire. Qui sait même si la lutte qui se termine et
le sacrifice des morts tombés des deux côtés n'auront pas,
en définitive, aidé les deux peuples à mieux comprendre
qu'ils sont faits, non pour se combattre, mais pour marcher
fraternellement ensemble sur la route de la civilisation? »
Puis j'affirme que : « Si la solution du bon sens a fini par
l'emporter, cela est dû, d'abord, à la République qui a
su se donner les institutions nécessaires à l'autorité de
l'État. Cela est dû, ensuite, à l'armée qui, au prix de pertes
glorieuses et de méritoires efforts, s'est assuré la maîtrise
du terrain dans chaque région et aux frontières, a établi
avec les populations des contacts humains et amicaux
et, malgré la nostalgie de nombre de ses cadres et les tentatives de subversion de quelques chefs dévoyés, est restée

ferme dans le devoir. Cela est dû, enfin, au peuple français qui, grâce à la confiance qu'il a constamment témoignée à celui qui porte la charge de l'État, a permis que mûrisse, puis aboutisse, la solution ». Deux jours après, par message adressé au Parlement, je fais connaître que la nation va être appelée à se prononcer par référendum.

Le scrutin a lieu le 8 avril. L'avant-veille, parlant encore au pays, j'avais demandé à chaque citoyen de se faire, en votant Oui, « l'artisan d'un événement d'une immense portée, car, ainsi, sera achevée l'œuvre française de décolonisation ». En métropole et dans les départements et territoires d'outre-mer, 20 800 000 Françaises et Français vont aux urnes, soit 76 % des inscrits. Il y a 17 900 000 Oui, 1 800 000 Non, 1 000 000 de bulletins blancs ou nuls. La réponse est positive à 91 % des suffrages exprimés.

Pourtant, cette quasi-unanimité nationale, qui tranche la question à fond et qui ne laisse aucun doute sur l'achèvement, ne détourne pas l'O.A.S. de poursuivre ses exactions. Dès lors qu'il avait été clair que la négociation finale allait s'engager et que beaucoup de Français d'Algérie, prévoyant la conclusion et, d'ailleurs, effrayés par la marée de crimes qui submergeait le pays, se disposaient à gagner la métropole, les terroristes avaient prétendu que l'exode allait livrer le terrain à l'ennemi. Ils interdisaient donc tout départ sous peine que soient brûlés les biens laissés en arrière, voire « exécutés » les propriétaires. De fait, des actes suivaient les menaces. Au contraire, une fois les accords signés, la tactique employée devenait celle « de la terre brûlée ». Il fallait, à tout prix, que les Européens quittent l'Algérie et qu'il n'y reste que des ruines. « Laissons-la telle que nous l'avons trouvée en 1830 ! » telle était la devise. En même temps, s'allumaient de toutes parts les incendies organisés des écoles, des mairies, des ateliers, des magasins, des bureaux. Ainsi flambaient, à Alger, l'Hôtel de Ville, l'Université, les réservoirs de carburant, les installations portuaires.

Sans doute était-il normalement prévu par le gouvernement qu'une grande partie de la colonie française envisagerait le rapatriement. Dès août 1961, Michel Debré avait chargé Robert Boulin, secrétaire d'État, de préparer cette vaste opération. En décembre 1961, était votée la loi réglant, au bénéfice de ceux qui choisiraient de s'implanter en France, les premières conditions de leur transport, de leur hébergement, de leur reclassement, de leur sécurité sociale. Mais le retour aurait pu et dû s'accomplir progressivement et sans précipitation. Au reste, il était très indiqué et très souhaitable, dans leur propre intérêt et dans celui de notre pays, que beaucoup demeurent en Algérie où ils formaient les cadres des principales activités. Mais, pressés par l'O.A.S., presque tous les Français s'en vont et, souvent, en une fuite panique. En mai et juin 1962, sept mille personnes en moyenne par jour s'entassent éperdument dans les bateaux ou les avions qui les portent à Marseille. Indépendamment des militaires et des fonctionnaires, il y avait un million d'Européens installés en Algérie. Il n'en restera pas cent mille. Aussi, beaucoup de maisons, abandonnées dans l'affolement, changeront-elles forcément de mains et des quantités de marchandises, de meubles, de bagages, seront-elles mises à sac.

Tout a une fin. Le 25 mars, Jouhaud est découvert et arrêté à Oran. Sous la présidence du Président Bornet, qui remplace Maurice Patin malade, le haut-tribunal militaire le condamne à mort. Le 20 avril, à Alger, Salan, à son tour, est pris. Mais le haut-tribunal lui inflige la réclusion criminelle à perpétuité et lui épargne la peine capitale. Combien sont graves, pourtant, les crimes qu'il a commis ! D'autre part, comment justifier que les deux arrêts rendus par la même instance, à six semaines d'intervalle, montrent la moindre sévérité à l'égard de celui qui est le principal coupable, d'ailleurs reconnu comme tel par le texte du jugement? Sur le moment, je décide d'abord de laisser le cas Jouhaud suivre son cours. Puis, sur les instances de Georges Pompidou, devenu Premier ministre, et du Garde des Sceaux Jean Foyer, qui ont usé d'une astuce juridique pour suspendre l'exécution, j'accorde la grâce du malheureux puisque son chef a sauvé sa tête.

Successivement, les deux condamnés feront savoir peu après qu'ils demandent à l'O.A.S. de cesser « un combat »

qui ne peut plus mener à rien. Cependant, dans des circonstances aussi dangereuses pour l'État, l'emploi aussi
éclatant, dans des procès aussi retentissants, de deux poids
et de deux mesures ne me permet pas de maintenir une
juridiction qui s'est elle-même rendue contestable. Au
demeurant, les grands chefs séditieux ont, maintenant,
tous été jugés. Le haut-tribunal militaire est donc supprimé. Une simple « Cour militaire de justice » est, ensuite,
instituée par ordonnance pour fonctionner jusqu'à ce
que la vie publique soit revenue à la normale. Ces mesures,
qui soulèvent des mouvements divers parmi les juristes
engagés dans la politique, ne choquent nullement la masse
française, satisfaite de voir s'achever les drames algériens.
C'est ce que me font entendre les retentissantes acclamations du Limousin, puis de la Franche-Comté, que je vais
visiter aux mois de mai et de juin.

L'ébullition sanglante des grandes villes algériennes et
le départ massif de la population française n'empêchent
pas que soient mis en place les pouvoirs transitoires prévus
par les accords d'Évian. Christian Fouchet, nommé haut-
commissaire de la République française et secondé par
Bernard Tricot, se rend à Rocher-Noir d'où il va diriger
cette dernière phase. A peine est-il arrivé qu'il lui faut
assumer la responsabilité de l'ordre, plus que jamais
bouleversé, le 26 mars, par l'émeute, rue d'Isly, d'une
foule algéroise furieuse de l'arrestation de Jouhaud et
qui ne peut être dispersée que par le feu meurtrier des
troupes. Pour former l'Exécutif provisoire, je fais appel
au président Abderrhamane Farès, qui reparaît rempli
d'optimisme et de dynamisme. L'Exécutif est bientôt
constitué. Trois de ses membres sont des Français, notables
politiques d'Algérie. Huit sont des musulmans ayant, ou
non, appartenu au F.L.N. Installés, eux aussi, à Rocher-
Noir, Farès et ses collègues ont en charge la mise en œuvre
du référendum et celle des élections. Chacun ayant pris
ses fonctions, Louis Joxe se rend à Alger pour marquer
l'appui du Gouvernement. En dépit des continuelles
échauffourées montées par les commandos de Susini et
auxquelles répondent celles que suscitent les musulmans,

nonobstant la paralysie qu'inflige aux activités la disparition d'un grand nombre. d'Européens, enfin, malgré les
graves dissensions qui se révèlent à Tunis parmi les dirigeants du F.L.N., notamment entre Ben Bella et Ben
Khedda, l'Algérie s'achemine, dans la douleur, vers l'indépendance.

La consultation populaire est fixée au 1er juillet sur la
question suivante : « Voulez-vous que l'Algérie devienne
un État indépendant coopérant avec la France, dans les
conditions définies par la Déclaration du 19 mars 1962 ? »
Or, avant cette date, soudainement, l'O.A.S. renonce à
elle-même. Utilisant l'intermédiaire de personnalités
françaises libérales et, en particulier, de Jacques Chevalier,
ancien maire d'Alger, Jean-Jacques Susini entre en contact
avec l'Exécutif provisoire et, sous le prétexte d'aider à
la réconciliation des deux communautés, offre, à l'étonnement général, de cesser tous les attentats. C'est ce que,
de leur prison, recommandent aussi Jouhaud d'abord et
Salan ensuite. Farès accepte la proposition et un accord
est conclu. Le scrutin a donc lieu dans un calme complet.
Plus de 90% des inscrits sont votants, plus de 99% des
votants répondent : Oui, ce qui prouve que les « pieds-
noirs » encore présents font partie du total. Le 3 juillet,
j'écris au Président de l'Exécutif provisoire que « la France
reconnaît solennellement l'indépendance de l'Algérie ».
L'Assemblée Nationale Constituante, qui sera élue le
20 septembre, désignera Ahmed Ben Bella comme chef
du premier Gouvernement de la République algérienne.

La fin de la colonisation est une page de notre Histoire.
En la tournant, la France ressent à la fois le regret de ce
qui est passé et l'espoir de ce qui va venir. Mais celui qui
l'a écrite pour elle doit-il survivre à l'accomplissement?
Au destin d'en décider ! Il le fait, le 22 août 1962. Ce jour-
là, au Petit-Clamart, la voiture qui me conduit à un avion
de Villacoublay avec ma femme, mon gendre Alain de
Boissieu et le chauffeur Francis Marroux est prise soudain
dans une embuscade soigneusement organisée : mitraillade
à bout portant par plusieurs armes automatiques, puis

poursuite menée par tireurs en automobile. Des quelque 150 balles qui nous visent, quatorze touchent notre véhicule. Pourtant — hasard incroyable ! — aucun de nous n'est atteint. Que de Gaulle continue donc de suivre son chemin et sa vocation !

L'ÉCONOMIE

La politique et l'économie sont liées l'une à l'autre comme le sont l'action et la vie. Si l'œuvre nationale que j'entreprends exige l'adhésion des esprits, elle implique évidemment que le pays en ait les moyens. Ce qu'il gagne grâce à ses ressources et à son travail ; ce que, sur ce revenu total, il prélève par ses budgets, soit pour financer le fonctionnement de l'État qui le conduit, l'administre, lui rend la justice, le fait instruire, le défend, soit pour entretenir et développer par des investissements les instruments de son activité, soit pour assister ses enfants dans les épreuves que l'évolution fait subir à la condition humaine ; enfin, ce qu'il vaut au sens physique du terme et, par conséquent, ce qu'il pèse par rapport aux autres, telles sont les bases sur lesquelles se fondent nécessairement la puissance, l'influence, la grandeur, aussi bien que ce degré relatif de bien-être et de sécurité que pour un peuple, ici-bas, on est convenu d'appeler le bonheur.

Cela fut vrai de tous temps. Ce l'est aujourd'hui plus que jamais, parce que tout individu est constamment en proie au désir de posséder les biens nouveaux créés par l'époque moderne ; parce qu'il sait qu'à cet égard son sort dépend d'une manière directe de ce qui se passe globalement et de ce qui se décide au sommet ; parce que la rapidité et l'étendue de l'information font que chaque homme et chaque peuple peuvent à tout instant comparer ce qu'ils ont relativement à leurs semblables. Aussi est-ce là l'objet principal des préoccupations publiques. Il n'y a pas de gouvernement qui tienne en dehors de ces réalités. L'efficacité et l'ambition de la politique sont conjuguées avec la force et l'espérance de l'économie.

Je le sais — et pour cause ! — aussi bien que quiconque. Car, au lendemain de la Libération, j'ai pu, grâce à de grandes réformes, détourner le pays du bouleversement mortel dont il était menacé. Car, aujourd'hui, je dois le remettre debout à partir de la situation lamentable où les partis l'ont mené. Car, pendant dix années, je présiderai, pour ce qui est de sa prospérité, de son progrès, de sa monnaie, à une réussite à laquelle n'équivaut rien de ce qui eut lieu pour lui depuis plus d'un demi-siècle. Car, plus tard, je le retiendrai, au dernier moment, de se précipiter au gouffre, alors qu'une campagne unanime et acharnée dirigée contre mon pouvoir par tous les milieux de notables, la passivité morbide qui le saisit tout à coup, l'abandon de leurs devoirs par presque tous ceux qui, dans tous les domaines, sont réputés être responsables, l'auront fait céder à l'anarchie. C'est pourquoi, à la tête de la France, dans le calme ou dans l'ouragan, les problèmes économiques et sociaux ne cesseront jamais d'être au premier plan de mon activité comme de mes soucis. J'y consacrerai une bonne moitié de mon travail, de mes audiences, de mes visites, de mes discours, aussi longtemps que je porterai la charge de la nation. C'est dire, entre parenthèses, à quel point le reproche obstinément adressé à de Gaulle de s'en désintéresser m'a toujours paru dérisoire.

Il est vrai que, pour traiter le sujet, je m'efforcerai sans cesse, conformément à ma nature, de le ramener à l'essentiel. Il est vrai que je ne m'en remettrai pas aux leçons changeantes de maints docteurs qui manient en tous sens et dans l'abstrait le kaléidoscope des théories. Il est vrai que je ne me livrerai pas à la voltige d'idées et de formules que pratiquent les jongleurs de doutes et de contres, les illusionnistes pour colloques et journaux, les acrobates de la démagogie. Il est vrai que si, à l'échelon suprême où je suis placé, il me revient de provoquer les expertises et les avis, puis de choisir et d'endosser, je ne me substituerai pas à ceux, ministres et fonctionnaires, qui doivent étudier, proposer, exécuter, en tenant compte des données complexes au milieu desquelles ils ont l'habitude et la vocation de vivre. Il est vrai, enfin, que les résultats, quels qu'ils soient, ne manqueront pas d'être contestés dans une matière où, par définition, les vœux de tous sont infinis et où rien n'apparaît jamais, à personne, comme suffisant. Mais pour moi, dans ce domaine comme dans les autres, pas de positions de retrait ni de faux-fuyants possibles, à supposer que je veuille en chercher ! Tout ce qui sera fait par l'État le sera de par mon autorité, sous ma responsabilité, en bien des cas sur mon impulsion, en vertu du rôle primordial que, d'instinct, m'attribue le pays et par application normale des pouvoirs que la Constitution nouvelle confère à qui tient la tête.

Quelle direction dois-je donner à l'effort économique pour qu'il réponde à la politique où je vais engager la France ? Au départ, puis au long de la route, l'idée que je m'en fais est simplement celle du bon sens. Notre pays ne peut s'accommoder de lui-même à l'intérieur et compter à l'extérieur que si son activité est accordée à son époque. A l'ère industrielle, il doit être industriel. A l'ère de la compétition, il doit être compétitif. A l'ère de la science et de la technique, il doit cultiver la recherche. Mais, pour produire beaucoup, pour le faire à des conditions qui facilitent les échanges, pour renouveler constamment par l'invention ce qu'il fabrique dans ses usines et récolte dans ses champs, il lui faut se transformer à mesure et profondément.

Non point, certes, que, tel qu'il est, on puisse méconnaître sa grande valeur fondamentale. Tout en voulant le porter à de vastes changements dans sa structure et dans ses habitudes, j'ai beaucoup de respect pour ce que nos pères ont longuement fait de lui. Au moment où j'assume à nouveau le gouvernement des Français, le fait est, qu'en dépit de ce qui leur manque en matières premières et en sources d'énergie et malgré les guerres qui les ont ruinés et décimés, la quantité et la qualité de leur production industrielle et agricole ne laissent pas d'être remarquables. Le fait est qu'ils travaillent assidûment et, somme toute, régulièrement aux tâches coutumières auxquelles ils sont attachés, qu'ils pourvoient eux-mêmes dans l'ensemble à leurs besoins, que dans certaines branches ils vendent assez largement au-dehors, que leurs savants et leurs techniciens sont partout fort estimés. Le fait est que leurs exploitations sont multiples et variées, ce qui, après tout, n'est que conforme à la diversité de leur race et de leur territoire et à l'individualisme qui marque leur caractère national. Le fait est que, sans les mettre à l'abri des crises, l'élasticité de leur existence collective leur épargne de trop rudes secousses et atténue souvent chez eux la virulence des conflits sociaux. Bref, le fait est que leur économie possède, grâce à leurs efforts millénaires, les éléments de la capacité et de la solidité.

Mais, à l'inverse, les mêmes traits, faute qu'ils aient été à temps adaptés et rectifiés, tendent maintenant à ralentir la marche en avant de la France. Car, depuis que les hommes dépendent des machines et que, par là, leurs lois sont désormais le rendement et l'accélération, il ne suffit pas à l'industrie, à l'agriculture, au commerce, de fabriquer, récolter, échanger, toujours autant, il faut qu'ils fabriquent, récoltent, échangent, de plus en plus. Il ne suffit pas de faire bien ce que l'on fait, il faut le faire mieux que les autres. Il ne suffit pas de « joindre les deux bouts », il faut gagner assez pour se payer le meilleur outillage. Il ne suffit pas d'entretenir, pour vivre, des entreprises nombreuses, séparées, à faible rayon, il faut qu'elles s'unissent pour vaincre. Expansion, productivité, concurrence, concentration, voilà, bien évidemment, les règles que doit dorénavant s'imposer l'économie française, traditionnellement circonspecte, conservatrice, protégée et dispersée.

Dans un pays et sous un régime tels que les nôtres, il va de soi qu'une pareille mutation exige constamment, non pas tant des édits lancés par l'instance suprême, que beaucoup d'actes spécifiques, spontanés et démultipliés de la part des intéressés aussi bien que du gouvernement et de l'administration. Chef de l'État, j'aurai à les y appeler et à en saisir l'opinion nationale, mais aussi à m'appliquer personnellement à certains points essentiels. Pour moi, à mon échelon, il s'agit du Plan, parce qu'il embrasse l'ensemble, fixe les objectifs, établit une hiérarchie des urgences et des importances, introduit parmi les responsables et même dans l'esprit public le sens de ce qui est global, ordonné et continu, compense l'inconvénient de la liberté sans en perdre l'avantage ; je ferai donc en sorte que la préparation et l'exécution du Plan prennent un relief qu'elles n'avaient pas en lui donnant un caractère « d'ardente obligation » et en le proclamant comme mien. Il s'agit de la compétition internationale, parce que c'est le levier qui peut soulever le monde de nos entreprises, les contraindre à la productivité, les amener à s'assembler, les entraîner à la lutte au-dehors ; d'où ma résolution de pratiquer le Marché commun qui n'est encore qu'un cahier de papier, d'aller à la suppression des douanes entre les Six, de libérer largement notre commerce mondial. Il s'agit des investissements, privés et publics, qui doivent nous permettre de moderniser nos outillages, d'adapter nos moyens de communication à la vitesse du siècle, de nous doter des logements, des écoles, des hôpitaux, des équipements sportifs, exigés par l'évolution ; dans les budgets dont je signerai les projets et promulguerai les textes, les dépenses de développement dépasseront toujours celles de fonctionnement. Il s'agit des activités « de pointe » : recherche fondamentale, atome, aviation, espace, informatique, etc., parce que c'est à partir de leurs laboratoires et de leurs fabrications que se répand dans tout l'appareil l'incitation au progrès ; aussi les suivrai-je de près, intervenant à maintes reprises en faveur de leurs dotations, faisant ostensiblement visite à leurs établissements, recevant et écoutant nombre de leurs dirigeants. Il s'agit de la monnaie, critère de la santé économique et condition du crédit, dont la solidité garantit et attire l'épargne, encourage l'esprit d'entreprise, contribue à la paix sociale, procure l'influence internationale, mais dont l'affaiblissement déchaîne l'inflation et le gaspillage, étouffe l'essor, suscite le trouble, compromet l'indépendance ; je donnerai à la France un franc modèle,

dont la parité ne changera pas aussi longtemps que je serai
là et que même, malgré les mauvais coups portés à notre
pays au printemps de 1968 par l'alliance des chimères, des
chantages et des lâchetés, je maintiendrai jusqu'au bout
grâce aux énormes réserves de devises et d'or que la
confiance aura, en dix ans, accumulées dans nos caisses.
Encore, lors de mon départ, ces réserves, en dépit des pertes
que la secousse leur aura infligées, laisseront-elles à notre
disposition quatre milliards de dollars, dont une somme
nette de près de deux milliards et demi de dollars, sans
compter les crédits considérables qui nous seront, de
toutes parts, immédiatement proposés.

Cependant, depuis longtemps, je suis convaincu qu'il
manque à la société mécanique moderne un ressort humain
qui assure son équilibre. Le système social qui relègue le
travailleur — fût-il convenablement rémunéré — au rang
d'instrument et d'engrenage est, suivant moi, en contradiction avec la nature de notre espèce, voire avec l'esprit
d'une saine productivité. Sans contester ce que le capita-
lisme réalise, au profit, non seulement de quelques-uns,
mais aussi de la collectivité, le fait est qu'il porte en lui-
même les motifs d'une insatisfaction massive et perpétuelle.
Il est vrai que des palliatifs atténuent les excès du régime
fondé sur le « laissez faire, laissez passer », mais ils ne gué-
rissent pas son infirmité morale. D'autre part, le communisme, s'il empêche en principe l'exploitation des hommes par d'autres hommes, comporte une tyrannie odieuse
imposée à la personne et plonge la vie dans l'atmosphère
lugubre du totalitarisme, sans obtenir, à beaucoup près,
quant au niveau d'existence, aux conditions du travail, à la
diffusion des produits, à l'ensemble du progrès technique,
des résultats égaux à ceux qui s'obtiennent dans la liberté.
Condamnant l'un et l'autre de ces régimes opposés, je
crois donc que tout commande à notre civilisation d'en
construire un nouveau, qui règle les rapports humains de
telle sorte que chacun participe directement aux résultats
de l'entreprise à laquelle il apporte son effort et revête la
dignité d'être, pour sa part, responsable de la marche de
l'œuvre collective dont dépend son propre destin. N'est-ce

pas là la transposition sur le plan économique, compte tenu des données qui lui sont propres, de ce que sont dans l'ordre politique les droits et les devoirs du citoyen ?

C'est dans ce sens que j'ai, naguère, créé les comités d'entreprise. C'est dans ce sens que, par la suite, étant écarté des affaires, je me suis fait le champion de l' « association ». C'est dans ce sens que, reprenant les leviers de commande, j'entends que soit, de par la loi, institué l'intéressement des travailleurs aux bénéfices, ce qui, en effet, le sera. C'est dans ce sens que, tirant la leçon et saisissant l'occasion des évidences mises en lumière aux usines et à l'Université par les scandales de mai 1968, je tenterai d'ouvrir toute grande, en France, la porte à la participation, ce qui dressera contre moi l'opposition déterminée de toutes les féodalités, économiques, sociales, politiques, journalistiques, qu'elles soient marxistes, libérales ou immobilistes. Leur coalition, en obtenant du peuple que, dans sa majorité, il désavoue solennellement de Gaulle, brisera, sur le moment, la chance de la réforme en même temps que mon pouvoir. Mais, par-delà les épreuves, les délais, les tombeaux, ce qui est légitime peut, un jour, être légalisé, ce qui est raisonnable peut finir par avoir raison.

A vrai dire, en avril 1969, bien peu se souviendront — mais l'auront-ils jamais su ? — de la situation dans laquelle étaient l'économie, les finances et la monnaie de la France, lorsque, onze ans plus tôt, j'en reprenais la conduite.

A peine suis-je à Matignon qu'Antoine Pinay m'en fait le tableau. Sur tous les postes à la fois nous sommes au bord du désastre. Le budget de 1958 va présenter un découvert d'au moins 1 200 milliards de francs. Notre dette extérieure dépasse trois milliards de dollars, dont, pour la moitié, le remboursement est exigible avant un an. Dans notre balance commerciale, les rentrées atteignent à peine 75 % des sorties, malgré la dévaluation de fait, dite « opération 20 % », que le Gouvernement Félix Gaillard a réalisée en 1957. Comme réserves, nous n'avons plus, le 1er juin, que l'équivalent de 630 millions de dollars en or et en devises, soit la valeur de cinq semaines d'importations, et toutes les ressources extérieures de crédit, auxquelles

le régime précédent avait puisé sans relâche, sont maintenant complètement taries. Il ne reste rien des dernières possibilités d'emprunt — soit environ 500 millions de dollars —
qui ont été à grand-peine accordées au début de l'année,
tant par le Fonds monétaire international que par les
banques américaines, à l'implorante mission de Jean
Monnet. Quant à l'activité économique, qui était longtemps
demeurée vive, quoique toujours désordonnée, elle marque
un ralentissement de plus en plus accentué à cause des
restrictions que, sous peine d'effondrement, il a fallu
imposer à nos achats extérieurs. Enfin, les engagements
qui ont été pris sur les plans européen et mondial de procéder avant la fin de 1958 à une certaine libération de nos
échanges, pour que la France soit placée, comme les
autres pays développés, dans un début de compétition, ne
peuvent pas être tenus. On ne voit pas non plus comment le
seraient ceux qui résultent du traité de Rome et qui comportent, pour le jour de l'an 1959, un premier abaissement
des douanes entre les six États membres du Marché
commun. En somme, l'alternative, c'est le miracle ou la
faillite.

Mais le retournement psychologique qu'entraîne mon
retour au pouvoir ne rend-il pas le miracle possible ?
Antoine Pinay le pense. Si j'ai choisi comme ministre de
l'Economie et des Finances ce personnage éminent, notoire
pour son bon sens, considéré pour son caractère, populaire
pour son dévouement à l'intérêt public, c'est parce que sa
présence à mes côtés doit renforcer la confiance qui, seule,
nous évitera peut-être la catastrophe imminente. Dans la
longue suite d'expédients et d'échecs que fut l'histoire
financière de la IVe République, son passage à la tête des
affaires en 1952 et, notamment, la réussite de l'emprunt
qu'il avait ouvert marquaient un répit certain. Depuis lors,
l'opinion faisait de lui comme le symbole d'une gestion
raisonnable. Il y a donc une chance pour qu'en appuyant
son expérience et sa réputation de ce que je peux avoir
d'autorité nationale les dures mesures qui sont immédiatement et absolument nécessaires puissent être prises dans
une atmosphère favorable, pour qu'ainsi mon gouvernement

ait le temps d'élaborer un plan complet de redressement, pour que cet ensemble, qui sera sans nul doute très pénible, trouve le concours sincère que les milieux spécialisés de l'administration et des affaires prêteront à ce ministre-là plus volontiers qu'à aucun autre.

La première chose à faire, et qui est d'extrême urgence, consiste à procurer de l'argent aux caisses du Trésor, afin de pourvoir aux dépenses de l'État autrement qu'en actionnant la presse à billets de banque. Je suis d'accord avec Antoine Pinay pour lancer tout de suite un emprunt qui, par le fait que de Gaulle est là et que c'est lui qui décide de l'ouvrir, prend l'allure d'une grande entreprise nationale. C'est ce que je déclare au pays le 13 juin dans une allocution radiodiffusée et télévisée. C'est ce que je lui répète par la même voie, le 26, en donnant à chaque souscription le caractère d'un acte de confiance en notre peuple et en moi-même. De son côté, le ministre fait connaître avec clarté et sincérité dans quel péril nous sommes, comment nous pouvons y parer et quelles modalités comporte l'opération. Celle-ci, ouverte le 17 juin et close le 12 juillet, est un succès sans aucun précédent, sinon, treize ans plus tôt, l'emprunt, également triomphal, « de la Libération ». 324 milliards, dont 293 « d'argent frais », ont été apportés aux guichets. En outre, 150 tonnes d'or, équivalentes à 170 millions de dollars, sont revenues à la Banque de France, soit presque autant qu'en 1945 et cinq fois plus qu'en 1952. Le soulagement qui en résulte dans le règlement des dépenses publiques et dans les échanges extérieurs est notable et immédiat. En outre, l'effet produit par cette adhésion à l'effort que je réclame améliore le crédit de la France. On constate, littéralement du jour au lendemain, un premier mouvement de rentrée des capitaux qui avaient fui et, par là, une tendance sensible vers le retour à l'équilibre de notre balance des paiements. Enfin, l'optimisme, soudain ressuscité quant aux perspectives d'avenir, émousse les revendications innombrables et pressantes que l'inquiétude aigrissait dans tous les milieux sociaux.

Or, satisfaire ces demandes, lors même qu'elles sont en principe justifiées et quelques promesses qui aient pu être arrachées à la faiblesse du régime d'hier, ce serait perdre la partie. Dans les derniers jours de juillet, mon gouvernement prend une série de décisions dont le moins qu'on puisse dire est que, pour le salut commun, elles vont à l'encontre de tous les intérêts particuliers.

C'est ainsi que les majorations des traitements et des salaires, qui devaient intervenir précisément à ce moment-là dans la fonction et les services publics, sont reportées aux années futures. C'est ainsi qu'on fera de même pour l'augmentation des prix des produits agricoles, bien qu'une loi de 1957 ait prescrit leur indexation sur l'indice général ; par exemple, le quintal de blé sera vendu 113 francs de moins que l'escomptaient les agriculteurs. C'est ainsi que des baisses importantes sont imposées aux prix de vente du commerce. C'est ainsi qu'un supplément de taxes d'une cinquantaine de milliards est mis sur les sociétés et sur les biens de luxe. C'est ainsi que l'essence est payée plus cher. C'est ainsi que les crédits alloués à beaucoup de constructions et de travaux d'équipement sont réduits ou suspendus. De cette façon, les dépenses prévues pour le budget de l'année en cours subissent une diminution d'environ six cents milliards, la consommation intérieure est restreinte au profit des exportations, la montée des prix, qui avait atteint plus de 1 % par mois pour chacun des six premiers de 1958, sera trois fois moindre pour chacun des six derniers. Au total, l'inflation recule et, sans que la production éprouve de nouvelles atteintes, on voit apparaître les signes de la stabilisation.

D'ailleurs, comme malgré tout et même en France la vertu a parfois de la chance, il se trouve que, dans d'autres pays, notamment aux Etats-Unis, l'activité subit un certain ralentissement, ce qui arrête l'augmentation du prix des matières premières, rend nos importations moins onéreuses et contribue, par contagion, à dissiper le prurit de « surchauffe ». Il est vrai, qu'en conséquence, quelque inquiétude surgit au sujet du plein emploi. Le nombre des chômeurs secourus s'élève de 19 000 à 36 000 et la durée hebdomadaire du travail s'abaisse en moyenne d'une demi-heure. Mais, dans l'ambiance de détente sociale qui coïncide avec la relâche politique, le gouvernement obtient que les entreprises s'imposent une contribution permanente égale à 1 % des rémunérations, que les syndicats acceptent d'en gérer l'utilisation concurremment avec le patronat et que soit créé un « Fonds commun de salaires garantis » qui, quoi qu'il arrive, assure aux travailleurs une rémunération de base et organise le reclassement de ceux qui perdraient leur emploi.

Pour donner tout son sens à ce début de remise en ordre, je m'adresse à la nation. « Ce qui se fait », lui dis-je le 1er août, « c'est stabiliser notre situation financière, monétaire, économique, arrêter la descente aux abîmes de l'inflation, nous assurer la base sur laquelle nous pourrons construire notre aisance et notre puissance ». Puis, ayant déclaré que « je demande à toute les catégories françaises de prendre une part des sacrifices », j'énumère explicitement les mesures sans en cacher la rigueur. Mais j'ajoute que « ce n'est pas en vain » : Le budget de 1958 sera bouclé dans de bonnes conditions, la balance des paiements est renversée dans le bon sens, le niveau des prix se fixe, la valeur du franc s'améliore. Je conclus : « La France a pris le départ dans la course à la prospérité. Pourvu qu'elle tienne la ligne en ordre et résolument, je réponds d'une belle arrivée ».

Nous avons paré au plus pressé. Mais il s'agit de bien davantage : faire ce qu'il faut pour que, sans perdre l'équilibre, l'élan se maintienne longtemps. Au demeurant, c'est dans cette intention qu'a été prévue par le référendum du 28 septembre une disposition très large et portant que, jusqu'à la date où seront mises en place les institutions nouvelles — c'est-à-dire celle de mon installation à l'Elysée, le 8 janvier — « le gouvernement prendra en toutes matières par ordonnances ayant force de loi les mesures qu'il jugera nécessaires à la vie de la nation ».

Cependant, en quelque estime que je tienne l'administration des Finances, j'ai le sentiment que les décisions à prendre sont si étendues et profondes qu'elles dépassent l'horizon du service normal. Après avoir formulé des objections, Antoine Pinay se range à mon avis. Une commission de neuf personnalités, hautement compétentes, issues de l'Institut, de l'Inspection des Finances, du Conseil d'État, de l'Université, de l'Ordre des experts-comptables, de la Banque et de l'Industrie, est formée le 30 septembre « pour faire rapport sur l'ensemble du problème financier français... et fournir toutes suggestions utiles pour l'utilisation des pouvoirs spéciaux que le référendum a attribués au gouvernement ».

Le président en est Jacques Rueff. Par l'envergure de son esprit et la nature de sa formation il possède à fond le sujet. A ce théoricien consommé, à ce praticien éprouvé, rien n'échappe de ce qui concerne les finances, l'économie, la monnaie. Doctrinaire de leurs rapports, poète de leurs vicissitudes, il les veut libres. Mais, sachant de quelles emprises abusives elles se trouvent constamment menacées, il entend qu'elles soient protégées. Le projet que, le 8 décembre, il remet de la part de sa Commission à moi-même et à Antoine Pinay forme un tout suivant lequel, moyennant beaucoup de sacrifices, maintes barrières seront abaissées, de telle sorte qu'en rejetant les artifices la France reprenne l'équilibre, que ce soient l'épargne et le crédit qui, dans des conditions normales, assurent les investissements indispensables à son progrès, qu'elle entre délibérément en concurrence avec les grands pays modernes.

Le plan comporte, en effet, trois éléments essentiels, liés entre eux et qui sont de nature à changer de fond en comble l'activité économique et la politique financière françaises. Le premier est l'arrêt effectif de l'inflation ; celle-ci n'étant qu'une drogue qui par phases alternées d'agitation et d'euphorie mène la société à la mort. On va s'en guérir, d'abord en comprimant les dépenses et en augmentant les recettes de l'État pour que le découvert des budgets, à commencer par celui de 1959, ne donne plus lieu à la création de moyens de paiement artificiels, ensuite en réduisant momentanément la consommation interne afin qu'une part excessive du revenu national ne soit pas ainsi dévorée, qu'au contraire s'accroisse l'épargne, mère des investissements, et que la production se tourne vers l'exportation. Un rude ensemble de dispositions est proposé dans ce sens : limitation à 4 % « ne varietur » de la majoration des traitements et salaires publics, réduction des subventions que l'État verse aux entreprises nationalisées et à la Sécurité sociale pour combler leur déficit et de celles qu'il accorde à des produits de consommation, non-paiement en 1959 de la retraite des anciens combattants valides. En même temps, nouvelle augmentation des impôts sur les sociétés et sur les gros revenus, taxation plus forte du vin, de l'alcool, du tabac, accroissement des tarifs de 15 % pour le gaz, l'électricité, les transports, de 10 % pour le charbon, de 16 % pour la poste. Par contre et afin que ce surcroît de charges épargne, autant que possible, les ressources des plus modestes, supplément de 4 % au salaire minimum garanti, majoration de 10 % des allocations familiales dans un délai de six mois, versement de 5.200 francs ajouté immédiatement à la retraite des gens âgés.

La deuxième série de décisions prévue par le projet se rapporte à la monnaie. Le but est que celle-ci, après les onze diminutions de parité qu'elle a subies depuis 1914 où elle était encore le « franc-or » de Napoléon, soit, à la fin des fins, rétablie sur une base stable et fixée de manière à ce que les prix de nos produits deviennent compétitifs dans la concurrence mondiale où nous allons nous engager. Aussi, une dévaluation de 17,5 % est-elle recommandée. Mais il s'agit qu'à partir de là notre monnaie ait désormais une valeur immuable, non point seulement proclamée en France — ce qui conduit à interdire, comme autant de doutes affichés, toutes les indexations à l'exception de celle du S.M.I.G. — mais aussi reconnue par l'étranger. Le franc sera donc convertible, c'est-à-dire librement interchangeable avec les autres devises. En outre, pour rendre au vieux franc français, dont les pertes expriment nos épreuves, une substance respectable, le franc nouveau, valant cent anciens, apparaîtra dans les comptes ainsi que sur l'avers des pièces et le libellé des billets.

Le troisième ordre de mesures tend à la libération des échanges. C'est là une révolution ! Le plan nous conseille, en effet, de faire sortir la France de l'ancien protectionnisme qu'elle pratique depuis un siècle. Certes, à l'abri de ce

rempart, elle avait pu, avant les grandes guerres, amasser
une énorme fortune et, ensuite, quoique ruinée, retrouver
sa vie économique propre sans devenir la colonie d'autrui.
Mais, à présent, le système l'isole et l'endort, alors que de
vastes courants d'échanges innervent l'activité mondiale.
C'est une certaine sécurité mais une médiocrité certaine que
les barrières des douanes, les bornes des interdictions et les
clôtures des contingents ont apportées à notre industrie, à
notre agriculture, à notre commerce. Au contraire, la compétition leur fera tout à la fois courir des risques et sentir
l'aiguillon. On peut penser que, dans le combat, l'économie
française adaptera son équipement, son esprit d'entreprise,
ses méthodes, aux exigences de la productivité et fera de
l'expansion au-dehors le critérium de sa réussite. Jacques
Rueff et ses associés suggèrent que, de but en blanc, à
partir du 1er janvier prochain, 90 % des produits puissent
être échangés avec les pays de l'Europe et 50 % avec ceux
de la zone dollar.

J'adopte le projet des experts. D'ailleurs, à mesure de leur
travail, j'en ai été tenu au courant par ceux de mes collaborateurs : Georges Pompidou et Roger Goetze, qui gar-
daient étroitement le contact de la Commission. Du point
de vue de la technique : taux, dates, spécifications, etc., je
m'en remets dans l'ensemble aux spécialistes qui me les
soumettent. Mais c'est ce que le projet a de cohérent et
d'ardent, en même temps que d'audacieux et d'ambitieux,
qui emporte mon jugement. Pour qu'il se traduise en actes
sans qu'on se laisse aller à composer avec les réactions
nationales et internationales qu'il va forcément entraîner,
je dois maintenant le prendre à mon compte. Or, j'y suis
puissamment aidé par la confiance que la masse du peuple,
à défaut de ses élites, me témoigne en signes émouvants et
qu'il m'exprime, au cours de cet automne, par le référendum de septembre, le scrutin législatif de novembre, mon
élection en décembre.

Cependant, bien que les principes et les textes doivent
être arrêtés en l'absence du Parlement, des obstacles politiques se présentent. Le premier est élevé par le ministre
de l'Economie et des Finances lui-même qui, très ému, vient

me déclarer qu'il s'oppose au projet Rueff sur deux points
essentiels : la dévaluation et les impôts nouveaux. « Com-
prenez », me dit Antoine Pinay, « qu'après avoir toujours
condamné ceux-ci et celle-là, je ne puisse y souscrire
aujourd'hui ». Tout en reconnaissant qu'il aura grand
mérite à donner son consentement, j'invite instamment le
ministre à s'y résoudre en considération de ce que sont ma
tâche, ma responsabilité et, par suite, mon droit et mon
devoir de trancher. Or, j'ai choisi de donner suite, sans
demi-mesures, au plan tout entier, y compris sur les sujets
en cause. Devant cette haute raison, Antoine Pinay veut
bien s'incliner. Pourtant, quand tout sera réglé, il m'adres-
sera une lettre m'exprimant ses réserves et ses appréhensions. Mais, bientôt, les membres socialistes du Gouvernement font, à leur tour, connaître leur refus. « Il m'est
impossible », me déclare Guy Mollet, « d'approuver une
dévaluation et des dispositions qui vont imposer de lourds
sacrifices aux petites gens et que ne compense même pas
une dose suffisante de dirigisme ». Pour répondre, je men-
tionne le supplément de charges qu'auront à supporter les
plus riches, les allégements prévus en faveur des plus
pauvres, par-dessus tout le caractère impératif du redressement dans la situation désastreuse où les gouvernements
d'hier ont laissé notre pays. Mais Guy Mollet maintient son
opposition. Comme je ne doute pas que ce doive être de plus
en plus nettement l'attitude des socialistes à mesure que
s'approchera la fin du drame algérien et à la suite de la
déconvenue qu'a causée à leur parti le résultat des élections,
j'accepte la démission de leur secrétaire général. Eugène
Thomas et Max Lejeune me remettent aussi la leur. Je les
prie tous les trois, cependant, de rester en fonctions jusqu'à
ce que, le 8 janvier, s'instaure la Ve République qu'ils
m'auront aidé à fonder. Ils le feront de bonne grâce.

Les décisions sont prises le 26 décembre, au cours d'un
Conseil interministériel long d'une dizaine d'heures auquel
assistent tous les membres du Gouvernement ainsi que
Jacques Rueff et de hauts fonctionnaires des Finances. En
dirigeant le débat de bout en bout, je me suis engagé assez
à fond sur toutes les dispositions pour que leur adoption

soit inéluctable. Le lendemain, l'ensemble est entériné par le Conseil des ministres, essentiellement sous la forme d'une ordonnance qui est le budget de 1959, d'une autre ordonnance créant le franc nouveau, d'un arrêté fixant sa parité et d'une notification adressée à l'étranger pour la libération des échanges. Le 28, par les ondes, j'annonce au pays ce qui a lieu, pourquoi ? comment ?

Constatant, tout d'abord, que la tâche nationale qui m'incombe depuis dix-huit ans vient d'être confirmée par mon élection du dimanche précédent, je déclare que : « Guide de la France et Chef de l'État républicain, j'exercerai le pouvoir suprême dans toute l'étendue qu'il comporte désormais et dans l'esprit nouveau qui me l'a fait attribuer ». Or, c'est l'instinct du salut qui inspire l'appel que m'adresse le peuple français. « Il me charge de le conduire, parce qu'il veut aller, non certes à la facilité, mais à l'effort et au renouveau ». En vertu de ma mission et avec mon gouvernement, « j'ai donc décidé de remettre nos affaires en ordre réellement et profondément ». J'indique, « qu'à l'occasion du budget, nous avons adopté et, demain, nous appliquerons tout un ensemble de mesures financières, économiques, sociales, qui établit la nation sur une base de vérité et de sévérité, ... que notre pays va se trouver à l'épreuve, ... mais que le rétablissement visé est tel qu'il peut nous payer de tout ». Suit, alors, l'énoncé de toutes les dispositions qu'après moi développera en détail le ministre de l'Economie et des Finances. Je termine en disant : « Sans cet effort et ces sacrifices, nous resterions un pays à la traîne, oscillant perpétuellement entre le drame et la médiocrité. Au contraire, si nous réussissons, quelle étape sur la route qui nous mène vers les sommets ! »

Dans le pays et au-dehors, l'impression produite est immense. Aux professionnels de l'opinion il paraît en effet saisissant qu'après tant et tant d'essais fragmentaires, épisodiques et velléitaires, auxquels se sont livrés les gouvernements de naguère, le nouveau pouvoir entreprenne cette fois une action fondamentale, soutenue et résolue. Ni les partis, ni les journaux, dont la malveillance se trouve, un instant, déconcertée, ne contestent que le

plan soit cohérent et important. A l'étranger, on ne se
cache pas d'être frappé par le fait que je me sois engagé
aussi complètement. Mais, tandis qu'au-delà des frontières
les jugements exprimés ne cesseront pas d'être favorables,
ce qui, d'ailleurs, contribuera à renverser dans le bon sens
le mouvement des capitaux, chez nous, au contraire, une
fois passé l'effet de choc, le rétablissement de nos affaires
s'accomplira au milieu de l'océan des critiques brandies
par les partis politiques, les syndicats et la quasi-totalité
de la presse.

Bien entendu, ce sont les rigueurs inhérentes au redressement qui soulèvent les protestations. Sans que jamais soit
défendue l'idée que le salut commun doive prévaloir sur les
intérêts particuliers, tous ces opposants s'accordent à taxer
d'injustes les sacrifices imposés. A partir de ce blâme
général, chaque organisme professionnel ne manque naturellement pas de s'élever contre celles des décisions qui, à
l'en croire, lèsent tout justement sa clientèle en particulier.
Le patronat proteste contre les charges qui pèsent sur
l'industrie et réclame, pour qu'elles soient allégées, la com-
pression des dépenses publiques. Les Petites et Moyennes
Entreprises s'en prennent à la libération des échanges dont
elles prétendent que nombre d'entre elles vont s'en trouver
jetées dans une concurrence impossible à supporter. C'est
la prise en compte des signes extérieurs de richesse dans le
calcul des revenus qui irrite les représentants des cadres et
ceux des professions libérales. Les porte-parole du commerce condamnent le plan qui tend à réduire le pouvoir
d'achat des consommateurs. Les syndicats ouvriers se
déchaînent contre l'abaissement du niveau de vie des
salariés que vont, suivant eux, entraîner, d'une part l'augmentation des prix en conséquence de la dévaluation,
d'autre part la récession accompagnant l'austérité. Les
organisations agricoles n'admettent pas qu'il soit mis un
terme à l'indexation et, par là, clament-elles, violé le principe de la parité des revenus paysans. Les associations
d'anciens combattants s'indignent avec véhémence de la
suspension, fût-elle partielle, des retraites des survivants
de la Grande Guerre.

A vrai dire, je n'attends rien d'autre de tous les groupes politiques ou sociaux. Les partis, tels qu'ils sont, ne sauraient évidemment approuver l'action d'un régime bâti à leur encontre, surtout quand ce qu'il fait soulève des mécontentements qui, pour eux, sont autant de chances. Quant aux organisations professionnelles, comme elles n'existent et ne fonctionnent que pour formuler et soutenir des revendications, on ne peut compter qu'elles coopèrent avec le pouvoir à quelque chose de constructif, *a fortiori* si cela implique des contraintes pour leurs mandants. Il va de soi que cette hostilité naturelle des féodalités à l'égard de l'État, principalement s'il se montre fort, se fait acharnée et systématique chez celles que dominent les communistes et qui, dans tous les cas, s'efforcent d'affaiblir la société nationale, en attendant de la détruire. Devant la levée de tant de boucliers, je me vois comme le mécanicien qui, dans le film américain, conduit le train sans écouter les sonneries d'alarme déclenchées par des voyageurs inquiets ou malintentionnés. Au cours de cette période cruciale, mon gouvernement, en dépit des mises en demeure, ne changera autant vaut dire rien à ce qu'il a décidé. D'ailleurs, les ardentes démonstrations populaires, qui marquent à cette époque mes visites à seize départements du Sud-Ouest, du Centre, du Berri, de la Touraine, du Massif Central, me prouvent, qu'au fond, la nation est favorable à l'entreprise. Même l'Assemblée Nationale, à qui, dès le 15 janvier, le Premier ministre Michel Debré expose notre politique et pose la question de confiance, exprime son approbation à une grande majorité. Une fois de plus, les récriminations comptent peu, à condition que l'on réussisse.

Or, justement, le succès s'affirme. Six mois après qu'a commencé l'application du Plan, le début de récession qu'on avait pu constater fait place à une nette reprise. Le nombre des chômeurs diminue, la durée du travail augmente. Le 30 juin 1959, la majoration des prix, qu'on pensait voir atteindre 7 ou 8 %, s'élève à peine à 3 %. Aussi nos exportations prennent-elles un essor depuis longtemps inconnu. Pendant ce premier semestre, nos réserves de change, qui déjà s'étaient accrues à la fin de 1958, encaissent 900 millions de dollars, si bien qu'après avoir remboursé 600 millions de dettes extérieures nous restons en possession de plus d'un milliard et demi de dollars. L'activité de la Bourse de Paris reflète ces bons résultats : l'indice du nombre des transactions de valeurs françaises double au cours de cette période. Dès le 30 janvier, j'avais pu annoncer au pays que le vent était favorable. « La chance », disais-je, « la belle et bonne chance, que notre peuple a parfois rencontrée, voici qu'elle s'offre de nouveau... Une France toute neuve reprend le cours de l'Histoire... Mais, pour qu'elle trouve une base solide sur quoi bâtir sa puissance, nous devons mettre en ordre, largement et profondément, finances, monnaie, économie... C'est ce que nous sommes en train de faire à l'étonnement du monde entier... » Puis, j'en appelais, non pas aux notables et aux nantis, qui certainement ne m'entendraient pas, mais au peuple : « Ah ! je sais bien ce qu'il en coûte à toutes les catégories, notamment aux plus modestes. Je sais bien que c'est toujours l'infanterie qui gagne les batailles. Je sais bien que la grandeur de la France n'a jamais été faite que par la masse de ses enfants ». Enfin, je saluais les prodromes de la victoire : « Malgré les désagréments subis par les uns et par les autres, malgré ce qu'ont à accepter ouvriers, cultivateurs, commerçants, bourgeois, employés, fonctionnaires et beaucoup d'anciens combattants, la volonté du peuple français de s'épargner à lui-même la pagaille, l'inflation, la mendicité, apparaît en pleine lumière. Du coup, se font déjà voir les signes avant-coureurs du redressement. Qu'il s'agisse de production, de rémunération, de prix, d'échanges, de monnaie, d'harmonie sociale, les conditions de vie des Français doivent être stabilisées avant que se termine l'année. A partir de là, la technique, le travail, l'épargne, réaliseront leur œuvre de prospérité générale ».

La fin de 1959 et les trois années suivantes marquent pour notre pays une sorte de triomphe de l'expansion dans la stabilité, alors que maints idoines tenaient ces deux termes pour inconciliables. Expansion considérable, puisque les taux d'accroissement du produit national brut

seront : 3 % pendant le deuxième semestre de 1959, 7,9 %
en 1960, 4,6 % en 1961, 6,8 % en 1962, correspondant à
l'avance annuelle de la production industrielle qui atteindra
en moyenne 5,4 % et à celle de la production agricole qui
dépassera 5 %. Stabilité éclatante, car les budgets de
l'État seront tous bouclés en équilibre, la balance commerciale se réglera de mois en mois par un excédent constant,
les réserves d'or et de devises dépasseront 4 milliards de
dollars en 1962, les dettes extérieures à court et à moyen
terme seront à la même date intégralement remboursées,
la majoration annuelle des prix de détail et de gros
n'atteindra pas 3,5 %. Quel succès serait plus évident ? Il
aboutit, d'ailleurs, à une majoration effective de 4 % par
an du niveau de vie des Français, tandis que le chômage
tombe à moins de 0,5 % de la population active. En même
temps, et bien que la consommation — ou, si l'on veut, le
bien-être — suive la progression des salaires, les dépôts
dans les caisses d'épargne augmenteront de 3 milliards
de francs nouveaux en 1958, de 4 milliards et demi en 1959
et 1960, de 5 milliards en 1961, de 6 milliards en 1962, les
investissements privés augmenteront chaque année de
plus de 10% et les crédits affectés par l'État au développement équivaudront toujours à la moitié au moins de ses
dépenses.

Ainsi est établie la base solide sur laquelle le pays doit
poursuivre sa transformation. Mais celle-ci, comment la
faire ? Bouleverser brutalement ce qui est ? Ce serait théoriquement concevable dans une situation à ce point dramatique que, pour tenter d'éviter la mort, la nation se soumettrait à la terrible chirurgie d'un régime totalitaire qui
ferait d'abord table rase, puis reconstruirait à grands coups
de normes et de rigueurs implacables. Mais nulle catastrophe ne menace la France et, si la Ve République comporte l'autorité, elle n'a rien d'une dictature. Le pouvoir
s'y exerce dans une libre démocratie où chaque individu et
chaque groupe ont leurs droits, où tout se fait au grand
jour et moyennant la sanction des votes, où le pouvoir
n'utilise ni la prison et la confiscation vis-à-vis des possédants récalcitrants, ni le travail forcé ou la déportation à

l'encontre des ouvriers et employés indociles. Chez nous, la tâche de l'État consiste donc, non pas à faire entrer de force la nation dans un carcan, mais à conduire son évolution. Pourtant, bien que la liberté reste un levier essentiel de l'œuvre économique, celle-ci n'en est pas moins collective, commande directement le destin national et engage à tout instant les rapports sociaux. Cela implique donc une impulsion, une harmonisation, des règles, qui ne sauraient procéder que de l'État. Bref, il y faut le dirigisme. Pour ma part, j'y suis décidé et c'est une des raisons pour lesquelles j'ai voulu pour la République des institutions telles que les moyens du pouvoir correspondent à ses responsabilités.

En fait, il s'agit tout d'abord d'arrêter le Plan, c'est-à-dire de déterminer les objectifs à atteindre, le rythme à suivre, les conditions à observer par l'économie du pays, et de fixer à l'État lui-même l'effort financier à fournir, les domaines du développement dans lesquels il doit intervenir, les mesures à prendre en conséquence par ses décrets, ses lois et ses budgets. C'est dans le cadre ainsi tracé que l'État renforce ou allège les taxes et impôts qu'il perçoit, facilite ou restreint le crédit dont il est maître, modifie les tarifs que ses douanes font payer ; qu'il aménage l'infrastructure nationale : voies routières, ferrées, navigables, ports, aérodromes, transmissions, villes nouvelles, logements, etc. ; qu'il adapte les sources d'énergie : électricité, gaz, charbon, pétrole, atome ; qu'il suscite la recherche dans le secteur public et l'encourage dans le privé ; qu'il incite les activités à se répartir rationnellement sur l'ensemble du territoire ; que, par la sécurité sociale, l'enseignement, la formation professionnelle, il facilite les mutations d'emploi qu'impose à de nombreux Français la modernisation de la France. Pour que notre pays repétrisse ses structures et rajeunisse sa figure, mon gouvernement, fort de l'équilibre maintenant rétabli, va engager de multiples et vigoureuses interventions.

D'autant plus et d'autant mieux que le Premier ministre est Michel Debré. Depuis janvier 1959, s'applique la Constitution nouvelle en vertu de laquelle, sous la coupe du Président de la République et nommé par lui, il y a le

Premier ministre, dirigeant le gouvernement et chef de
l'administration. A partir des directives que je donne,
ou bien de mon propre chef, ou bien sur sa proposition,
c'est à lui qu'il appartient de mettre en action les ministères, d'élaborer les mesures à prendre, de régler la présentation qui en est faite, soit à moi-même, soit au Conseil,
soit au Parlement, enfin, quand elles ont abouti à des
décrets ou à des lois, d'en diriger l'application. Cette
tâche capitale et quasi illimitée, Michel Debré est le
premier qui l'assume dans la Vᵉ République. Il la marque
de son empreinte et celle-ci est forte et profonde. Convaincu
qu'il faut à la France la grandeur et que c'est par l'État
qu'elle l'obtient ou qu'elle la perd, il s'est voué à la vie
publique pour servir l'État et la France. S'il s'agit de cela,
point d'idées qui soient étrangères à son intelligence, point
d'événements qui n'éprouvent et, souvent, ne blessent
son sentiment, point d'actions·qui dépassent sa volonté!
Toujours tendu dans l'ardeur d'entreprendre, de réformer,
de rectifier, il combat sans se ménager et endure sans se
rebuter. D'ailleurs, très au fait des personnes, des ressorts
et des rouages, il est aussi un homme de textes et de débats
qui se distingue dans les assemblées. Mais certain, depuis
juin 1940, que de Gaulle est nécessaire à la patrie, il m'a
donné son adhésion sans réserves. Jamais, quoi que puisse
parfois lui coûter ma manière de voir, ne me manquera
le concours résolu de sa valeur et de sa foi.

C'est le cas pour ce que requiert l'industrialisation du
pays. Comme la formule est simple! Comme l'entreprise
est difficile! Comme la réalisation est odieuse à toutes les
routines! Michel Debré, en accord avec moi, y engage à
fond le Gouvernement. Il ne s'agit évidemment pas de
tailler dans le neuf, comme avaient pu le faire autrefois les
États-Unis qui se peuplaient à mesure qu'ils découvraient
d'énormes sources de matières premières, la Grande-Bretagne remplie de houille alors que c'était justement la
condition de l'industrie, l'Allemagne riche du charbon de
la Ruhr et de la Silésie, géographiquement homogène et
parcourue par de grands fleuves parallèles et navigables,
ou comme le font aujourd'hui la Russie pourvue, avec la

Sibérie, de toutes les ressources imaginables, le Japon contraint par la pression d'une population débordante, l'Italie disposant pour ses grandes usines du Nord de la main-d'œuvre inemployée du Sud. Notre vie économique à nous est depuis longtemps définie par nos possibilités et celles-ci ne changent guère. Mais, si nous fabriquons déjà beaucoup et autant vaut dire dans toutes les branches, la question est de le faire à meilleur compte et en meilleure qualité. Cela implique des équipements modernisés, une organisation qui réduise les frais généraux, un affrontement de la concurrence. Aider l'expansion, l'investissement, l'exportation, voilà donc ce que sera dans ce domaine le rôle de mon gouvernement. Œuvre de longue portée et de longue haleine, puisque, faute de découvrir, comme certains avaient pu le faire en d'autres temps dans d'autres pays, des sources nouvelles de richesse, nous n'avons, pour soutenir notre avance, que les prélèvements opérés à mesure sur les bénéfices de la nation.

Le 3e Plan, qui avait été établi avant mon retour au pouvoir pour la période : 1958-1961, ne répond évidemment pas à ce que permet à présent le redressement financier et monétaire et à ce qu'exige la libération des échanges. Un « Plan intérimaire » est donc mis en œuvre, visant hardiment à un accroissement annuel moyen de 5,5 % de la production et à un total d'investissements qui atteigne une large part du revenu global. Sur ces bases, toutes sortes de mesures législatives et réglementaires sont prises pour alléger, par la voie fiscale, l'amortissement des frais d'outillage engagés par les entreprises, pour faire baisser les taux auxquels elles contractent des emprunts de modernisation, pour les pousser à se fondre avec d'autres, pour les amener à installer leurs usines et leurs filiales dans des provinces où leur présence suscite le concours des capacités et des collectivités locales. Le 4e plan, qui doit couvrir la période 1962-1965, vise à accentuer cette progression générale et, notamment, fixe à 24 % ce que doit être, en fin d'application, l'augmentation de notre développement. Le 17 novembre 1961, entouré par le Gouvernement, je me rends solennellement au Conseil Économique et

Social pour y entendre exposer ses avis et proclamer moi-même les objectifs à atteindre par la nation.

Entre-temps, par Ordonnance du 7 janvier 1959, la voie est ouverte à l'intéressement des travailleurs aux profits des entreprises. Que les contrats passés à ce titre entre la direction et le personnel comportent simplement un prélèvement sur les résultats, ou qu'ils instituent la participation au capital et à l'autofinancement, ou qu'ils organisent une société dont chaque ingénieur, chaque ouvrier, chaque employé, est membre et actionnaire, les exonérations fiscales assurées par l'État sont considérables. Il est vrai que si la loi fixe ainsi les conditions dans lesquelles doit jouer l'association elle admet que celle-ci soit encore facultative. Aussi, quels que soient les avantages qu'offre une pareille innovation quant à la productivité et quant aux rapports sociaux et les conclusions favorables qu'en tirent tous ceux qui l'expérimentent, elle ne va être appliquée que par un nombre restreint d'entreprises. A son encontre se conjuguent, en effet, les préventions des patrons et celles des syndicats, figés dans un état d'opposition réciproque, où les premiers pensent pouvoir, grâce à une résistance éprouvée, se maintenir dans leurs citadelles et où les seconds trouvent la justification de leur action exclusivement revendicative et de leur refus d'en exercer une autre qui puisse être positive. Malgré tout, une brèche est ouverte dans le mur qui sépare les classes. C'est en élargissant le passage qu'on pourra, un jour, faire en sorte que la réforme capitale de la participation donne à la société moderne la base nouvelle de sa vie.

Mon gouvernement, en se faisant honneur de parcourir les premiers pas vers ce procès social qui pourrait être décisif, s'efforce aussi de devancer le développement économique et déploie pour l'équipement national un effort auquel dans le passé ne se compare aucun autre. Cet effort, il le consacre à soutenir des espoirs nouveaux. Ainsi des sources d'énergie : gaz de Lacq dont la production est portée à 4 milliards de mètres cubes par an et la distribution organisée sur tout le territoire ; hydrocarbures d'Algérie qui, grâce aux pipe-lines achevés jusqu'à Bougie et jusqu'à La Skhirra, arrivent maintenant en quantités croissantes — 25 millions de tonnes en 1962 — et nous évitent d'en acheter autant ailleurs à coups de dollars et de livres ; centrales atomiques de Marcoule et de Chinon qui commencent à produire de l'électricité. Ainsi du Centre de Cadarache, bâti pour l'étude des « surgénérateurs ». Ainsi du Centre d'études spatiales, qui s'établit à Brétigny et, tout de suite, prépare le lancement de satellites français. Ainsi des communications : en quatre ans, 2 000 nouveaux kilomètres de chemins de fer sont électrifiés, le réseau d'autoroutes passe de 125 kilomètres à 300, la percée du Mont-Blanc est entamée, la loi-programme du 23 avril 1959 déclenche ou hâte de vastes travaux pour nos voies navigables : élargissement du canal Dunkerque-Lille-Valenciennes, construction du canal du Nord, accélération de l'aménagement du Rhône, de la Seine, de la Moselle, etc. Ainsi des ports : puissant développement des bassins, accès, cales de radoub, de Dunkerque, Le Havre, Rouen, Brest, Bordeaux, Marseille. Ainsi des aérodromes : construction de nouvelles pistes et aérogares à Orly et en province, aménagement moderne du trafic. Ainsi des logements : plus de 300 000 sont construits chaque année, la plupart avec le concours des fonds publics. Ainsi de la recherche scientifique, dont les crédits sont triplés et qui est dotée, en 1958, de ses organismes dirigeants : Direction générale et Comité des Sages. Entre 1958 et 1962, nos budgets auront consacré aux investissements 75 milliards de francs lourds. Cela ne s'est jamais vu !

Jamais non plus un Français parcourant la France n'a pu y constater d'aussi grands et rapides changements. Et pour cause ! Des permis de construire sur quatorze millions de mètres carrés — presque tous en province — sont accordés à l'industrie dont en même temps le nombre des entreprises est, par fusions ou concentrations, réduit d'environ 5 000. Dans le secteur commercial où fonctionnaient, en 1958, 8 supermarchés et 1 500 « magasins en libre-service » on en compte respectivement 207 et 4 000 en 1962. L'atome déploie l'appareil nouveau et mystérieux de ses seize centres et installations. Ce sont maintenant des ensemblesmodèles qui inventent, mettent au point, fabriquent, nos avions, nos hélicoptères, nos fusées, de classe internationale. Deux fois plus de laboratoires, certains du plus haut niveau, fonctionnent à présent partout. Des régions, qui sont choisies pour réunir sur leur territoire les éléments de telle ou telle industrie « de pointe », adoptent une vocation moderne : en Aquitaine s'implante l'aéronautique, en Bretagne s'installe l'électronique, au pied des Pyrénées s'édifient les industries dérivées du gaz, aux abords de Marseille s'organisent le débarquement, le stockage et le raffinage du pétrole. Nos vieilles villes et nos anciens bourgs sont en proie aux chantiers qui travaillent à les rajeunir. Par exemple, Paris, blanchi tout en conservant ses lignes, débordant d'automobiles autour de ses monuments restaurés, se pénètre de trois autoroutes, s'entoure d'un boulevard périphérique et dresse d'innombrables immeubles neufs dans ses murs et ses environs.

La médaille a son revers. Notre développement industriel réduit inéluctablement l'importance relative de notre agriculture. Comment, étant qui je suis, ne serais-je pas ému et soucieux en voyant s'estomper cette société campagnarde, installée depuis toujours dans ses constantes occupations et encadrée par ses traditions ; ce pays des villages immuables, des églises anciennes, des familles solides, de l'éternel retour des labours, des semailles et des moissons ; cette contrée des légendes, chansons et danses ancestrales, des patois, costumes et marchés locaux ; cette France millénaire, que sa nature, son activité, son génie, avaient faite essentiellement rurale? Comment méconnaître que si, dans notre existence de peuple, la cité — et, d'abord, la capitale — ne cessa jamais d'être le siège et le décor de l'appareil officiel, le foyer des arts et des sciences, le rendez-vous principal du commerce, la meilleure place pour les ateliers, c'est la campagne qui demeurait la source de la vie, la mère de la population, la base des institutions, le recours de la patrie? Comment oublier qu'au long des âges et jusqu'au siècle dernier sept Français sur dix vivaient aux champs, que ceux qui les avaient quittés n'étaient pour la plupart que des émigrés gardant leurs racines au terroir, qu'à l'époque où je suis né et en dépit de l'afflux que, depuis deux générations, les usines et les chemins de fer avaient déclenché vers les villes, plus de la moitié des habitants de notre pays étaient encore des ruraux, que c'est notre terre qui produisait la presque totalité de l'alimentation nationale, que jusqu'alors nos armées incorporaient surtout de jeunes campagnards et que même, pendant la Grande Guerre, le plus grand nombre de nos combattants et les deux tiers de nos morts avaient été des agriculteurs? Comment ne pas comprendre que les paysans français ont d'instinct le sentiment d'être, en somme, la France elle-même et que la colossale mutation qui diminue leur volume social et leur rôle économique suscite inévitablement leur inquiétude et leur mélancolie?

Auxquelles se joint le souci de plus en plus aigu de vivre. Il est fini, en effet, le temps où l'agriculture française était celle de la subsistance, où le paysan, sans changer jamais rien à ce qu'il faisait pousser sur son lopin de terre, cultivait surtout de quoi se nourrir lui-même et nourrir sa famille, où les surplus suffisaient à l'alimentation des villes, où les douanes et les octrois empêchaient l'intrusion des denrées du dehors. La machine est passée par là, bouleversant l'antique équilibre, imposant le rendement, accumulant des excédents, créant partout des biens et, du coup, des désirs nouveaux, suscitant chez les paysans le besoin de gagner davantage, provoquant la pression massive des produits étrangers et exigeant de nous en contrepartie l'offre de la qualité. C'est donc le marché qui, désormais, dicte à l'agriculture ses lois qui sont : la spécialisation, la sélection, la vente. Mais, dès lors qu'il faut à toute entreprise assez d'étendue, d'outillage, de capitaux, pour répondre à ces conditions, comment maintenir sur notre territoire plus de deux millions d'exploitations dont les trois quarts sont trop exiguës et dépourvues pour être rentables et sur lesquelles vit encore, cependant, presque un cinquième du peuple français? Comment laisser la profession agricole errer, par le temps qui court, sans la formation technique, l'organisation des transactions, l'aide rationnelle du crédit, indispensables à la concurrence? Comment résoudre sans drame ce problème gigantesque et éminemment national, à moins que la collectivité tout entière ne le prenne à son compte?

C'est par la « Loi d'orientation agricole » de 1960, la « Loi complémentaire » de 1962, et les décrets qui les complètent, qu'est mise en œuvre l'évolution. Des organismes à activités et à initiales multiples sont créés pour mener le mouvement : « Sociétés d'aménagement foncier et d'aménagement rural » (SAFER), « Sociétés pour le financement et le développement de l'économie agricole » (SOFIDECA), « Fonds d'orientation et de régularisation des marchés agricoles » (FORMA), « Fonds d'action sociale pour l'assainissement des structures agricoles » (FASASA). D'autre part, l'allocation de crédits pour la distribution de l'eau, l'habitat, l'assainissement, le remembrement, est accélérée partout. Il s'agit, en somme, d'aider à s'agrandir, à modifier leur structure, à adapter leur production, les exploitations qui sont économiquement valables et d'amener à se joindre à d'autres celles qui ne le sont pas faute d'une dimension suffisante. Il s'agit d'obtenir que le cultivateur produise les denrées qu'il faut et les envoie à la vente présentées comme il faut, au cours qu'il faut, là et quand il faut. Il s'agit de mettre en place un réseau de « Marchés d'intérêt régional » — dont feront un jour partie les Halles de Rungis — où les produits sont commercialisés en grand et rationnellement. Il s'agit d'organiser l'enseignement agricole et les consultations d'experts. Il s'agit d'aménager la retraite et de favoriser le départ des exploitants âgés. Il s'agit, enfin, d'attribuer aux paysans un régime spécial d'assurances sociales. Le montant des crédits publics consacrés à l'agriculture passe de 940 millions de nouveaux francs en 1958 à 3 milliards en 1962. Mais, à ce prix, s'accomplissent de vastes et rudes changements. Par exemple, au cours de ces quatre années, le nombre des exploitations descend de 2 200 000 à 1 900 000 tandis que la valeur de la production monte de 32 à 42 milliards. Ce rythme, s'il est maintenu, permettra de régler la question en l'espace d'une génération. Pour la première fois et moyennant un effort proportionné au problème, la République prend réellement en charge — en attendant d'en tirer bénéfice — la conduite de l'agriculture française vers son destin des temps nouveaux.

Au demeurant, l'entreprise dépasse le cadre national. La France, qui est faite pour cent millions d'habitants, peut produire sur ses belles et bonnes terres beaucoup plus d'aliments qu'elle n'en consomme. Malgré les récents accroissements de sa population, ce déséquilibre va s'accentuant à mesure que l'amélioration de l'équipement, des méthodes, du traitement des sols, augmente les rendements des cultures et de l'élevage. Il nous faut donc exporter et, dans un monde où les surplus agricoles sont offerts en masse, nous devons le faire, malgré tout, à des prix qui répondent aux besoins de nos producteurs, à moins que l'État leur fournisse des subventions telles qu'elles écraseraient ses finances. Je dois dire que si, reprenant nos affaires en main, j'adopte d'emblée le Marché commun, c'est en raison de notre condition de pays agricole aussi bien que du progrès à imposer à notre industrie. Certes, je ne me dissimule pas que, pour faire effectivement entrer l'agriculture dans la Communauté, nous devrons agir vigoureusement auprès de nos partenaires dont, en cette matière, les intérêts ne sont pas les nôtres. Mais je tiens qu'il y a là, pour la France, une condition *sine qua non* de sa participation. Car, dans un ensemble débarrassé en principe de douanes et taxes nationales et où seuls les fruits de la terre n'auraient pas libre accès partout, dans un groupement de consommateurs où les produits agricoles du dedans ne seraient pas préférés à ceux du dehors, notre agriculture constituerait pour nous une charge qui nous mettrait, relativement aux autres, en état de chronique infériorité. Pour imposer au Marché commun, à mesure de sa mise sur pied, ce qui nous est, à cet égard, nécessaire, il nous faudra donc déployer des efforts littéralement acharnés, allant parfois jusqu'à la menace de rompre. Cependant, nous y réussirons.

L'été de 1962 marque le terme d'une période au cours de laquelle notre pays n'a pas cessé de progresser. Pendant ces quatre années, la Ve République a déployé dans le domaine économique et social une action dont le moins qu'on puisse dire est qu'elle fut plus soutenue et plus continue que celle d'aucun des régimes qui l'avaient précédée. Sans doute, sous peine de s'écrouler elle-même, y était-elle obligée par la nécessité de tirer le pays de la situation très grave où elle l'avait trouvé au départ. En outre et de toute manière, les changements requis par l'évolution générale exigeaient l'intervention, plus déterminée que jamais, du pouvoir et de la loi. Mais, justement, l'esprit, la lettre, le fonctionnement, des nouvelles institutions répondaient à ces conditions. Dans le Gouvernement une cohésion sans précédent, au Parlement la présence d'un noyau majoritaire que rien ne pouvait briser, dans le peuple un consentement massif, incitaient à entreprendre et permettaient de persévérer. Assurément, l'ensemble de ce qui était accompli imposait des épreuves à tous. Mais on voyait le résultat : pour la nation une prospérité notablement accrue, pour chacun une amélioration sensible de son sort, pour la France la confiance en elle-même recouvrée et la considération extérieure réapparue.

Tandis que le pays travaille, c'est à moi, d'abord, qu'il appartient de donner à la somme de tout ce qui se fait un caractère d'ambition nationale, d'exiger que l'intérêt commun passe au-dessus des routines et prétentions des catégories et de montrer que le but de l'effort pour la prospérité n'est pas tant de rendre la vie plus commode à tels ou tels Français que de bâtir l'aisance, la puissance et la grandeur de la France. C'est cela que j'ai dans l'esprit toutes les fois — elles sont fréquentes — que je traite les affaires directement avec Michel Debré au cours de nos entretiens plurihebdomadaires ; avec Antoine Pinay tant qu'il sera ministre de l'Économie et des Finances, ensuite avec son successeur Wilfrid Baumgartner quand, à la demande du Premier ministre, ce changement aura eu lieu en raison de la discordance, non certes de deux politiques, mais de deux personnalités ; avec Jean-Marcel Jeanneney, qui est en charge de l'Industrie ; avec Henri Rochereau, puis Edgard Pisani, tour à tour titulaires de l'Agriculture ; avec Paul Bacon et Robert Buron, responsables, l'un du Travail, l'autre des Travaux publics et des Transports. C'est cela qui marque les audiences que j'accorde, par exemple, à Pierre Massé qui dirige la mise sur pied du IVe Plan ; à Jacques Brunet, gouverneur de la Banque de France, qui me rend compte de la situation de l'économie, du crédit et de la monnaie ; à François Bloch-Lainé, directeur général de la Caisse des dépôts et consignations, qui m'informe des emprunts consentis aux collectivités locales et des ressources des Caisses d'épargne ; à Éric de Carbonnel, Georges Gorse, Jean-Marc Bœgner, représentants successifs du Gouvernement au Marché commun, qui m'indiquent ce qui s'y passe dans les intervalles des réunions de ministres à Bruxelles, etc. C'est cela qui inspire mes décisions en conclusion des Conseils interministériels, dont l'économique et le social occupent toujours la plus grande partie. C'est cela que j'exprime quand je parle de la France, soit par déclarations faites au micro et sur les écrans, soit par conférences de presse, soit par centaines d'appels adressés aux populations au cours de mes voyages dans soixante-sept départements de la métropole, soit par allocutions prononcées devant le personnel, à l'occasion des visites rendues au long de mes parcours à quelque quatre-vingts usines, mines, centrales, grands chantiers, exploitations agricoles, coopératives, marchés, installations de chemins de fer, travaux routiers, voies navigables, ports, aérodromes, ensembles urbains, écoles techniques, foires, expositions, etc.

Il est vrai que rien de ce qui est fait et dit pour servir la cause nationale ne désarme l'opposition d'aucun intérêt particulier. Les organismes socio-professionnels, tout en reprochant à mon pouvoir, par clause de style et parti pris, de s'attacher aux abus du passé et de négliger les réformes, sont, au fond, hostiles aux changements qui risquent, pour les possédants de restreindre leurs privilèges, pour les syndicats d'ôter de la substance à leurs revendications. On voit donc certains dirigeants d'entreprise actionner dans le sens du doute et de la méfiance les organes d'information dont ils disposent grâce à leur argent et gêner l'assainissement économique en retardant les concen-

trations utiles, voire même, parfois, en vendant de préférence leur affaire à des étrangers. On voit les fédérations et
associations agricoles multiplier les protestations, allant
jusqu'à déchaîner, ici et là, des commandos de « militants »
qui barrent des routes et cassent des carreaux. On voit les
syndicats ouvriers accuser « le pouvoir gaulliste » de chercher à les étouffer, de faire « la politique des monopoles »
et de vouer les travailleurs à en être les victimes. Cependant,
l'adhésion populaire aux intentions et à l'autorité du
général de Gaulle est si large et si profonde que les agitations des milieux spécialisés ne troublent guère, au total,
le travail de la nation. C'est ainsi que la rénovation de
nos entreprises, bien que souvent tâtonnante, n'en suit
pas moins effectivement son cours. C'est ainsi que les
manifestations paysannes déclenchées en certains points
jusqu'au printemps de 1960 s'apaisent partout après cette
date. C'est ainsi qu'à partir de 1958, dans les secteurs
public et privé, il n'y a pas, au total, pour treize millions
de travailleurs, un million de jours de grève par an,
c'est-à-dire huit fois moins qu'avant.

Le 5 février 1962, j'appelle la nation à constater son
propre progrès. « Personne au monde », lui dis-je, « excepté
des partisans aveugles, ne méconnaît le puissant développement de la France. Chacun de nous en est saisi quand
il parcourt le pays, fût-ce en regardant les images. Jamais
il n'a été, en France, produit, construit, instruit, autant.
Jamais le niveau de vie moyen des Français n'a atteint
celui d'aujourd'hui. Jamais, nulle part, on n'a compté
moins de chômeurs que nous n'en avons. Jamais notre
monnaie et notre crédit ne furent plus forts qu'ils ne le sont,
au point qu'au lieu d'emprunter nous prêtons maintenant aux
plus riches. Et voici qu'entre en application le grand Plan
qui, en quatre ans, doit accroître d'un quart notre puissance et notre prospérité. Assurément, cet ensemble comporte encore beaucoup de lacunes et de défauts. Nous ne
sommes pas au bout de nos peines. Nous savons quel
monde nous entoure et comment les événements peuvent
influer sur nos affaires. Mais pourquoi, dans le temps même
où apparaît notre réussite, irions-nous nous décourager,

imitant le pêcheur qu'évoquait Shakespeare et qui, ayant trouvé une perle et effrayé de la voir si belle, la rejetait à la mer? »

Je ne rejette pas la perle. Pourtant, aux prises avec les réalités matérielles et humaines, dans un domaine où tout n'est qu'âpreté, où rien ne se trouve acquis une bonne fois et sans retour, où, quoi que l'on obtienne, personne ne s'en contente à beaucoup près, je vérifie chaque jour que l'économie, comme la vie, est un combat au long duquel il n'y a jamais de victoire qui soit décidément gagnée. Même le jour d'un Austerlitz, le soleil n'y vient pas illuminer le champ de bataille.

L'EUROPE

La guerre fait naître et mourir les États. Dans l'intervalle, elle ne cesse pas de planer sur leur existence. Pour
nous, Français, depuis 1815 et jusqu'à 1870, ce qu'il est
advenu de notre vie nationale, de nos régimes politiques,
de notre situation dans le monde, a été déterminé par la
coalition hostile qui unissait les États de l'Europe contre
la Révolution, les foudroyantes victoires, puis l'écroulement, de Napoléon et, en fin de compte, les traités désastreux qui sanctionnèrent tant de batailles. Après quoi et
au cours des quarante-quatre ans que dura « la paix
armée », c'est notre défaite, le sourd désir de la réparer,
mais aussi la crainte que l'Allemagne unifiée ne nous en
inflige une nouvelle, qui dominèrent notre comportement
intérieur et extérieur. Si l'effort gigantesque fourni par
notre peuple, lors de la Première Guerre mondiale, pouvait
nous ouvrir la carrière du renouveau, nous nous la fermions
à nous-mêmes en manquant d'achever notre victoire
militaire, en renonçant aux réparations qui eussent pu
nous procurer les moyens d'industrialiser notre pays et,
par là, de compenser nos énormes pertes humaines et
matérielles, enfin en nous enfermant dans une politique
et une stratégie passives qui livraient l'Europe aux ambitions d'Hitler. A présent et en conséquence du dernier
conflit où elle faillit périr, d'après quelles données la
nation française peut-elle régler sa marche et son action?

De ces données, la première est, qu'en dépit de tout, elle est vivante, souveraine et victorieuse. Il y a là, certes, un prodige. Combien avaient cru, en effet, qu'ayant essuyé d'abord un désastre inouï, assisté à l'asservissement de ses gouvernants sous l'autorité de l'ennemi, éprouvé les ravages des deux plus grandes batailles de la guerre et, entre-temps, le pillage prolongé exercé par l'envahisseur, subi l'abaissement systématique que lui infligeait un pouvoir érigé sur l'abandon et l'humiliation, elle ne guérirait jamais les blessures de son corps et de son âme? Combien avaient tenu pour certain, qu'après un pareil écrasement, sa libération, si elle devait avoir lieu, ne serait due qu'à l'étranger et que c'est lui qui déciderait de ce qu'il adviendrait d'elle au-dehors et au-dedans? Combien, dans l'anéantissement presque total de sa résistance, avaient jugé absurde l'espoir qu'un jour l'ennemi capitulerait devant elle comme devant ses alliés? Cependant, en fin de compte, elle était sortie du drame intacte dans ses frontières et dans son unité, disposant d'elle-même et au rang des vainqueurs. Rien ne l'empêche donc, maintenant, d'être telle qu'elle l'entend et de se conduire comme elle veut.

D'autant mieux que, pour la première fois dans son histoire, elle n'est étreinte par aucune menace d'aucun voisin immédiat. L'Allemagne, démembrée, s'est effondrée en tant que puissance redoutable et dominatrice. L'Italie déplore d'avoir tourné ses ambitions contre nous. L'alliance avec l'Angleterre, sauvegardée par la France Libre, puis la décolonisation qui éloigne les anciens griefs, font que le vent de la méfiance ne souffle plus sur la Manche. Par-dessus les Pyrénées, la sympathie et l'intérêt rapprochent une France sans inquiétude et une Espagne pacifiée. Quelles hostilités pourraient surgir des terres amicales de la Belgique, du Luxembourg, de la Hollande, ou bien de celles, toujours neutres, de la Suisse ? Nous voilà donc débarrassés de cet état de tension où nous tenaient des voisins dangereux et qui hypothéquait lourdement nos entreprises.

Il est vrai que, si la France a perdu la vocation spéciale

d'être constamment en danger, le monde entier se trouve soumis à la hantise permanente d'un conflit généralisé. Deux empires, l'Américain et le Soviétique, devenus des colosses par rapport aux anciennes puissances, confrontent leurs forces, leurs hégémonies et leurs idéologies. Tous deux disposent d'armements nucléaires qui peuvent à tout instant bouleverser l'univers et qui font d'eux, chacun dans son camp, des protecteurs irrésistibles. Périlleux équilibre, qui risque de se rompre un jour en une guerre démesurée s'il n'évolue pas vers une détente générale ! Pour la France, si éprouvée dans sa substance et dans sa puissance par les conflits qu'elle a menés depuis deux siècles, aussi exposée que possible par sa géographie de cap de l'Ancien Monde vers le Nouveau, telle dans sa dimension et dans sa population qu'elle est mortellement vulnérable, l'intérêt proprement vital est, évidemment, la paix. Or, justement, tout l'appelle à s'en faire le champion. Elle se trouve, en effet, dans cette position singulière qu'elle ne revendique rien de ce que d'autres possèdent et que ceux-ci n'ont rien à réclamer de ce qui lui appartient ; qu'elle ne nourrit, pour ce qui la concerne, aucun grief à l'égard d'aucun des géants ; qu'au contraire, elle porte à leurs deux peuples une amitié séculaire confirmée au long des événements, tandis qu'ils ressentent pour elle une exceptionnelle inclination ; bref, que s'il est une voix qui puisse être entendue, une action qui puisse être efficace, quant à l'ordre à établir en remplacement de la guerre froide, ce sont par excellence la voix et l'action de la France. Mais à la condition que ce soient bien les siennes et que les mains qu'elle tend soient libres.

Simultanément, la France se voit ouvrir un vaste crédit d'intérêt et de confiance chez beaucoup de peuples dont le destin est en gestation mais qui refusent d'être inféodés à l'une ou à l'autre des dominations en présence. La Chine, qui est dotée de tant d'hommes et de tant de ressources que toutes les possibilités d'avenir lui sont accessibles ; le Japon, qui se reforge, en commençant par l'économie, la capacité de jouer un rôle mondial qui ne soit que le sien ; l'Inde, aux prises avec des problèmes de subsis-

tance à la mesure de sa taille, mais qui est appelée à se
tourner un jour vers le dehors ; un grand nombre d'États
anciens ou nouveaux d'Afrique, d'Asie, d'Amérique latine,
qui, pour les besoins immédiats de leur développement,
acceptent le concours fourni par l'un des deux côtés ou
par les deux, mais qui répugnent à « s'aligner », regardent
aujourd'hui et de préférence vers la France. Sans doute,
tant qu'elle n'a pas achevé la décolonisation, lui adressent-
ils d'âpres critiques, mais celles-ci ne manqueront pas de
se taire dès qu'elle aura affranchi ses anciennes possessions.
Le potentiel d'attrait, d'estime et de prestige qui existe en
sa faveur sur une grande partie du globe, il ne tient qu'à
elle de le mettre en œuvre, pourvu que, suivant ce que le
monde attend, elle serve la cause universelle, celle de la
dignité et du progrès de tous les hommes.

Ainsi, le même destin, qui a permis, au cours de la crise
terrible de la guerre, le salut de notre patrie, lui offre-t-il
ensuite, malgré tout ce qu'elle a perdu depuis deux siècles
de force et de richesse relatives, un rôle international de
premier plan, conforme à son génie, répondant à son intérêt,
proportionné à ses moyens. Comment ne serais-je pas
résolu à le lui faire jouer, et d'autant mieux que, suivant
moi, l'effort intérieur de transformation, la stabilité politique, le progrès social, faute desquels elle serait décidément vouée au désordre et au déclin, exigent qu'elle se
sente, cette fois encore dans son histoire, revêtue d'une
responsabilité mondiale? Telle est ma philosophie. Quelle
va être ma politique devant les problèmes pratiques qui
sont posés à la France au-dehors?

A part celui de l'Algérie et de nos colonies, qu'il n'appartient qu'à nous de résoudre, ceux-ci sont d'une envergure
et d'une portée qui font de leur règlement une œuvre de
très longue haleine, à moins qu'un jour la guerre ne vienne,
de nouveau, trancher les nœuds gordiens qu'elle-même a
partout serrés. C'est dire qu'à leur sujet l'action de la
France doit être soutenue et continue, ce que, par contraste
avec les velléités sans cesse changeantes d'autrefois, permettent tout justement nos nouvelles institutions.

Mais, ces problèmes-là, quels sont-ils? Il s'agit de l'Alle-

magne, coupée en trois par l'existence d'une république
parlementaire à l'Ouest, d'une dictature communiste à
l'Est et d'un statut spécial à Berlin, en proie aux remous
que soulève en elle-même un pareil état de choses et devenue l'enjeu capital de la rivalité des deux camps. Il s'agit
de l'Europe, à qui, après les déchirements terribles qu'elle
a subis, la raison et le sentiment recommandent de s'unir,
mais que divisent radicalement l'asservissement forcé de
son Centre et de ses Balkans à la domination soviétique,
le système des deux blocs et le rideau de fer. Il s'agit de
l'organisation imposée à l'Alliance atlantique et qui n'est
que la subordination militaire et politique de l'Europe
Occidentale aux États-Unis d'Amérique. Il s'agit de
l'aide que requiert le développement du tiers monde et
dont Washington et Moscou font un champ de leur concurrence. Il s'agit des crises, en Orient, en Afrique, en Asie,
en Amérique latine, que les interventions opposées des
deux géants rendent chroniques et inguérissables. Il s'agit
des institutions internationales où, sur tous les sujets,
les deux rivaux polarisent les jugements et interdisent
l'impartialité.

Dans chacun de ces domaines, je veux faire que la France
entre en ligne. Certes, en ce pauvre monde qui mérite
d'être ménagé et dont chacun des dirigeants est en proie
à de lourdes difficultés, il faut avancer pas à pas, procéder
d'après les circonstances et respecter les personnes. J'ai,
pour ma part, souvent porté des coups, mais jamais à
la fierté d'un peuple ni à la dignité de ses chefs. Mais il
est essentiel que ce que nous disons et faisons le soit indépendamment des autres. Dès mon retour, voilà notre règle !
Changement si complet dans l'attitude de notre pays que
le jeu politique mondial en est, soudain, profondément
modifié.

Il est vrai que, du côté de l'Est, on se borne d'abord à
observer ce que va être le nouveau comportement de
Paris. Mais nos partenaires occidentaux, au milieu desquels, jusqu'alors, la France officielle figurait docilement
sous l'hégémonie qualifiée de solidarité atlantique, ne
laisseront pas d'en être contrariés. Ils en prendront tout

de même leur parti. Il faut dire que l'expérience des rapports avec de Gaulle, que certains d'entre eux ont acquise
pendant la guerre et tous au lendemain de la victoire, fait
qu'ils n'attendent pas de la République d'aujourd'hui
qu'elle leur soit aussi facile que l'était celle d'hier. Au
demeurant, dans leurs chancelleries, leurs parlements,
leurs journaux, on pense souvent que l'épreuve sera brève,
que de Gaulle devra nécessairement disparaître bientôt
et qu'alors les choses en reviendront à ce qu'elles avaient
été. Par contre, il ne manque pas chez eux, surtout dans
leurs masses populaires, de gens qui constatent sans
déplaisir le redressement de la France et qui éprouvent
quelque satisfaction, ou quelque envie, à la voir se dégager
d'une suprématie pesante à tout l'Ancien Monde. A cela
s'ajoutent les sentiments que les foules étrangères veulent
bien porter à ma personne et que, chaque fois qu'il m'arrive
de me trouver à leur contact, elles manifestent avec un
éclat qui impressionne les gouvernements. Au total, à
l'étranger, malgré les désagréments que l'on éprouve, les
propos aigres-doux que l'on tient, les articles défavorables
et les caricatures agressives que l'on prodigue, on va
s'accommoder de cette France qui, de nouveau, se comporte
en grande puissance et, désormais, suivre ses faits, gestes
et mots avec une attention qu'on ne leur accordait
plus.

Je trouverai moins de résignation dans tout ce qui se
dit et se publie là où l'on croyait, jusqu'à présent, trouver l'expression de la pensée politique française. Car il y
est, depuis longtemps, pour ainsi dire entendu que notre
pays ne fait plus rien qui ne lui soit dicté de l'extérieur.
Sans doute cet état d'esprit remonte-t-il à l'époque où les
dangers que courait le France la contraignaient perpétuellement à s'assurer de concours au-dehors et où, en
outre, l'inconsistance du régime politique interdisait au
Gouvernement d'assumer de son propre chef les risques
des grandes décisions. Déjà, avant la Première Guerre
mondiale, dans l'alliance avec la Russie, la IIIe République
avait dû s'engager à respecter le traité de Francfort et
laisser Saint-Pétersbourg mener le jeu plutôt que Paris.

Il est vrai que, dans la longue bataille livrée ensuite sur
notre sol, en compagnie des Anglais, des Belges, en dernier
lieu des Américains, le premier rôle, puis le commandement,
étaient revenus aux Français qui, d'ailleurs, fournissaient
l'effort principal. Mais, dans l'arrêt hâtif des combats qui,
le 11 novembre 1918, survenait au moment même où nous
allions triomphalement cueillir les fruits de la victoire,
pour combien avait compté le « Halte-là ! » des Anglo-
Saxons? Le traité de Versailles, qui sans doute nous rendait
l'Alsace et la Lorraine, mais laissait l'ennemi intact dans
son unité, son territoire et ses ressources, quelle part
n'avait-il pas faite aux souhaits et aux promesses du Président américain? Par la suite, n'est-ce pas pour donner
satisfaction à Washington et à Londres que le gouvernement de Paris abandonnait les gages dont nous nous
étions saisis et renonçait aux réparations qui nous étaient
dues par l'Allemagne en échange de plans fallacieux que
nous offraient les États-Unis? Quand parut la menace
d'Hitler, que celui-ci se risqua à faire entrer ses troupes
en Rhénanie, qu'il eût suffi d'une action préventive ou
répressive de notre part pour amener le recul et la déconfiture du Führer encore dépourvu d'armements, ne vit-on
pas nos ministres rester passifs parce que l'Angleterre ne
prenait pas l'initiative? Lors de l'Anschluss autrichien,
puis du démembrement, suivi de l'annexion, de la Tchécoslovaquie par le Reich, d'où procéda le consentement des
Français sinon de celui des Anglais? Dans la soumission
de Vichy à la loi de l'envahisseur et dans la « collaboration » visant à faire participer notre pays à un ordre dit
européen et qui n'était que germanique, n'y eut-il rien de
cette longue accoutumance à l'état de satellite ? Simultanément et tandis qu'en combattant l'ennemi je m'appli-
quais à sauvegarder vis-à-vis de nos alliés les droits souverains de la France, de quelle source, sinon de l'idée que
nous devions toujours céder, coulait la réprobation qui
s'élevait jusqu'au plus près de moi?

Après tant de leçons, on pourrait penser que, la guerre
finie, les milieux qui prétendent conduire l'opinion se
montreraient moins disposés à la subordination. Il n'en

est rien. Au contraire ! Pour l'école dirigeante de chaque
parti politique, l'effacement de notre pays est devenu une
doctrine établie et affichée. Tandis que, du côté communiste, il est de règle absolue que Moscou a toujours raison,
toutes les anciennes formations professent le « supranational », autrement dit la soumission de la France à une
loi qui ne serait pas la sienne. De là, l'adhésion à « l'Europe »
vue comme une construction dans laquelle des technocrates formant un « exécutif » et des parlementaires s'inves-
tissant du législatif — la grande majorité des uns et des
autres étant formée d'étrangers — auraient qualité pour
régler le sort du peuple français. De là, aussi, la passion
pour l'Organisation atlantique qui mettrait la sécurité,
par conséquent la politique, de notre pays à la discrétion
d'un autre. De là, encore, l'empressement à subordonner
les actes de nos pouvoirs publics à l'agrément d'institutions
internationales où, sous les apparences de délibérations
collectives, s'exerce en toutes matières, politiques, militaires, économiques, techniques, monétaires, l'autorité
suprême du protecteur et où nos représentants, sans
jamais dire : « Nous voulons », ne feraient que « plaider
le dossier de la France ». De là, enfin, l'incessante irritation
provoquée dans la gent partisane par l'action que je vais
mener au nom d'une nation indépendante.

Mais, en revanche, les soutiens ne me manqueront pas.
Sentimentalement, j'aurai celui de notre peuple qui, sans
être aucunement porté à l'outrecuidance, tient à garder
sa personnalité, d'autant plus qu'il a failli la perdre et qu'il
constate que, partout, les autres affirment ardemment la
leur, qu'il s'agisse de souveraineté, de langue, de culture,
de production, voire de sport. Chaque fois que je m'expli-
querai en public à ce propos, je sentirai palpiter les âmes.
Politiquement, l'organisation qui s'est formée pour me
suivre en dehors et au-dessus de tous les anciens partis
et qui a fait élire au Parlement un groupe nombreux et
compact, m'accompagnera sans défaillance. Pratiquement,
j'aurai à mes côtés un Gouvernement solide, dont le Premier
ministre est convaincu du droit et du devoir qu'a la France
d'agir à l'échelle de l'univers et dont le ministre des Affaires

étrangères déploie dans ce domaine une capacité que peu
d'autres ont égalée au long d'une difficile Histoire.

Maurice Couve de Murville a le don. Au milieu des
problèmes qui se mêlent et des arguments qui s'enche-
vêtrent, il distingue aussitôt l'essentiel de l'accessoire, si
bien qu'il est clair et précis dans des matières que les
calculs rendent à l'envi obscures et confuses. Il a l'expérience, ayant, au cours d'une grande carrière, traité
maintes questions du jour et connu beaucoup d'hommes
en place. Il a l'assurance, certain qu'il est de demeurer
longtemps au poste où je l'ai appelé. Il a la manière, habile
à prendre contact en écoutant, observant, notant, puis
excellant, au moment voulu, à formuler avec autorité la
position dont il ne se départira plus. Il a la foi, persuadé
que la France ne saurait durer qu'au premier rang, qu'avec
de Gaulle on peut l'y remettre, que rien ne compte ici-
bas excepté d'y travailler.

C'est ce que nous allons faire sur le vaste champ de
l'Europe. Pour moi j'ai, de tous temps, mais aujourd'hui
plus que jamais, ressenti ce qu'ont en commun les nations
qui la peuplent. Toutes étant de même race blanche, de
même origine chrétienne, de même manière de vivre,
liées entre elles depuis toujours par d'innombrables relations de pensée, d'art, de science, de politique, de commerce, il est conforme à leur nature qu'elles en viennent
à former un tout, ayant au milieu du monde son caractère
et son organisation. C'est en vertu de cette destination
de l'Europe qu'y régnèrent les Empereurs romains, que
Charlemagne, Charles Quint, Napoléon, tentèrent de la
rassembler, qu'Hitler prétendit lui imposer son écrasante
domination. Comment, pourtant, ne pas observer qu'aucun
de ces fédérateurs n'obtint des pays soumis qu'ils renon-
cent à être eux-mêmes? Au contraire, l'arbitraire centra-
lisation provoqua toujours, par choc en retour, la virulence des nationalités. Je crois donc qu'à présent, non
plus qu'à d'autres époques, l'union de l'Europe ne saurait
être la fusion des peuples, mais qu'elle peut et doit résulter
de leur systématique rapprochement. Or, tout les y pousse
en notre temps d'échanges massifs, d'entreprises communes,

de science et de technique sans frontières, de communications rapides, de voyages multipliés. Ma politique vise donc à l'institution du concert des États européens, afin qu'en développant entre eux des liens de toutes sortes grandisse leur solidarité. Rien n'empêche de penser, qu'à partir de là, et surtout s'ils sont un jour l'objet d'une même menace, l'évolution puisse aboutir à leur confédération.

En fait, cela nous conduit à mettre en œuvre la Communauté économique des Six ; à provoquer leur concertation régulière dans le domaine politique ; à faire en sorte que certains autres, avant tout la Grande-Bretagne, n'entraînent pas l'Occident vers un système atlantique qui serait incompatible avec toute possibilité d'une Europe européenne, mais qu'au contraire ces centrifuges se décident à faire corps avec le continent en changeant d'orientation, d'habitudes et de clientèles ; enfin à donner l'exemple de la détente, puis de l'entente et de la coopération avec les pays de l'Est, dans la pensée que, par-dessus les partis pris des régimes et des propagandes, ce sont la paix et le progrès qui répondent aux besoins et aux désirs communs des hommes dans l'une et dans l'autre moitié de l'Europe accidentellement brisée.

Au cœur du problème et au centre du continent, il y a l'Allemagne. C'est son destin que rien ne peut être bâti sans elle et que rien, plus que ses méfaits, n'a déchiré l'Ancien Monde. Sans doute, coupée maintenant en trois morceaux dans chacun desquels stationnent les forces de ses vainqueurs, ne menace-t-elle directement personne. Mais comment effacer de la mémoire des peuples son ambition qui, hier, déclenchait soudain un appareil militaire capable de briser d'un seul coup l'armée de la France et celle de ses alliés ; son audace qui, grâce à la complicité de l'Italie, poussait ses armées jusqu'en Afrique et au bassin du Nil ; sa puissance qui, à travers la Pologne et la Russie et avec les concours italien, hongrois, bulgare et roumain, atteignait les portes de Moscou et les contreforts du Caucase ; sa tyrannie qui régnait, à force d'oppression, d'exactions et de crimes, partout où la fortune des armes faisait flotter ses étendards? Désormais, toutes précautions doivent être prises pour prévenir le retour en force des mauvais démons germaniques. Mais, d'autre part, comment imaginer qu'une paix véritable et durable se fonde sur des bases telles que ce grand peuple ne puisse s'y résigner, qu'une réelle union du continent s'établisse sans qu'il y soit associé, que de part et d'autre du Rhin soit dissipée l'hypothèque millénaire de la ruine et de la mort tant que se prolongerait l'inimitié d'autrefois?

Sur le sujet capital du sort à faire à l'Allemagne, mon parti est pris. D'abord, je tiens qu'il serait injuste et dangereux de revenir sur les frontières de fait que la guerre lui a imposées. Cela veut dire que la ligne Oder-Neisse, qui la sépare de la Pologne, est sa limite définitive, que rien ne saurait subsister de ses prétentions d'antan à l'égard de la Tchécoslovaquie, que sous n'importe quelle forme un nouvel Anschluss est exclu. En outre, à aucun prix, le droit à la possession et à la fabrication d'armes atomiques — auquel, d'ailleurs, elle a déclaré renoncer — ne peut lui être concédé. Cela étant, j'estime nécessaire qu'elle fasse partie intégrante de la coopération organisée des États, à laquelle je vise pour l'ensemble de notre Continent. Ainsi serait garantie la sécurité de tous entre l'Atlantique et l'Oural et créé dans la situation des choses, des esprits et des rapports un changement tel que la réunion des trois tronçons du peuple allemand y trouverait sans doute sa chance. En attendant, la République fédérale doit jouer un rôle essentiel au sein de la Communauté économique et, le cas échéant, du concert politique des Six. Enfin, j'entends agir pour que la France tisse avec l'Allemagne un réseau de liens préférentiels qui, peu à peu, amèneront les deux peuples à se comprendre et à s'apprécier, comme leur instinct les y pousse dès lors qu'ils n'emploient plus leurs forces vives à se combattre.

Par une frappante rencontre, au moment où je reprends les rênes à Paris, il advient qu'à la tête du Gouvernement de Bonn se trouve depuis longtemps déjà et pour assez longtemps encore Konrad Adenauer, c'est-à-dire, de tous les Allemands, le plus capable et le plus désireux d'engager son pays sur la route et aux côtés de la France. Ce Rhénan est, en effet, pénétré du sentiment de ce que Gaulois et Germains ont entre eux de complémentaire et qui, jadis, féconda la présence de l'Empire romain sur le Rhin, fit la fortune des Francs, glorifia Charlemagne, servit d'excuse à l'Austrasie, justifia les relations du roi de France et des princes-électeurs, fit s'enflammer l'Allemagne au brasier de la Révolution, inspira Gœthe, Heine, Madame de Staël, Victor Hugo et, en dépit des luttes furieuses qui opposèrent les deux peuples, ne cessa pas de chercher un chemin, à tâtons, dans les ténèbres. Ce patriote mesure quelles montagnes de méfiance et de haine les frénétiques ambitions d'Hitler, passionnément obéies par les masses et les élites allemandes, ont dressées entre son pays et tous ceux qui l'entourent et dont il sait que, seule, la France, si elle tend franchement la main à l'ennemi héréditaire, pourra permettre de les aplanir. Ce politique, qui, à force de persévérante habileté, parvint jusqu'à présent à maintenir la République fédérale en équilibre et en progrès, manœuvre pour que ni la menace de l'Est ni la protection de l'Ouest n'y mettent en cause l'édifice fragile d'un État bâti dans les décombres et discerne de quel prix serait, au-dedans et au-dehors, la caution déterminée de la nouvelle République française.

Dès qu'il comprend que mon retour est autre chose qu'un épisode, le Chancelier demande à me voir. C'est à Colombey-les-deux-Églises que je le reçois, les 14 et 15 septembre 1958. Il me semble, en effet, qu'il convient de donner à la rencontre une marque exceptionnelle et que, pour l'explication historique que vont avoir entre eux, au nom de leurs deux peuples, ce vieux Français et ce très vieil Allemand, le cadre d'une maison familiale a plus de signification que n'en aurait le décor d'un palais. Ma femme et moi faisons donc au Chancelier les modestes honneurs de La Boisserie.

Me voici en tête à tête avec Konrad Adenauer. Tout de suite, il me pose la question de confiance. « Je viens à vous », me dit-il, « parce que je vous considère comme quelqu'un qui est en mesure d'orienter le cours des événe-

ments. Votre personnalité, ce que vous avez fait déjà
au service de votre pays, enfin les conditions dans lesquelles
vous avez repris le pouvoir, vous en donnent les moyens.
Or, nos deux peuples se trouvent, l'un par rapport à l'autre,
actuellement et pour la première fois, dans une situation
qui leur permet de placer leurs relations sur des bases
entièrement nouvelles, celles d'une cordiale coopération.
Certes, les choses ne sont pas, pour le moment, en mauvaise
voie à cet égard. Mais ce qui a été fait déjà dans le bon
sens n'a tenu qu'à des circonstances, extrêmement pressantes il est vrai, mais passagères à l'échelle de l'Histoire :
la défaite du côté allemand, la lassitude du côté français.
Il s'agit maintenant de savoir si quelque chose de durable
va être réalisé. Suivant ce que, personnellement, vous
voudrez et ferez, la France et l'Allemagne pourront, ou
bien vraiment s'entendre pour un long avenir, à l'immense
bénéfice de toutes deux et de l'Europe, ou bien rester
mutuellement éloignées et, par là, vouées à s'opposer
encore pour leur malheur. Si le rapprochement réel de
nos pays est dans vos intentions, laissez-moi vous dire
que je suis résolu à y travailler avec vous et que j'ai moi-
même, à cet égard, certaines possibilités. Il y a, en effet,
onze ans que j'exerce les fonctions de Chancelier et, malgré
mon grand âge, je pense pouvoir le faire encore quelque
temps. Or, le crédit qui m'est accordé et, d'autre part,
mon passé, au cours duquel je n'ai eu pour Hitler et ses
gens que réprobation et mépris et reçu d'eux que sévices
infligés à moi-même et aux miens, me mettent à même
de conduire dans le sens voulu la politique de l'Allemagne.
Mais vous? Quelle direction comptez-vous donner à celle
de la France? »

Je réponds au Chancelier que si nous sommes tous deux
ensemble dans ma maison c'est parce que je crois le moment
venu pour mon pays de faire, vis-à-vis du sien, l'essai
d'une politique nouvelle. La France, après les terribles
épreuves déchaînées contre elle, en 1870, en 1914, en
1939, par l'ambition germanique, voit en effet l'Allemagne
vaincue, démantelée et réduite à une pénible condition
internationale, ce qui change du tout au tout les conditions

de leurs rapports en comparaison du passé. Sans doute
le peuple français ne peut-il perdre le souvenir de ce qu'il
a souffert jadis du fait de son voisin d'outre-Rhin et
négliger les précautions qui s'imposent pour l'avenir.
J'avais, d'ailleurs, avant la fin des hostilités, envisagé
que, de notre fait, ces précautions devraient être prises
matériellement et sur le terrain. Mais, étant donné, d'une
part la dimension des événements accomplis depuis lors
et la situation qui en résulte pour l'Allemagne, d'autre
part la tournure des choses et l'orientation des esprits
en République fédérale grâce à l'action menée par le
Gouvernement de Konrad Adenauer, enfin l'intérêt primordial que présenterait l'union de l'Europe, union qui
exige avant tout la coopération de Paris et de Bonn,
j'estime qu'il faut tenter de renverser le cours de l'Histoire,
de réconcilier nos deux peuples et d'associer leurs efforts
et leurs capacités.

Cela dit, Adenauer et moi en venons à considérer comment y parvenir dans la pratique. Nous nous accordons aisé-
ment sur ce principe qu'il y a lieu, non point de confondre
les politiques respectives des deux pays, comme avaient
prétendu le faire les théoriciens de la C.E.C.A., de l'Euratom, de la Communauté européenne de Défense, mais au
contraire de reconnaître que les situations sont très différentes et de bâtir sur cette réalité. Suivant le Chancelier,
ce que l'Allemagne, abaissée et hypothéquée, se risque à
demander à la France, c'est de l'aider à retrouver au-
dehors la considération et la confiance qui lui rendront
son rang international, de contribuer à sa sécurité en face
du camp soviétique, notamment pour ce qui concerne
la menace qui plane sur Berlin, enfin d'admettre son droit
à la réunification. Pour ma part, je fais observer au Chancelier, qu'en regard de tant de requêtes, la France, elle,
n'a rien à demander à l'Allemagne aux points de vue de
son unité, de sa sécurité, de son rang, tandis qu'elle peut,
assurément, favoriser le rétablissement de son séculaire
agresseur. Elle le fera — avec quel mérite ! — au nom de
l'entente, à construire entre les deux peuples, ainsi que
de l'équilibre, de l'union et de la paix de l'Europe. Mais,

pour que le soutien qu'elle apporte se justifie, elle entend
que, du côté allemand, certaines conditions soient remplies. Ce sont : l'acceptation des faits accomplis pour ce
qui est des frontières, une attitude de bonne volonté
pour les rapports avec l'Est, un renoncement complet
aux armements atomiques, une patience à toute épreuve
pour la réunification.

Je dois dire que, sur ces points, le pragmatisme du Chancelier s'accommode de ma position. Si dévoué qu'il soit
à son pays, il n'entend pas faire de la révision des frontières
l'objet actuel et principal de sa politique, sachant bien,
qu'à poser la question, il n'obtiendrait des Russes et des
Polonais qu'alarmes et fureurs redoublées et, des Occidentaux, que malaise réprobateur. Quelles que puissent
être l'hostilité sans faille qu'il porte au régime communiste et la crainte que lui inspire l'impérialisme de
Moscou, il n'exclut nullement la perspective d'un *modus
vivendi*. « Dès 1955 », me fait-il remarquer, « je suis allé
officiellement en visite au Kremlin et j'étais alors, de tous
les Chefs d'État ou de Gouvernement occidentaux, le
premier qui s'y rendît depuis la guerre ». Il nie catégoriquement que l'Allemagne ait l'intention de posséder des
bombes atomiques et mesure les dangers que courrait
immédiatement la paix s'il en était autrement. Bien qu'il
souhaite de toute son âme qu'un jour il n'y ait plus qu'un
seul État allemand et que soit mis un terme à l'oppression
totalitaire que les communistes imposent, pour le compte des
Soviets, à ce qu'il appelle « la Zone », je crois apercevoir chez
ce Rhénan catholique et chef d'un parti de démocrates traditionnels l'idée, qu'éventuellement, l'actuelle République
fédérale pourrait éprouver quelque malaise en s'incorpo-
rant, de but en blanc, le complexe prussien, protestant et
socialiste des territoires séparés. En tout cas, il convient
que, s'il s'agit là d'un but auquel l'Allemagne ne renoncera
jamais, on doive se garder de fixer une limite aux délais.

Nous traitons longuement de l'Europe. Pour Adenauer,
non plus que pour moi, il ne saurait être question de faire
disparaître nos peuples, leurs États, leurs lois, dans quel-

que construction apatride, quoiqu'il admette avoir tiré,
au profit de l'Allemagne, de solides avantages de la mystique de l'intégration et que, pour cette raison, il garde
à ses protagonistes français, tels Jean Monnet et Robert
Schuman, de la reconnaissance pour leurs cadeaux. Mais,
étant Chancelier d'une Allemagne vaincue, divisée et
menacée, il penche naturellement vers une organisation
occidentale du Continent, qui assurerait à son pays, avec
l'égalité des droits, une influence éminente, qui lui apporterait, face à l'Est, un soutien considérable et qui, par
son existence même, encouragerait les États-Unis à rester
présents en Europe et à maintenir ainsi leur garantie à
l'Allemagne fédérale. Or, à cette garantie, Adenauer tient
absolument, parce que, dit-il : « du fait qu'elle procure au
peuple allemand sa sécurité et qu'elle le met en bonne
compagnie, elle le détourne de l'obsession d'isolement et
de l'exaltation de puissance qui, naguère, pour son malheur, l'avaient entraîné vers Hitler ».

J'indique à Adenauer que la France, du strict point
de vue de son intérêt national et par profonde différence
avec l'Allemagne, n'a pas, à proprement parler, besoin
d'une organisation de l'Europe occidentale, puisque la
guerre ne lui a fait perdre ni sa réputation, ni son intégrité.
Cependant, elle vise au rapprochement pratique et, si
possible, politique de tous les États européens parce que,
pour elle, le but à atteindre c'est l'apaisement et le progrès
général. En attendant et à condition que sa personnalité
n'en soit pas atteinte, elle va tenter la mise en œuvre du
traité de Rome et, en outre, compte proposer aux Six
de se concerter régulièrement sur toutes les questions
politiques qui sont posées à l'univers. Pour ce qui est de
la Communauté économique européenne, les difficultés
viendront, à mesure, du problème de l'agriculture dont il
est nécessaire à la France qu'il soit résolu, et de la candidature anglaise qu'elle estime devoir écarter tant que la
Grande-Bretagne demeurera économiquement et politiquement ce qu'elle est. Sur ces deux points, le Gouvernement français doit pouvoir compter sur l'accord du Gouvernement allemand, faute de quoi l'union réelle des Six

ne serait pas réalisable. « Personnellement, me déclare le Chancelier, « je comprends fort bien vos raisons. Mais, en Allemagne, on est en général défavorable au Marché commun agricole et désireux que satisfaction soit donnée à l'Angleterre. Pourtant, comme rien n'est, suivant moi, plus important que de réussir l'union des Six, je vous promets d'agir pour que les deux problèmes dont vous parlez n'empêchent pas de la faire aboutir. Quant à l'idée d'amener nos partenaires à des entretiens politiques réguliers, j'y suis, d'avance, tout acquis ».

Au sujet du Pacte Atlantique, j'assure mon interlocuteur que nous, Français, trouvons tout naturel que la République fédérale y adhère sans restriction. Comment, d'ailleurs, ferait-elle autrement? En cette époque de bombes atomiques et tant que les Soviets la menacent, il lui faut, évidemment, la protection des États-Unis. Mais, à cet égard comme à d'autres, la France n'est pas dans les mêmes conditions. Aussi, tout en continuant d'appartenir à l'alliance de principe, prévue, en cas d'agression adverse, par le traité de Washington, compte-t-elle sortir, un jour ou l'autre, du système de l'O.T.A.N. et d'autant plus qu'elle-même va se doter d'armements nucléaires auxquels l'intégration ne saurait être appliquée. Par-dessus tout, l'indépendance politique, qui répond à la situation et aux buts de mon pays, lui est indispensable pour survivre dans l'avenir. A son tour, le Chancelier allemand m'entend lui expliquer pourquoi. « Le peuple français », lui dis-je, « avait, pendant des siècles, pris l'habitude d'être le mastodonte de l'Europe et c'est le sentiment qu'il avait de sa grandeur, par conséquent de sa responsabilité, qui maintenait son unité, alors qu'il est par nature, et cela depuis les Gaulois, perpétuellement porté aux divisions et aux chimères. Or, voici que les événements, je veux dire : son salut à l'issue de la guerre, de fortes institutions, la gestation profonde de l'univers, lui offrent la chance de retrouver une mission internationale, faute de laquelle il se désintéresserait de lui-même et irait à la dislocation. D'ailleurs, je pense que chaque peuple du monde, y compris l'Allemagne, aurait, en fin

de compte, beaucoup à perdre et rien à gagner à la disparition de la France. Tout ce qui porte mon pays au renoncement est donc pour lui le pire danger et, pour les autres,
un risque grave ». — « Je le crois, moi aussi », répond
Adenauer, « et c'est vraiment de tout cœur que je me
félicite d'assister au redressement mondial de la France.
Mais permettez-moi de penser que le peuple allemand,
bien que ses démons ne soient pas les mêmes que ceux
du peuple français, a également besoin de sa dignité. Vous
ayant vu et entendu, j'ai confiance que vous voudrez bien
l'aider à la recouvrer ». En conclusion de nos entretiens,
nous décidons de faire en sorte que nos deux pays établissent entre eux, dans tous les domaines, des rapports
directs et préférentiels et ne se bornent pas à figurer parmi
les autres dans des organismes où s'efface leur personnalité. Tous deux, nous resterons, désormais, en contact
personnel étroit.

Dès le 26 novembre suivant, accompagné de Michel
Debré et de Maurice Couve de Murville, je vais à Bad-
Kreuznach pour rendre à Adenauer sa visite. Il a à ses
côtés, comme second, le dynamique Ludwig Erhard qui,
mettant à profit l'esprit d'entreprise du patronat, la coopération constructive des syndicats et les crédits du Plan
Marshall, a reconstitué les moyens de production et dirige,
en ce moment même, une grande réussite économique
de son pays. Heinrich von Brentano, ministre des Affaires
étrangères, est là aussi, convaincu autant que son chef
que l'entente avec la France doit être désormais un principe absolu de la politique de l'Allemagne. Au cours de
cette réunion, les deux Gouvernements précisent les conditions de leur coopération suivant ce qui a été convenu
à Colombey-les-deux-Églises. Ils s'accordent, en particulier, pour mettre un terme aux négociations menées
par Richard Maudling et qui tendent à noyer, au départ,
la Communauté des Six en les plongeant dans une vaste
zone de libre-échange où ils trouveraient l'Angleterre et,
bientôt, tout l'Occident. C'est en même temps, pour nous
Français, l'occasion d'assurer les Allemands, alors très
inquiets, que nous nous opposerons au changement du

statut de Berlin que, tout justement, Nikita Khrouchtchev
se déclare prêt à imposer.

Jusqu'au milieu de 1962, Konrad Adenauer et moi
nous écrirons une quarantaine de fois. Nous nous
verrons à quinze reprises, soit le plus souvent à Paris,
Marly, Rambouillet, soit à Baden-Baden et Bonn. Nous
nous entretiendrons plus de cent heures, ou en tête à
tête, ou aux côtés de nos ministres, ou en compagnie de
nos familles. Puis, comme j'entends que les rapports nouveaux des deux nations si longtemps adverses soient
consacrés avec solennité, j'invite le Chancelier à faire en
France une visite officielle. Déjà, en juin 1961, le Président
de la République fédérale, Heinrich Lübke, avait avec
discrétion fait à Paris un voyage d'État. Au mois de juillet 1962, voici que paraît en public sur les places et les
avenues de notre capitale le Chef du Gouvernement allemand. L'accueil qui lui est fait, en particulier par la foule,
témoigne de l'estime que l'on porte à sa personne, ainsi
que du crédit qui est ouvert à la politique de réconciliation et de coopération à laquelle il s'est voué. Après l'accueil
de Paris, a lieu, au camp de Mourmelon, une imposante
cérémonie militaire. Là, le général de Gaulle reçoit devant
les drapeaux le Chancelier Konrad Adenauer. Tous deux,
debout côte à côte dans une voiture de commandement,
passent en revue une division blindée française et une
division blindée allemande qui font assaut de belle tenue.
Ensuite, entourés de leurs ministres et de beaucoup de
notabilités, ils voient défiler devant eux ces grandes unités
survolées par des formations aériennes des deux pays. Le
voyage se termine à Reims, symbole de nos anciennes
traditions, mais aussi théâtre de maints affrontements
des ennemis héréditaires depuis les anciennes invasions
germaniques jusqu'aux batailles de la Marne. A la cathédrale, dont toutes les blessures ne sont pas encore guéries,
le premier Français et le premier Allemand unissent leurs
prières pour que, des deux côtés du Rhin, les œuvres de
l'amitié remplacent pour toujours les malheurs de la
guerre.

Plus tard et jusqu'à la mort de mon illustre ami, nos

relations se poursuivront suivant le même rythme et avec la même cordialité. En somme, tout ce qui aura été dit, écrit et manifesté entre nous n'aura fait que développer et adapter aux événements l'accord de bonne foi conclu en 1958. Certes, des divergences apparaîtront à mesure des circonstances. Mais elles seront toujours surmontées. A travers nous, les rapports de la France et de l'Allemagne s'établiront sur des bases et dans une atmosphère que leur histoire n'avait jamais connues.

Cette coopération des deux adversaires de jadis est, pour que l'Europe puisse s'organiser, une condition nécessaire, mais non point, assurément, suffisante. Il est vrai qu'à n'en juger que par les discours et les articles qui, de toutes parts, fusent à ce sujet, l'union de notre Continent serait aisée, antant qu'enchantée. Mais, dès lors qu'entrent en jeu les réalités : besoins, intérêts, préjugés, les choses prennent un tout autre aspect. Tandis que de vaines tractations menées avec les Britanniques montrent à la Communauté naissante que les intentions ne suffisent pas à concilier l'inconciliable, les Six constatent que, dans le seul domaine économique, l'ajustement de leurs situations respectives est hérissé de difficultés, lesquelles ne sauraient se résoudre suivant les seules conditions des traités conclus à cet effet. Ainsi doit-on remarquer que les soi-disant « exécutifs », installés à la tête des organismes communs en vertu des illusions d'intégration qui sévissaient avant mon retour, se trouvent impuissants dès lors qu'il faut trancher et imposer, que seuls les Gouvernements sont en mesure de le faire et qu'eux-mêmes n'y parviennent qu'au prix de négociations en bonne et due forme entre ministres ou ambassadeurs.

C'est ainsi que, pour la C.E.C.A., une fois épuisés les dons de joyeux avènement qui lui ont été, d'emblée, accordés par les États et dont aucun, d'ailleurs, ne le fut à notre profit : renoncement des Français à des redevances de coke de la Ruhr, livraisons de charbon et de fer aux Italiens, subventions financières apportées aux mines du Benelux, la « Haute-Autorité », bien qu'elle dispose de pouvoirs théoriques très étendus et de ressources très

considérables, est rapidement dépassée par les problèmes
que posent les nécessités nationales. Qu'il s'agisse de fixer
le prix de l'acier, ou de réglementer les achats de combustibles au-dehors, ou de reconvertir les houillères du Bori-
nage, etc., l'aréopage siégeant à Luxembourg est hors
d'état de faire la loi. Il en résulte une carence chronique
de cette organisation, dont son instigateur Jean Monnet
a, d'ailleurs, quitté la présidence.

En même temps, pour l'Euratom, apparaît irréductible
l'opposition entre la situation de la France, déjà dotée
depuis quelque quinze ans d'un actif Commissariat à
l'énergie atomique, pourvue d'installations multiples,
appliquée à mettre en œuvre des programmes précis et
étendus de recherche et de développement, et celle des
autres pays qui, n'ayant rien fait par eux-mêmes, voudraient que les crédits du budget commun servent à leur
procurer ce qui leur manque en passant les commandes
aux fournisseurs américains.

Enfin, pour la Communauté économique, l'adoption
des règlements agricoles liée à l'abaissement des douanes
industrielles dresse des obstacles que la Commission de
Bruxelles ne peut franchir par elle-même. Il faut dire qu'à
cet égard l'esprit et les termes du traité de Rome ne répondent pas à ce qui est nécessaire à notre pays. Autant les
dispositions qui concernent l'industrie y sont précises et
explicites, autant sont vagues celles qui évoquent l'agriculture. Cela tient, apparemment, à ce que nos négociateurs de 1957, emportés par le rêve d'une Europe supranationale et voulant conclure à tout prix quelque chose
qui s'en approchât, n'ont pas cru devoir exiger qu'un
intérêt français, essentiel pourtant, reçût satisfaction au
départ. Il faudra donc, soit l'obtenir en cours de route,
soit liquider le Marché commun. Cependant, et pour
résolu qu'il soit à l'emporter en définitive, le Gouvernement français, grâce au rétablissement de notre balance
des paiements et à la stabilisation du franc, peut accepter
que se déclenchent les mécanismes du traité. En décembre 1958, il fait connaître qu'il appliquera, à partir du
jour de l'an, les premières mesures prévues, notamment

un abaissement de 10% des droits de douane et une augmentation de 20% des contingents.

Ainsi commencée, la mise en œuvre du Marché commun va donner lieu à un vaste déploiement d'activités, non seulement techniques, mais aussi diplomatiques. En effet, l'opération, indépendamment de sa très grande portée économique, se trouve enveloppée d'intentions politiques caractérisées et qui tendent à empêcher la France de disposer d'elle-même. C'est pourquoi, tandis que la Communauté se bâtira dans les faits, je serai, à plusieurs reprises, amené à intervenir pour repousser les menaces qui pèsent sur notre cause.

La première tient à l'équivoque originelle de l'institution. Celle-ci vise-t-elle — ce qui serait déjà beaucoup ! — à l'harmonisation des intérêts pratiques des six États, à leur solidarité économique vis-à-vis de l'extérieur et, si possible, à leur concertation dans l'action internationale? Ou bien est-elle destinée à réaliser la fusion totale de leurs économies et de leurs politiques respectives afin qu'ils disparaissent en une entité unique ayant son Gouvernement, son Parlement, ses lois, et qui régira à tous égards ses sujets d'origine française, allemande, italienne, hollandaise, belge ou luxembourgeoise, devenus des concitoyens au sein de la patrie artificielle qu'aura enfantée la cervelle des technocrates? Il va de soi que, faute de goût pour les chimères, je fais mienne la première conception. Mais la seconde porte tous les espoirs et toutes les illusions de l'école supranationale.

Pour ces champions de l'intégration, l'« exécutif » européen existe déjà bel et bien : c'est la Commission de la Communauté économique, formée, il est vrai, de personnalités désignées par les six États, mais qui, cela fait, ne dépend d'eux à aucun égard. A entendre le chœur de ceux qui veulent que l'Europe soit une fédération, quoique sans fédérateur, l'autorité, l'initiative, le contrôle, le budget, apanages d'un gouvernement, doivent désormais appartenir, dans l'ordre économique, à ce chœur d'experts, y compris — ce qui peut être indéfiniment extensif — au

point de vue des rapports avec les pays étrangers. Quant
aux ministres « nationaux », dont on ne peut encore se
passer pour l'application, il n'est que de les convoquer
périodiquement à Bruxelles, où ils recevront dans le
domaine de leur spécialité les instructions de la Commission. D'autre part, les mêmes créateurs de mythes veulent
faire voir dans l'Assemblée, réunissant à Strasbourg des
députés et des sénateurs délégués par les Chambres des
pays membres, un « Parlement européen », lequel n'a,
sans doute, aucun pouvoir effectif, mais qui donne à
l'« exécutif » de Bruxelles une apparence de responsabilité
démocratique.

Walter Hallstein est le Président de la Commission. Il
épouse ardemment la thèse du super-État et emploie toute
son habile activité à obtenir que la Communauté en prenne
le caractère et la figure. De Bruxelles, où il réside,
il a fait comme sa capitale. Il est là, revêtu des aspects
de la souveraineté, dirigeant ses collègues entre lesquels
il répartit les attributions, disposant de plusieurs milliers
de fonctionnaires qui sont nommés, affectés, promus, rétri-
bués, en vertu de ses décisions, recevant les lettres de
créance d'ambassadeurs étrangers, prétendant aux grands
honneurs lors de ses visites officielles, soucieux, d'ailleurs,
de faire progresser l'assemblage des Six dont il croit que
la force des choses fera ce qu'il imagine. Mais, le voyant,
le revoyant et attentif à son action, je pense que si Walter
Hallstein est, à sa manière, un Européen sincère c'est
parce qu'il est d'abord un Allemand ambitieux pour sa
patrie. Car, dans l'Europe telle qu'il la voudrait, il y a
le cadre où son pays pourrait, gratuitement, retrouver
la respectabilité et l'égalité des droits que la frénésie et
la défaite d'Hitler lui ont fait perdre, puis acquérir le
poids prépondérant que lui vaudra sans doute sa capacité
économique, enfin obtenir que la querelle de ses frontières
et de son unité soit assumée par un puissant ensemble
d'après la doctrine à laquelle, comme ministre des Affaires
étrangères de la République fédérale, il a naguère donné
son nom. Ces raisons n'altèrent pas l'estime et la considération que je porte à Walter Hallstein mais font que les

buts que je poursuis pour la France sont incompatibles avec de tels projets.

Cette divergence capitale entre la façon dont la Commission de Bruxelles conçoit son rôle et le fait que mon gouvernement, tout en attendant d'elle des études et des avis, subordonne les mesures importantes à la décision des États, entretient un désaccord latent. Mais, comme le traité spécifie qu'au cours du démarrage rien ne vaut sans l'unanimité, il suffit de tenir la main à ce qu'il soit appliqué pour qu'on ne puisse passer outre à la souveraineté française. J'y veille avec soin. Aussi, au cours de cette période, l'institution prend-elle son essor dans le domaine qui est, et doit rester, économique, sans que, malgré les heurts, la politique lui fasse traverser de crise mortelle. D'ailleurs, en novembre 1959, à l'initiative de Paris, la décision est prise de réunir tous les trois mois les six ministres des Affaires étrangères, afin d'examiner l'ensemble et ses diverses incidences et de faire rapport à leurs gouvernements qui tranchent, le cas échéant. On peut croire que le nôtre ne se laisse pas gagner à la main.

Mais ce n'est pas seulement sous l'angle de la politique que la Communauté, à peine venue au monde, doit surmonter l'épreuve de vérité. Au point de vue de l'économie même, deux obstacles redoutables, recelant toutes sortes d'intérêts et de calculs contradictoires, risquent de lui barrer la route. Il s'agit, naturellement, du tarif extérieur et de l'agriculture, les deux sujets étant étroitement liés l'un à l'autre. Nos partenaires ont paru, il est vrai, admettre en signant le traité que des taxes communes soient mises en place vers le dehors à mesure qu'entre eux disparaîtront les douanes. Mais, si tous reconnaissent, en principe, que cette disposition est nécessaire à leur solidarité, certains d'entre eux ne laissent pas d'en être contrariés, parce qu'elle interdit des facilités commerciales jusque-là inhérentes à leur existence. Ceux-là voudraient donc que le tarif extérieur commun soit le plus bas possible et, en tout cas, comporte une souplesse telle qu'ils ne soient pas gênés dans leurs habitudes. Les mêmes, pour les mêmes raisons, ne sont nullement pressés de voir les Six prendre à leur compte la consommation et, par conséquent, l'achat des produits agricoles continentaux qui, justement, sont français pour près de la moitié. A suivre l'Allemagne, par exemple, qui se nourrit presque aux deux tiers de denrées achetées à bon compte en dehors de la Communauté et qui, en échange, vend à ses fournisseurs de vivres beaucoup de ses fabrications, on en viendrait à n'avoir de Marché commun que pour les produits industriels où l'avance de la République fédérale ne manquerait pas d'être écrasante. Pour la France, c'est inacceptable. Il nous faut donc lutter à Bruxelles.

La bataille est longue et dure. Nos partenaires, qui voudraient beaucoup que nous n'ayons pas changé de République, comptent en effet que, cette fois encore, nous nous laisserons aller à sacrifier notre cause à l'« intégration européenne », comme cela avait eu lieu successivement pour la C.E.C.A. où tous les avantages étaient, à nos frais, attribués à d'autres ; pour l'Euratom où notre pays fournissait sans contrepartie la quasi-totalité de la mise, non sans subir, en outre, un contrôle étranger sur ses moyens atomiques ; pour le traité de Rome qui ne réglait pas la question de l'agriculture alors qu'elle était pour nous d'intérêt capital. Mais, maintenant, la France veut avoir ce qu'il lui faut, et d'ailleurs ses exigences sont conformes à la logique du système communautaire. Aussi, le nécessaire finira-t-il par être acquis.

C'est ainsi qu'en mai 1960, sur notre insistance pressante, les Six s'entendent pour mettre en place le tarif extérieur et adopter le calendrier des décisions à prendre pour la politique agricole. C'est ainsi qu'en décembre de la même année, tout en prescrivant d'accélérer le processus d'abaissement des douanes qui les séparent, ils s'accordent pour que toute importation de denrées alimentaires venant d'ailleurs donne lieu à un sévère prélèvement financier aux frais de l'État qui les achète. C'est ainsi, qu'en janvier 1962, sont prises par eux des résolutions décisives.

Car, à cette date, la première phase d'application étant accomplie, il s'agit de savoir, suivant les termes du traité, si, oui ou non, on passe à la seconde, sorte de point de non-retour, qui comporte un abaissement des douanes de 50%. Nous, Français, entendons saisir cette occasion pour déchirer les voiles et amener nos partenaires à prendre des engagements formels sur ce qui nous est essentiel. Comme ils ne s'y résignent pas et laissent voir d'inquiétantes arrière-pensées, j'estime que c'est, ou jamais, le moment de jouer le grand jeu. A Bruxelles, nos ministres : Couve de Murville, Baumgartner, Pisani, marquent donc très clairement que nous sommes prêts à la rupture si le nécessaire n'est pas fait. Je l'écris moi-même au chancelier Adenauer dont le Gouvernement est, en la matière, notre principal contradicteur et je le lui répète par télégramme formel le soir où s'engage la suprême discussion. Une émotion considérable se répand dans toutes les capitales. En France, les partis et la plupart des journaux, faisant chorus avec l'étranger, s'inquiètent et se scandalisent de l'attitude du général de Gaulle dont l'intransigeance met en péril « l'espérance européenne ». Mais la France et le bon sens l'emportent. Au cours de la nuit du 13 au 14 janvier 1962, après des débats dramatiques, le Conseil des ministres des six États décide formellement l'entrée de l'agriculture dans le Marché commun, lui donne, sur-le-champ, un large commencement d'exécution et arrête les dispositions voulues pour que les règlements agricoles soient établis au même titre et en même temps que les autres. Moyennant quoi, l'application du traité peut entamer sa deuxième phase.

Mais jusqu'où pourra-t-elle aller, étant donné les troubles que, de leur côté, les Anglais s'efforcent de susciter et la propension de nos cinq partenaires à se tenir sous leur influence? Que la Grande-Bretagne soit foncièrement opposée à l'entreprise, comment s'en étonnerait-on, sachant qu'en vertu de sa géographie, par conséquent de sa politique, elle n'a jamais admis, ni de voir le Continent s'unir, ni de se confondre avec lui ? On peut même dire d'une certaine façon que, depuis huit siècles, toute l'histoire de l'Europe est là. Quant au présent, nos voisins d'outre-Manche étant faits pour le libre-échange de par la nature

maritime de leur vie économique, ils ne sauraient sincèrement consentir à s'enfermer dans la clôture d'un tarif
extérieur continental et, moins encore, à acheter cher
leurs aliments chez nous, au lieu de les faire venir à bon
marché de partout ailleurs, par exemple du Commonwealth. Mais, sans le tarif commun et sans la préférence
agricole, point de Communauté européenne qui vaille !
Aussi, lors des études et discussions préalables au traité
de Rome, le Gouvernement de Londres, qui d'abord y
était représenté, n'avait pas tardé à s'en retirer. Puis,
dans l'intention de rendre vaine la tentative des Six, il
leur avait proposé de mettre sur pied avec lui-même et
quelques autres une vaste zone de libre-échange européenne. Les choses en étaient là le jour de mon retour au
pouvoir.

Or, dès le 29 juin 1958, je vois venir à Paris le Premier
ministre Harold MacMillan. Au milieu de nos amicales
conversations portant sur beaucoup de sujets, il me
déclare soudain, très ému : « Le Marché commun, c'est
le Blocus Continental ! L'Angleterre ne l'accepte pas. Je
vous en prie, renoncez-y ! Ou bien nous entrons dans une
guerre qui, sans doute, ne sera qu'économique au départ,
mais qui risque de s'étendre ensuite par degrés à d'autres
domaines ». Jugeant que ce qui est exagéré ne compte
pas, je tâche d'apaiser le Premier anglais, tout en lui
demandant pourquoi le Royaume-Uni s'indignerait de
voir s'établir entre les Six une préférence qui existe à
l'intérieur du Commonwealth ? Entre-temps, le ministre
Richard Maudling s'acharne à mener, au sein de l'organisation dite de « Coopération économique européenne »,
dont l'Angleterre fait partie, une négociation qui tient les
Six en haleine et retarde la mise en marche de leur Communauté en proposant que celle-ci soit absorbée et, par
conséquent, dissoute dans une zone de libre-échange.
Par plusieurs lettres très pressantes, Harold MacMillan
s'efforce d'obtenir mon consentement. Mais mon gouvernement rompt le charme et fait connaître qu'il n'acceptera
rien qui ne comporte le tarif extérieur commun et le règlement agricole. Londres paraît alors renoncer à l'obstruc-

tion et, changeant son fusil d'épaule, crée pour son compte
l' « Association européenne de libre-échange » avec les seuls
Scandinaves, Portugais, Suisses et Autrichiens. Du coup,
nos partenaires de Bruxelles suspendent leurs hésitations
et se mettent en devoir de déclencher le Marché commun.

Mais la partie n'est que remise. Au milieu de 1961, les
Anglais reprennent l'offensive. Comme, du dehors, ils
n'ont pu empêcher la Communauté de naître, ils projettent
maintenant de la paralyser du dedans. Cessant d'en
réclamer la fin, ils se déclarent, au contraire, désireux d'y
accéder. Aussi proposent-ils d'examiner à quelles conditions cela doit se faire, « pourvu qu'il soit tenu compte
de leurs relations spéciales avec le Commonwealth et avec
leurs associés de la Zone de libre-échange, ainsi que de
leurs intérêts essentiels concernant l'agriculture ». En
passer par là, ce serait, évidemment, renoncer au Marché
commun tel qu'il a été conçu. Nos partenaires ne peuvent
s'y résoudre. Mais, d'autre part, dire « Non ! » à l'Angleterre, c'est au-dessus de leurs forces. Alors, affectant de
croire qu'on peut résoudre la quadrature du cercle, ils
s'engagent à Bruxelles, avec Edward Heath, ministre
britannique, dans une série de projets et contreprojets
qui entretiennent le doute sur l'avenir de la Communauté.
Je vois donc approcher le jour où je devrai, ou bien lever
l'hypothèque et mettre fin aux tergiversations, ou bien
dégager la France d'une entreprise qui serait dévoyée à
peine aurait-elle commencé. De toute façon et comme
c'était à prévoir, on vérifie que, pour aller à l'union de
l'Europe, les États sont les seuls éléments valables, que
si l'intérêt national est en cause rien ni personne ne doit
pouvoir leur forcer la main et qu'aucune voie ne mène
nulle part sinon celle de leur coopération.

Ce qui, à cet égard, est vrai dans l'ordre économique est
évident dans le politique. Il n'y a là, d'ailleurs, rien qui
ne soit tout naturel. A quelle profondeur d'illusion ou de
parti pris faudrait-il plonger, en effet, pour croire que des
nations européennes, forgées au long des siècles par des
efforts et des douleurs sans nombre, ayant chacune sa
géographie, son histoire, sa langue, ses traditions, ses

institutions, pourraient cesser d'être elles-mêmes et n'en plus former qu'une seule? A quelles vues sommaires répond la comparaison, souvent brandie par des naïfs, entre ce que l'Europe devrait faire et ce qu'ont fait les États-Unis, alors que ceux-ci furent créés, eux, à partir de rien, sur une terre toute nouvelle, par des flots successifs de colons déracinés? Pour les Six, en particulier, comment imaginer que leurs buts extérieurs leur deviennent soudain communs, alors que leur origine, leur situation, leur ambition, sont très différentes? Dans la décolonisation, que la France doit, dans l'immédiat, mener à son terme, que viendraient faire ses voisins? Si, de tous temps, il est dans sa nature d'accomplir « les gestes de Dieu », de répandre la pensée libre, d'être un champion de l'Humanité, pourquoi serait-ce, au même titre, l'affaire de ses partenaires? L'Allemagne, frustrée par sa défaite de l'espoir de dominer, à présent divisée et, aux yeux de beaucoup, suspectée de chercher sa revanche, a désormais sa grande blessure. Au nom de quoi faudrait-il que ce devienne automatiquement celle des autres? Dès lors que l'Italie, cessant d'être l'annexe de l'Empire des Germaniques, ou bien de celui des Français, puis écartée des Balkans où elle avait voulu s'étendre, demeure péninsulaire, confinée en Méditerranée et naturellement placée dans l'orbite des puissances maritimes, pour quelle raison se confondrait-elle avec les Continentaux? Les Pays-Bas, qui depuis toujours ne doivent leur vie qu'aux navires et leur indépendance qu'aux recours venus d'outre-mer, par quel miracle consentiraient-ils à s'absorber parmi les terriens? Comment la Belgique, tendue à maintenir en un tout la juxtaposition des Flamands et des Wallons, depuis que, par compromis, les puissances rivales parvinrent à faire d'elle un État, pourrait-elle se consacrer sincèrement à autre chose ? Au milieu des arrangements succédant aux rivalités des deux grands pays riverains de la Moselle, quel souci dominant peuvent avoir les Luxembourgeois, sinon que dure le Luxembourg ?

Par contre, étant reconnu que ces pays ont leur personnalité nationale et admis qu'ils doivent la garder, ne

sauraient-ils organiser leur concertation en tous domaines,
réunir régulièrement leurs ministres, périodiquement leurs
Chefs d'État ou de Gouvernement, constituer des organes
permanents pour débattre de la politique, de l'économie,
de la culture, de la défense, en faire délibérer normalement
par l'assemblée des délégations de leurs Parlements
respectifs, prendre le goût et l'habitude de considérer
ensemble tous les problèmes d'intérêt commun et, pour
autant que ce soit possible, d'adopter à leur sujet une seule
et même attitude? Cette coopération générale, reliée à
celle qu'ils pratiquent déjà dans l'ordre économique, à
Bruxelles et à Luxembourg, ne pourrait-elle conduire,
pour ce qui est du progrès, de la sécurité, de l'influence,
des rapports avec l'extérieur, de l'aide à apporter au développement des peuples qui en ont besoin, enfin et surtout
de la paix, à une action qui soit européenne? Le groupement ainsi formé par les Six n'amènerait-il pas peu à
peu les autres États du Continent à se joindre à lui dans
les mêmes conditions? N'est-ce pas ainsi que, contre la
guerre, qui est l'histoire des hommes, se réaliserait peut-
être l'Europe unie, qui est le rêve des sages?

Avant de m'en entretenir avec le Chancelier d'Allemagne,
j'ai soumis l'idée au Président du Conseil italien. Amintore
Fanfani est venu me rendre visite, le 7 août 1958. Je le
recevrai de nouveau en décembre et en janvier. Chacun
de ces entretiens me fait apprécier l'envergure de son esprit,
la prudence de son jugement, l'urbanité de ses manières.
A travers lui, je vois l'Italie, désireuse d'être informée de
toutes les parties qui se jouent, disposée à y entrer à condition d'être traitée avec la considération qui est due à une
nation de très grand passé et de très important avenir,
prête à souscrire aux déclarations de principe qui expriment
de bonnes intentions, mais attentive à ne prendre que
des engagements réservés. C'est le cas pour l'union de
l'Europe. Le chef du Gouvernement de Rome y est, certes,
favorable. Il approuve même la tendance supranationale
que Gasperi lui a léguée. Mais, passant outre avec aisance
à une évidente contradiction, il ne voudrait pas que rien
fût fait sans l'Angleterre, bien qu'il sache péremptoirement

qu'elle se refuse à l'intégration. Tout en se disant convaincu qu'il faut rendre solidaires les peuples de l'Ancien Monde, il n'envisage pas que cela les conduise à un changement de leurs liens — fussent-ils ceux de la dépendance — avec les États-Unis. En particulier, l'organisation de l'alliance atlantique ne saurait, suivant lui, être aucunement modifiée. Cependant, il ne repousse pas mon projet de coopération politique organisée des Six, quitte à se prononcer sur les modalités à mesure qu'on en discutera.

Tout justement, je vais, bientôt après, prendre directement contact avec le gouvernement et le peuple italiens. Nos voisins célèbrent solennellement le centenaire des victoires franco-piémontaises de 1859. Comme le Président de la République Giovanni Gronchi m'invite à y assister, j'accepte avec empressement. Couve de Murville et Guillaumat sont du voyage. C'est par une tempête de vivats que Milan m'accueille, le 23 juin. Le même enthousiasme déferle vers moi le lendemain, lors de la revue militaire à laquelle des troupes françaises prennent part aux côtés de l'armée italienne. A Magenta, puis à Solferino, où s'est portée une foule énorme et où je prends la parole sur le champ de bataille, d'ardentes manifestations ne laissent, non plus, aucun doute sur le sentiment public au sujet de notre pays et du général de Gaulle. Au cours du service religieux, l'archevêque, Monseigneur Montini, prononce un sermon tout imprégné de la dilection que porte à la France le prélat qui, plus tard, sera le pape Paul VI. Peu après, la réception que me fera, au Capitole, la municipalité romaine attestera la même chaleur. Rien ne montre mieux à quel égarement répondit l'agression commise contre nous dix-neuf ans plus tôt sur l'ordre de Mussolini. Mais rien n'est plus encourageant pour l'avenir des relations des deux nations qui sont cousines. Le Président Gronchi, le Président du Conseil Antonio Segni et le Ministre des Affaires étrangères Giuseppe Pella en sont d'accord avec moi et les ministres qui m'accompagnent.

Il n'empêche que les entretiens que nous avons, d'abord

dans le train qui nous amène à Rome, ensuite au Quirinal
où je suis, avec ma femme, l'hôte du Chef de l'État et
de Madame Gronchi et où les deux Présidents se réunissent
avec les membres de leurs gouvernements, font apparaître,
de part et d'autre, des inclinations qui sont loin d'être
identiques. Nous, Français, voulons qu'on aille vers une
Europe européenne. Les Italiens tiennent par-dessus tout
à ce que né soient pas modifiés les rapports existants avec
les Anglo-Saxons. Au fond, le Gouvernement de Rome
préconise l'intégration, parce que, sous le couvert de cet
appareil mythique, il compte bien manœuvrer à sa guise,
parce que rien dans une telle construction ne porte atteinte
à l'hégémonie protectrice de Washington, enfin parce
qu'il n'y voit que du provisoire en attendant que l'Angleterre soit là. Bientôt, je vérifierai que le Benelux considère
l'affaire de la même façon. Tout de même que la transformation de la France est réclamée à grands cris par les
féodalités économiques et sociales et les partis politiques
français, mais que toute réforme qui change l'ordre établi
est mal accueillie par tous, ainsi l'union du Continent,
proclamée comme nécessaire par les milieux dirigeants
de nos partenaires européens et par nos propres chapelles,
se heurtera-t-elle à un mur de réserves, d'exégèses et de
surenchères quand je tâcherai de lui frayer la voie. Mais
je pense que, si Rome ne fut pas bâtie en un jour, il est
dans l'ordre des choses que la construction de l'Europe
requière des efforts prolongés.

Pour ce qui est de persévérer, je trouve d'ailleurs au
Vatican la plus haute leçon possible. J'y suis reçu par le
pape Jean XXIII. Il a voulu que la pompe déployée à
cette occasion marquât l'exceptionnelle attention en
laquelle il tient la France. Il prend acte avec satisfaction
de ce que je lui dis au sujet de notre entreprise de redressement national dans un pays qu'il connaît bien et dont il
a vu de près, comme nonce à Paris, le trouble politique
d'antan. Puis, avec une anxiété que maîtrise sa sérénité,
le Souverain Pontife m'entretient de l'ébranlement spiri-
tuel qu'infligent à la Chrétienté les gigantesques bouleversements du siècle. Chez tous ceux des peuples d'Europe

et d'Asie qui sont soumis au communisme, la communauté
catholique est opprimée et coupée de Rome. Mais partout
ailleurs, sous de libres régimes, une sorte de contestation
diffuse bat en brèche, sinon la religion, tout au moins son
action, ses règles, sa hiérarchie, ses rites. Cependant, quelque souci que lui cause cette situation, le Pape n'y voit
qu'une crise, ajoutée en notre époque à celles que l'Église
a traversées et surmontées depuis Jésus-Christ. Il croit
qu'en mettant en œuvre ses valeurs propres d'inspiration
et d'examen elle ne manquera pas, une fois encore, de
rétablir son équilibre. C'est à cela qu'il veut consacrer son
Pontificat. Ma femme ayant été introduite, Jean XXIII
nous bénit. Nous ne le reverrons plus.

L'Europe, elle, n'a pas les promesses de la vie éternelle.
Pourtant, en se regroupant, elle aussi, pour se saisir de
ses propres problèmes, peut-être voudrait-elle prendre
un nouvel essor? Mais pour une telle confrontation, depuis
qu'on parle et reparle de l'unir, aucun projet n'a jamais
été soumis aux Six. Je prends sur moi de le faire dès qu'il
est devenu clair que notre pays se dégage de l'emprise
du drame algérien et va retrouver sa liberté de manœuvre.
Mon intention est de réunir à Paris les Chefs d'État ou
de Gouvernement, afin que la France présente ses propositions dans un cadre qui soit à la dimension du sujet.
Le Chancelier Adenauer est le premier informé. En
juillet 1960, à Rambouillet où je l'ai prié de se rendre,
je lui annonce mon plan de conférence au sommet et
lui indique comment, suivant moi, devrait jouer la concertation des Six, par rencontres périodiques de leurs dirigeants et, dans les intervalles, par fonctionnement d'organismes permanents qui prépareraient les réunions et
suivraient l'exécution des décisions. Nous sommes, lui et
moi, d'accord sur l'essentiel. En août, c'est à Jean-Edouard
de Quay Premier ministre, et à Joseph Luns ministre des
Affaires étrangères des Pays-Bas, venus à Paris, que je
m'ouvre de mon projet. Comme prévu, je les trouve orientés
beaucoup moins vers le Continent que vers l'Amérique et
l'Angleterre et, par-dessus tout, désireux de voir celle-ci
se joindre aux Six quelles que soient les conditions. Il

en est à peu près de même pour les Belges : Gaston Eyskens
Premier ministre, et Paul-Henri Spaak de nouveau en
charge des Affaires étrangères, que je reçois, eux aussi,
à l'Élysée. Y sont accueillis, à leur tour, les prudents
Luxembourgeois : Pierre Werner et Eugène Schauss.
Entre-temps, j'ai conféré à loisir avec Amintore Fanfani,
redevenu Président du Conseil italien, et le ministre
Antonio Segni, en séjour à Rambouillet, et j'ai mis, à
Bonn, les choses au point avec Konrad Adenauer.

Au surplus, suivant ma méthode, je crois bon de saisir
l'opinion. Le 5 septembre, au cours d'une conférence de
presse, je précise ce qui est entrepris. Ayant dit que « construire l'Europe, c'est-à-dire l'unir, est pour nous un but
essentiel », je déclare qu'il faut, pour cela : « Procéder,
non pas d'après des rêves, mais suivant des réalités. Or,
quelles sont les réalités de l'Europe, quels sont les piliers
sur lesquels on peut la bâtir? En vérité, ce sont les États,...
des États ayant, sans doute, chacun son âme, son histoire,
son langage à lui, ses malheurs, ses gloires, ses ambitions
à lui ; mais des États qui sont les seules entités qui aient
le droit d'ordonner et le pouvoir d'être obéies ». Puis, tout
en reconnaissant « la valeur technique de certains organismes plus ou moins extra ou supranationaux », je constate qu'ils n'ont pas et ne peuvent avoir d'efficacité politique, comme le prouve ce qui se passe, au moment même,
à la C.E.C.A., à l'Euratom et à la Communauté de
Bruxelles. J'insiste : « Il est tout naturel que les États de
l'Europe aient à leur disposition des organismes spécialisés pour préparer et, au besoin, pour suivre leurs décisions. Mais ces décisions leur appartiennent ». Alors, je
formule mon projet : « Assurer la coopération régulière des
États de l'Europe occidentale, c'est ce que la France
considère comme souhaitable, possible et pratique, dans
les domaines politique, économique, culturel, et dans celui
de la défense... Cela comporte un concert organisé, régulier, des gouvernements responsables et le travail d'organismes spécialisés dans chacun des domaines communs
et subordonnés aux gouvernements. Cela comporte la
délibération périodique d'une assemblée formée par les

délégués des parlements nationaux. Cela doit, à mon sens, comporter, le plus tôt possible, un solennel référendum européen, de manière à donner à ce démarrage de l'Europe le caractère d'adhésion populaire qui lui est indispensable ». Je conclus : « Si on entre dans cette voie, ... des liens se forgeront, des habitudes se prendront et, le temps faisant son œuvre, il est possible qu'on en vienne à avancer d'autres pas vers l'unité européenne ».

Les 10 et 11 février 1961, dans le salon de l'Horloge du Quai d'Orsay, je préside la réunion des Présidents du Conseil ou Premiers ministres, des ministres des Affaires étrangères, de hauts fonctionnaires et d'ambassadeurs, d'Allemagne, d'Italie, des Pays-Bas, de Belgique, du Luxembourg, de France. Le débat est animé, car les arrière-pensées sont brûlantes. A vrai dire, celles-ci se rapportent toutes à l'Amérique et à l'Angleterre. A ma proposition formelle d'organiser tout de suite la coopération politique des Six, Adenauer donne son entière approbation. Werner en fait autant. Fanfani s'y rallie avec quelques réserves. Eyskens et Spaak ne s'y opposent d'abord pas. Mais Luns exprime, non sans âpreté, toutes sortes de réticences. Ce que voyant, Spaak adopte la même attitude. Il est clair que la Hollande et la Belgique, petites puissances toujours en garde vis-à-vis des « grands » du Continent, riveraines de la mer du Nord, traditionnellement protégées par la marine des Britanniques que relaie désormais celle des Américains, s'accommodent mal d'un système où n'entrent pas les Anglo-Saxons. Mais il n'est pas moins évident que, si les Occidentaux de l'Ancien Monde demeurent subordonnés au Nouveau, jamais l'Europe ne sera européenne et jamais non plus elle ne pourra rassembler ses deux moitiés. Pourtant, l'impression qui prévaut en conclusion de la rencontre, c'est que l'Europe a fait ses premiers pas, que tous les participants ont pris grand intérêt et éprouvé grande satisfaction à se trouver et à délibérer ensemble, enfin qu'il faut tenter d'aller plus avant. A cet effet, il est entendu qu'on se retrouvera à Bonn dans les trois mois et décidé qu'en vue de cette nouvelle conférence au sommet une commission politique, formée des représentants des Six, élaborera à Paris des propositions quant à l'organisation de leur coopération dans tous les domaines.

Il est, pourtant, peu vraisemblable qu'étant donné la dimension des obstacles la réussite puisse être proche. De fait, un actif travail destiné à l'empêcher s'engage aussitôt dans les coulisses. Les partisans de l'entrée sans condition de l'Angleterre au sein de la Communauté économique et, le cas échéant, politique y conjuguent leurs efforts négatifs avec ceux des champions du supranational, sans que l'opposition apparente des thèses des uns et des autres les détourne aucunement de s'accorder pour combattre la solution française. Allant à Bonn le 20 mai, j'y constate l'agitation soulevée par l'attitude positive prise dans mon sens par le Chancelier. Recevant, à la fin du même mois, le Roi et la Reine des Belges, que Paris acclame de grand cœur, je trouve sans doute l'occasion de témoigner à ces jeunes souverains et à leur pays la chaleureuse sympathie de la France, mais aussi j'entends Spaak, qui les accompagne, me répéter des propos défavorables à la coopération politique des Six. En même temps, n'arrivent d'Italie que des échos dubitatifs et de Hollande que des critiques.

Malgré tout, avec quelque retard, la nouvelle réunion des Chefs d'État et de Gouvernement a lieu à Bonn les 18 et 19 juillet. Chacun y fait connaître la même manière de voir qu'il avait exposée à Paris. Mais, comme, cette fois encore, le Chancelier Adenauer et le général de Gaulle marquent nettement qu'ils sont d'accord, les objecteurs modèrent leur virulence. Même, sur le Rhin, où après la séance les Allemands ont embarqué tout le monde pour une promenade et un déjeuner, on ne voit guère de nuages autour des effusions européennes. La décision prise par la conférence est de poursuivre dans le sens que recommande le Gouvernement français. A cet effet, la Commission politique, déjà formée et dont Christian Fouchet est président, reçoit mandat d'arrêter le texte d'un traité en bonne et due forme qui pourra être entériné par une réunion au sommet à tenir à Rome ultérieurement.

La prudence et les convenances ont donc retenu l'instance suprême d'étaler ses discordances. Celles-ci, toutefois, ne manquent pas d'apparaître au grand jour à travers les travaux de la Commission Fouchet. Un seul projet y est présenté, celui de la France. L'Allemagne ne cesse pas de le soutenir. Mais l'opposition déterminée de la Hollande et de la Belgique et l'indécision calculée de l'Italie feront en sorte qu'il n'aboutira pas. En dernier ressort, cependant, on a pu croire que le Gouvernement de Rome ralliait ceux de Paris et de Bonn, ce qui eût, à coup sûr, emporté la décision. Le 4 avril 1962, je m'étais rendu à Turin pour y revoir Amintore Fanfani. Notre entretien m'avait donné à penser que nous étions d'accord sur le texte, plus ou moins amendé, du « plan Fouchet ». Sans doute était-ce vrai, ce jour-là, pour mon interlocuteur lui-même. Car l'homme d'État italien avait assez le goût des grandes choses et le sens des hautes nécessités d'aujourd'hui pour désirer que son pays fût, avec la France et l'Allemagne, un pilier de l'union européenne. Mais une résolution aussi simple et catégorique eût été incompatible avec les complexités politiques propres à nos voisins transalpins. C'est pourquoi, le 17 avril, quand les ministres des Affaires étrangères des Six se réunissent à Paris pour faire connaître en définitive la position de leurs gouvernements, Antonio Segni désapprouve le projet français. Spaak a, dès lors, beau jeu de se faire le porte-parole de toutes les négations. Vivement appuyé par Luns, il déclare que la Belgique ne signera pas le traité, « même s'il lui convient tel qu'il est », aussi longtemps que l'Angleterre ne sera pas entrée dans la Communauté. Quelques jours après, il m'écrit que son pays est prêt à conclure un accord entre les Six, à condition que la Commission politique prévue dans notre plan comme instrument du Conseil des États soit érigée en un pouvoir indépendant des gouvernements. Ainsi Spaak, sans la moindre gêne, épouse-t-il simultanément les deux thèses, exclusives l'une de l'autre, des partisans de l'hégémonie anglo-saxonne et des champions du supranational.

Désormais, les choses resteront en suspens avant qu'on sache si l'offre faite par la France d'instituer la coopération de l'Ancien Monde déchiré aura été, pour l'Histoire, « quelque armada sombrée à l'éternel mensonge », ou bien, pour l'avenir, un bel espoir élevé sur les flots?

LE MONDE

Si nos voisins ont refusé de suivre l'appel de la France pour l'union et l'indépendance d'une Europe européenne, c'est quelque peu pour cette raison que, suivant leur tradition, ils redoutent notre primauté, mais c'est surtout parce que, dans l'état de guerre froide où se trouve l'univers, tout passe pour eux après le désir d'avoir la protection américaine. Or, sur ce point, notre appréciation n'est pas la même que la leur. Eux voient encore les choses comme elles étaient il y a quinze ans. Nous les voyons autrement.

Sans doute, après Yalta qui permettait à la Russie de Staline de s'adjoindre d'office, lors de l'effondrement du Reich, l'Europe centrale et les Balkans, pouvait-on redouter que le bloc soviétique voulût s'étendre plus loin. Dans l'hypothèse d'une telle agression, les États occidentaux du Continent n'auraient pu, par eux-mêmes, lui opposer une résistance assez puissante. L'organisation franco-britannique de défense européenne, ébauchée en 1946 et qui comportait le commandement unique du Maréchal Montgomery, n'y eût évidemment pas suffi. Rien ne fut donc plus justifié et, peut-être, plus salutaire que le concours américain, qui en vertu du Plan Marshall mettait l'Europe de l'Ouest à même de rétablir ses moyens de production et lui évitait ainsi de dramatiques secousses économiques, sociales et politiques, tandis que grâce à l'armement atomique était assurée sa couverture. Mais une conséquence quasi inévitable avait été l'institution de l'O.T.A.N., système de sécurité suivant lequel Washington disposait de la défense, par conséquent de la politique et, même, du territoire de ses alliés.

Parmi ceux-ci, l'Allemagne, séparée de la Prusse et de la Saxe, située au contact immédiat des totalitaires, constamment vilipendée par eux pour ses mauvaises actions d'hier, accusée de se préparer à les recommencer demain, tenue sous la poire d'angoisse de la saisie de Berlin, voyait dans ce protectorat son salut quotidien. Les autres, qui n'étaient pas directement menacés, mais qui croyaient, à juste titre, que l'arrivée des Soviets sur le Rhin et dans les Alpes les condamnerait eux-mêmes aussitôt, considéraient comme essentielle la garantie américaine et, au surplus, appréciaient fort les économies que valaient à leurs budgets militaires les renforts de troupes, de navires, d'avions et les dons de matériel accordés par les États-Unis. Certes, le regret nostalgique de l'indépendance d'autrefois traversait de temps en temps l'âme de ces peuples anciens et fiers. Mais l'utilité et la commodité de l'hégémonie atlantique dans le monde, et quoi que les États-Unis jugeassent à propos d'y faire, les ramenaient vite à la subordination. Il n'advenait donc jamais qu'un gouvernement appartenant à l'O.T.A.N. prît une attitude divergente de celle de la Maison-Blanche. Si l'application à l'Europe d'un régime d'intégration trouvait tant de faveurs chez nos partenaires, c'est notamment pour cette raison qu'un système apatride, ne pouvant avoir en propre ni défense, ni politique, s'en remettrait forcément à celles que dicterait l'Amérique. Si, à défaut de technocratie supranationale, ils voulaient voir la Communauté se joindre au Commonwealth britannique, c'est parce que cette voie-là menait tout aussi bien au protectorat de Washington. Inversement, si mon projet d'Europe européenne n'avait pu encore aboutir, c'est parce qu'il aurait conduit à affranchir l'Ancien Monde et que celui-ci n'osait pas s'y risquer.

Or, en 1958, j'estime que la situation générale a changé par rapport à ce qu'elle était lors de la création de l'O.T.A.N.

Il semble maintenant assez invraisemblable que, du côté
soviétique, on entreprenne de marcher à la conquête de
l'Ouest, dès lors que tous les États y ont retrouvé des
assises normales et sont en progrès matériel incessant. Le
communisme, qu'il surgisse du dedans ou qu'il accoure du
dehors, n'a de chances de s'implanter qu'à la faveur du
malheur national. Le Kremlin le sait fort bien. Quant à
imposer le joug totalitaire à trois cents millions d'étrangers récalcitrants, à quoi bon s'y essayerait-il, alors qu'il
a grand-peine à le maintenir sur trois fois moins de sujets
satellites? Encore faut-il ajouter que, suivant l'éternelle
alternance qui domine l'histoire des Russes, c'est aujour-
d'hui vers l'Asie, plutôt que vers l'Europe, qu'ils doivent
tourner leurs soucis à cause des ambitions de la Chine et
pourvu que l'Ouest ne les menace pas. Par-dessus tout,
quelle folie ce serait pour Moscou, comme pour quiconque,
de déclencher un conflit mondial qui pourrait finir, à coups
de bombes, par une destruction générale ! Mais, si on ne
fait pas la guerre, il faut, tôt ou tard, faire la paix. Il n'y
a pas de régime, si écrasant qu'il soit, capable de maintenir
indéfiniment en état de tension belliqueuse des peuples
qui pensent qu'ils ne se battront pas. Tout donne donc à
croire que l'Est ressentira de plus en plus le besoin et
l'attrait de la détente.

Du côté de l'Occident, d'ailleurs, les conditions militaires de la sécurité sont devenues, en douze ans, profondément différentes de ce qu'elles avaient été. Car, à partir
du moment où les Soviets ont acquis ce qu'il faut pour
exterminer l'Amérique, tout comme celle-ci a les moyens
de les anéantir, peut-on penser qu'éventuellement les
deux rivaux en viendraient à se frapper l'un l'autre, sinon
en dernier ressort? Mais qu'est-ce qui les retiendrait de
lancer leurs bombes entre eux deux, autrement dit sur
l'Europe centrale et occidentale? Pour les Européens de
l'Ouest, l'O.T.A.N. a donc cessé de garantir leur existence.
Mais, dès lors que l'efficacité de la protection est douteuse,
pourquoi confierait-on son destin au protecteur?

Enfin, quelque chose vient de se transformer quant au
rôle international de la France. Car ce rôle, tel que je le

conçois, exclut la docilité atlantique que la République
d'hier pratiquait pendant mon absence. Notre pays est,
suivant moi, en mesure d'agir par lui-même en Europe et
dans le monde, et il doit le faire parce que c'est là, moralement, un moteur indispensable à son effort. Cette indépendance implique, évidemment, qu'il possède, pour sa sécurité,
les moyens modernes de la dissuasion. Eh bien ! Il faut
qu'il se les donne !

Mon dessein consiste donc à dégager la France, non pas
de l'alliance atlantique que j'entends maintenir à titre
d'ultime précaution, mais de l'intégration réalisée par
l'O.T.A.N. sous commandement américain ; à nouer avec
chacun des États du bloc de l'Est et, d'abord, avec la
Russie des relations visant à la détente, puis à l'entente
et à la coopération ; à en faire autant, le moment
venu, avec la Chine ; enfin, à nous doter d'une puissance
nucléaire telle que nul ne puisse nous attaquer sans risquer
d'effroyables blessures. Mais, ce chemin, je veux le suivre
à pas comptés, en liant chaque étape à l'évolution générale et sans cesser de ménager les amitiés traditionnelles
de la France.

Dès le 14 septembre 1958, je hisse les couleurs. Par un
mémorandum adressé personnellement au Président Eisenhower et au Premier ministre MacMillan, je mets en question notre appartenance à l'O.T.A.N., dont je déclare
qu'elle ne correspond plus aux nécessités de notre défense.
Sans émettre explicitement de doute quant à la protection
de l'Europe continentale par les bombes américaines et
britanniques, mon mémorandum constate qu'une véritable
organisation de la défense collective exigerait que celle-ci
s'étendît à toute la surface de la terre au lieu d'être limitée
au secteur de l'Atlantique-Nord et que le caractère mondial
de la responsabilité et de la sécurité de la France fait que
Paris devrait participer directement aux décisions politiques et stratégiques de l'alliance, décisions qui, en réalité,
sont prises par la seule Amérique avec consultation
a parte de l'Angleterre. L'accession de la France à ce
sommet serait d'autant plus indiquée que le monopole
occidental des armements atomiques cessera très prochai-

nement d'appartenir aux Anglo-Saxons, puisque nous allons nous en procurer. Je propose donc que la direction de l'alliance soit exercée à trois, non plus à deux, faute de quoi la France ne participera, désormais, à aucun développement de l'O.T.A.N. et se réserve, en vertu de l'article 12 du traité qui a institué le système, soit d'en exiger la réforme, soit d'en sortir. Ainsi que je m'y attends, les deux destinataires de mon mémorandum me répondent évasivement. Rien ne nous retient donc d'agir.

Mais tout nous commande de le faire sans secousses. Nous n'avons pas encore de bombes. L'Algérie tient sous hypothèque notre armée, notre aviation, notre flotte. Nous ne savons pas quelle orientation le Kremlin voudra prendre en fin de compte dans ses rapports avec l'Ouest. Pour le moment, reste inquiétante la menace brandie par Nikita Khrouchtchev de conclure une paix séparée avec l'Allemagne de l'Est, de livrer le sort de Berlin aux communistes de Pankow — ce qui, pour l'Union Soviétique, reviendrait à en disposer — et d'obliger ainsi l'Amérique, la Grande-Bretagne et la France, dont les forces occupent la partie Ouest de la ville, ou bien de la défendre, c'est-à-dire d'accepter le conflit, ou bien de la lâcher, c'est-à-dire de subir une faillite politique et une humiliation militaire désastreuses. Nous allons donc, à la fois, entrer par des mesures appropriées dans la voie du dégagement atlantique et maintenir notre coopération directe avec les États-Unis et avec l'Angleterre.

En mars 1959, notre flotte de la Méditerranée est retirée de l'O.T.A.N. Peu après, vient l'interdiction faite aux forces américaines d'introduire des bombes atomiques en France, qu'elles soient au sol ou dans des avions, et d'y installer des rampes de lancement. Plus tard, nous replacerons sous l'autorité nationale nos moyens de défense aérienne et le contrôle des appareils qui survolent notre territoire. A mesure que nous ramènerons dans la métropole nos unités d'Afrique du Nord, nous ne les transférerons pas au Commandement allié. Le 16 septembre 1959, j'inspecte à l'École militaire les Centres où sont étudiés les principes et les ressources de la Défense nationale, ainsi

que les règles et les moyens d'action des trois armées.
Ensuite, réunissant les professeurs et les auditeurs, je
prononce une allocution qui fixe aux pouvoirs publics et
au commandement militaire la directive nouvelle de
l'État au sujet de la sécurité du pays.

« Il faut », dis-je, « que la défense de la France soit française. Une nation comme la France, s'il lui arrive de faire
la guerre, il faut que ce soit sa guerre ; il faut que son
effort soit son effort. Sans doute la défense française pourrait-elle être, le cas échéant, conjuguée avec celle d'autres
pays. Mais il serait indispensable qu'elle nous soit propre,
que la France se défende par elle-même, pour elle-même et
à sa façon ». Puis je montre que, chez nous, l'État n'a
jamais eu et ne peut avoir de justification, *a fortiori*
de durée, s'il n'assume pas directement la responsabilité
de la Défense nationale, et que le Commandement militaire
n'a d'autorité, de dignité, de prestige, devant la nation
et devant les armées, que s'il répond lui-même sur les
champs de bataille du destin du pays. Je précise : « C'est
dire que, pour la France, le système qu'on a appelé « l'intégration » et que le monde libre a pratiqué jusqu'à présent,
ce système-là a vécu... Il va de soi que notre stratégie
devrait être combinée avec la stratégie des autres. Car il
est infiniment probable qu'en cas de conflit nous nous
trouverions côte à côte avec des alliés... Mais, que chacun
ait sa part à lui ! » Ayant invité ceux qui m'écoutent à
faire, dorénavant, de cette conception la base de leur
philosophie et de leurs travaux, je déclare : « La conséquence, c'est qu'il faut nous pourvoir, au cours des pro-
chaines années, d'une force capable d'agir pour notre
compte, de ce qu'il est convenu d'appeler « une force de
frappe », susceptible de se déployer à tout moment et
n'importe où. L'essentiel de cette force sera, évidemment,
un armement atomique ».

Ces propos, que je fais publier, et ces premières mesures
de dégagement ont un vaste retentissement. D'autant
plus que, successivement, d'autres occasions confirment que
la Ve République a sa politique. C'est ainsi qu'au moment
où Américains et Britanniques débarquent des forces

respectivement au Liban et en Jordanie, alléguant qu'il s'agit de protéger ces États d'une éventuelle agression de la République arabe unie, nous nous tenons à l'écart et que nous envoyons devant Beyrouth, pour marquer séparément notre présence, un croiseur qui n'a rien à faire avec leur expédition. C'est ainsi, qu'une fois reconnue l'indépendance du Congo-Léopoldville et formé le Gouvernement de Patrice Lumumba, nous désapprouvons ouvertement l'action menée par Washington sous le couvert de l'Assemblée générale des Nations Unies et qui conduit l'Organisation, contrairement à sa propre charte, à intervenir avec ses forces et son budget dans les affaires intérieures du nouvel État. C'est ainsi que, les États-Unis rompant leurs relations avec Cuba et nous invitant à interdire à nos navires de s'y rendre, nous maintenons notre ambassade à La Havane et nous nous refusons à pratiquer l'embargo. C'est ainsi que nous blâmons la mainmise des Américains sur le pouvoir au Sud-Vietnam. C'est ainsi que nous refusons d'affecter des forces à la disposition éventuelle de l' « Organisation du traité de l'Asie du Sud-Est ».

Enfin et surtout, c'est ainsi que, dans le débat international en cours sur le désarmement, nous soutenons notre thèse à nous. Celle-ci ne tend à rien de moins qu'à interdire la fabrication, la détention et l'emploi de tout moyen de destruction atomique. Mais, comme il est évident qu'une telle condamnation de principe risquerait fort de ne conduire à rien étant donné les arrière-pensées des deux rivaux nucléaires et les difficultés inextricables d'un contrôle appliqué à tout, nous proposons qu'au moins soit empêchée la construction des rampes et des véhicules spéciaux : fusées, sous-marins, avions, propres à lancer les bombes. Déceler leur apparition et vérifier leur disparition serait, en effet, dans l'ordre des choses possibles. Or, au cas où, dans les deux camps, on n'aurait plus de quoi lancer les projectiles atomiques, sans doute éviterait-on de se ruiner à les fabriquer. C'est là la position que j'adopte une fois pour toutes. Jules Moch, notre représentant, la fait valoir au sein des commissions qui, à New York, puis à Genève, discutent indéfiniment du sujet. Cependant, tel n'est pas l'objectif des Américains qui ne visent, au fond, qu'à conclure directement avec les Soviétiques, sous les dehors d'un accord mondial, un arrangement qui consacrerait le monopole des géants, limiterait contractuellement la frénésie de leurs dépenses et empêcherait tout État qui n'a pas encore de projectiles d'en fabriquer ou d'en acquérir. Mais cette consolidation du partage à deux de l'autorité mondiale ne répondant pas à nos buts et ne faisant nullement avancer le désarmement général, nous nous tenons, en la matière, séparés des Américains, tandis que les suit, bon gré mal gré, toute l'escorte des Occidentaux.

L'attitude nouvelle d'une France qui prend ainsi ses responsabilités provoque des réactions en tous sens. Chez nous, le blâme et la mise en garde soulèvent partis et journaux. Nos partenaires de la Communauté sont contrariés de nous voir prendre une position si différente de la leur. A Washington et à Londres, cette déchirure dans la subordination générale provoque pêle-mêle de la surprise, de l'irritation et de la compréhension, qui s'expriment par des flots d'articles et de déclarations. A ce point de vue, les mêmes feuilles et les mêmes micros qui, avant 1958, ne traitaient guère de la France, sauf parfois pour lui accorder quelque commisération, s'occupent d'elle maintenant sans relâche. Ce qu'elle dit et ce qu'elle fait notamment en la personne de son Chef d'État, la situation qu'on lui attribue, les intentions qu'on lui prête, donnent lieu à d'innombrables appréciations, ou bien amères et ironiques, ou bien confiantes et élogieuses, mais jamais indifférentes. Pour l'opinion étrangère, notre pays est devenu soudain un des acteurs principaux d'une pièce où l'on ne voyait plus en lui qu'un figurant. Quant aux gouvernements, qu'ils soient ceux du camp allié, ou des pays de l'Est, ou du tiers-monde, ils comprennent qu'on est entré dans une période politique où la France, renouant la chaîne des temps, se commande désormais elle-même et que le mieux est, suivant les cas, de s'en accommoder ou bien d'en tirer parti.

Il faut dire que, par contraste avec les errements jus-

qu'alors habituels, les États étrangers voient en place et
à l'œuvre à Paris un pouvoir solide, homogène et sûr de
lui-même. Leurs représentants, par exemple : le nonce,
doyen du Corps diplomatique, Monseigneur Marella puis
Monseigneur Bertoli, Amery Houghton puis James Gavin
pour les États-Unis, Sir Gladwyn Jebb puis Sir Pierson
Dixon pour l'Angleterre, Serge Vinogradov pour l'Union
Soviétique, Herbert Blankenhorn pour l'Allemagne, Leo-
nardo Vitteti puis Manlio Brosio pour l'Italie, Tetsuro
Furukaki pour le Japon, etc., bien que, suivant l'usage,
ils lisent chez nous dans la presse ou recueillent de la
bouche des personnages jadis « consulaires » force critiques
à l'égard du Gouvernement, n'ont plus jamais de crises
politiques françaises à rapporter à leurs chancelleries.
Recevant tour à tour ces perspicaces diplomates, je leur
montre que la France suit sa ligne avec continuité et, quand
ils quittent l'Élysée pour aller à Matignon, au Quai d'Orsay,
ou dans tout autre ministère, ils entendent le même langage et n'y relèvent aucune discordance. Quant à nos
ambassadeurs, tels Éric de Carbonnel secrétaire général
des Affaires étrangères, Hervé Alphand à Washington,
Jean Chauvel puis Geoffroy de Courcel à Londres, Gaston
Palewski à Rome, Roland de Margerie au Vatican puis à
Madrid, François Seydoux de Clausonne à Bonn, Maurice
Dejean à Moscou, Étienne Dennery à Tokyo, Armand
Bérard aux Nations Unies, etc., qui, au demeurant, forment
un ensemble de grande qualité, ils parlent maintenant haut
et clair, satisfaits d'être dans leur poste au nom d'un pays
qui s'affirme, ne demande plus rien à personne et ne se
contredit jamais.

L'attentive considération qui nous est portée de toutes
parts me détermine à multiplier les contacts avec l'extérieur. Il en résulte un actif échange de visites, toutes
occasions où l'on s'explique à défaut de toujours se
convaincre, où s'animent les relations, où se concluent les
accords, où se font entendre toutes les voix de l'information,
où se manifestent les sentiments publics. J'y attache la
plus grande importance, sachant quelle résonance prennent
souvent de telles rencontres. Certes, les circonstances ne

leur confèrent pas le caractère dramatique qu'elles avaient
eu en d'autres temps et les facilités actuelles de déplace-
ment les banalisent. Il reste que, pendant ces années où
la France reprend dans le monde sa figure et son envergure,
les séjours à Paris de beaucoup de chefs d'État et de
gouvernants étrangers et, chez eux, mes propres voyages
et ceux des ministres français forment la trame et l'illustra-
tion de notre redressement mondial.

A peine ai-je repris la direction des affaires que je vois
venir le Secrétaire d'État américain Foster Dulles. Avec
conviction, cet apôtre du « containment » et du « deterrent »
occidental m'expose les intentions qui guident, sous son
impulsion, la politique de son grand pays. Pour Dulles
tout se ramène à endiguer et, s'il le faut, à briser l'impérialisme soviétique, tel qu'il résulte de l'ambition mondiale
du communisme. Or, celui-ci rassemble déjà un milliard
d'hommes en Europe et en Asie et, grâce aux moyens
de la dictature, a l'avantage de pouvoir prélever ce qu'il
veut sur la substance humaine de ses sujets en vue de son
armement ou bien d'entreprises de prestige comme la
conquête de l'espace. Suivant Foster Dulles, c'est aux
États-Unis qu'il revient d'être en tête de la résistance.
Lui-même consacre toute son activité à en organiser les
môles dans chacune des régions du monde où l'irruption
idéologique, politique, militaire, de l'adversaire paraît la
plus menaçante. Ainsi de l'O.T.A.N. en Europe, du
C.E.N.T.O. en Orient, de l'O.T.A.S.E. en Asie du Sud-
Est, des alliances qui, dans le Pacifique, protègent la Corée
du Sud, Formose, Hong-kong, et même le Japon.
L'O.T.A.N. est, naturellement, l'objet principal de ses
efforts, non seulement pour barrer la route aux éventuels
agresseurs, mais aussi parce qu'il y voit le meilleur moyen
d'encadrer l'Allemagne et de l'empêcher de mal faire. Le
Secrétaire d'État me parle avec émotion de l'amitié que
l'Amérique porte à la France et qui, pour des raisons
sentimentales en même temps que pratiques, lui font désirer
vivement que nous participions d'une manière active au
système de sécurité réalisé sur l'ancien Continent. A ce
sujet il me dit : « Nous savons que vous êtes sur le point

de vous doter d'armes atomiques. Mais, au lieu que vous
les expérimentiez et fabriquiez vous-mêmes à grands frais,
vaudrait-il pas mieux que nous vous en fournissions? »

Je réponds à Foster Dulles que je tiens, moi aussi, pour
nécessaire de prendre de solides précautions politiques et
militaires vis-à-vis d'une éventuelle agression des Soviets.
Si celle-ci se produisait, nul doute que mon pays serait aux
côtés des États-Unis. Mais le fait est qu'elle ne se produit
pas. A mon sens, ce qui, au fond, domine dans le comportement de Moscou, c'est le fait russe au moins autant que le
fait communiste. Or, l'intérêt russe c'est la paix. Il semble
donc que, sans négliger les moyens de se défendre, on doive
s'orienter vers des contacts avec le Kremlin. Et je demande :
« N'est-ce pas là, d'ailleurs, ce que fait déjà pour son compte
votre gouvernement dans le domaine nucléaire? » Le
Secrétaire d'État en convient. « La France », dis-je, « se
propose de travailler à la détente et, en même temps, elle
ne néglige pas de se préparer au pire. Mais, en ceci et en
cela, sans aucunement renier son alliance avec vous, elle
entend rester elle-même et mener sa propre action. Il
n'y a pas de France qui vaille, notamment aux yeux des
Français, sans responsabilité mondiale. C'est pourquoi
elle n'approuve pas l'O.T.A.N., qui ne lui fait pas sa part dans
les décisions et qui se limite à l'Europe. C'est pourquoi
aussi elle va se pourvoir d'un armement atomique. Par
là, notre défense et notre politique pourront être indépen-
dantes, ce à quoi nous tenons par-dessus tout. Si vous
acceptez de nous vendre des bombes, nous vous les achète-
rons volontiers, pourvu qu'elles nous appartiennent entièrement et sans restrictions ». Foster Dulles n'insiste pas.
Nous nous séparons sur cette franche explication franco-
américaine. Je le reverrai de nouveau en février 1959,
toujours aussi net et ferme, mais se sachant marqué par
la mort qui le frappera trois mois après.

Le Président Eisenhower ressent profondément la perte
du Secrétaire d'État, son adjoint et collaborateur intime
depuis plus de sept années. La façon dont lui-même conçoit
l'action des États-Unis n'en sera pas foncièrement changée,

quoiqu'elle doive revêtir moins de rigueur. Dans ce domaine,
je retrouve le général Eisenhower tel que je l'ai connu et
estimé quand il commandait pendant la guerre les forces
alliées. Sans doute partage-t-il la conviction, quelque peu
élémentaire, qui anime le peuple américain sur la mission
primordiale qui incomberait aux États-Unis comme par
décret de la Providence et sur la prépondérance qui leur
reviendrait de droit. Mais la foi du Président n'est pas
ostentatoire, ni sa manière intransigeante. Il est un homme
de haute conscience, appliqué à ne juger qu'en connaissance de cause et à ne décider que sur avis des gens qualifiés. Il est prudent, n'appréciant pas les spéculations
hasardeuses et serrant le frein dès que l'allure s'accélère.
Il est conciliant, tâchant d'éviter les heurts et de sortir
des impasses. Cependant, cette circonspection, méri-
toire chez le guide d'un pays que sa puissance sollicite
vers la domination, chez un chef d'État qui dispose des
pouvoirs les plus étendus et d'une très grande popularité,
ne va pas sans une fermeté qu'il révèle à l'occasion. Jusqu'au terme de son mandat, en janvier 1961, Dwight
Eisenhower se tiendra avec moi en fréquent contact épisto-
laire. Nous nous verrons en trois grandes circonstances et,
à chacune, pendant de longues heures. Nous nous mettrons
sans cesse au fait de nos intentions, nous traitant toujours
l'un l'autre avec une amicale sincérité.

A mon invitation, il vient en France en visite d'État,
au mois de septembre 1959. Nos autorités et les Parisiens
font de leur mieux pour que la réception soit digne et
populaire. Lors des apparitions publiques du Président :
accueil à Orly, traversée de Paris jusqu'à la résidence du
Quai d'Orsay. salut au Soldat inconnu, visite à l'Hôtel
de Ville, etc., l'enthousiasme d'une foule très considérable
se manifeste sur l'emplacement des cérémonies et au
long des itinéraires. Il est évident que la fraternité d'armes
franco-américaine, dont notre visiteur est le plus glorieux
symbole, demeure très vivante dans l'esprit de notre
peuple. Eisenhower en est, d'ailleurs, impressionné. « Combien de personnes étaient, au total, sur ma route depuis
ce matin? » me demande-t-il, le soir du premier jour. Je

lui réponds, ce qui est vrai : « Un million, au moins ». Et lui, très ému : « Je n'en espérais pas la moitié ! »

Nos entretiens commencent à l'Élysée et se terminent à Rambouillet. Je dois dire, qu'à défaut de Versailles, de Compiègne, de Fontainebleau, dont la dimension se prête mal à des réunions restreintes, j'apprécie ce site pour y tenir de telles conférences. Les hôtes, logés dans la tour médiévale où passèrent tant de nos rois, traversant les appartements qu'ont habités nos Valois, nos Bourbons, nos Empereurs, nos Présidents, délibérant dans l'antique salle des marbres avec le chef de l'État et les ministres français, voyant s'étendre sous leurs yeux la majesté profonde des pièces d'eau, parcourant le parc et la forêt où s'accomplissent depuis dix siècles les rites des chasses officielles, sont conduits à ressentir ce que le pays qui les reçoit a de noble dans sa bonhomie et de permanent dans ses vicissitudes.

Nous conversons, soit tête à tête, soit en présence de nos ministres et ambassadeurs : Christian Herter et James Gavin aux côtés d'Eisenhower, Michel Debré, Maurice Couve de Murville et Hervé Alphand auprès de moi. Il est clair que les préoccupations du Président des États-Unis se concentrent sur la question des relations de son pays avec la Russie Soviétique. Pour lui, ce qui se passe où que ce soit dans l'univers n'est considéré que par rapport à ce sujet-là, étant d'ailleurs entendu que, dans le camp de la liberté, qu'il s'agisse de sécurité, d'économie, de monnaie, de science, de technique, etc., la réalité capitale, sinon unique, est celle de l'Amérique. Quant aux autres, tout en faisant valoir auprès d'elle leurs points de vue, ils n'ont qu'à l'accompagner. C'est pourquoi l'O.T.A.N., système dans lequel les alliés apportent leurs forces à la stratégie élaborée à Washington, donne toute satisfaction au général Eisenhower.

Cependant, il dit et répète que les États-Unis n'ont pas d'objectifs belliqueux et envisagent, au contraire, d'en venir tôt ou tard à quelque accord avec les Soviets, avant tout pour limiter les gigantesques dépenses militaires. Il a, tout récemment, envoyé le Vice-président

Richard Nixon faire une visite à Moscou. Et voici que Nikita Khrouchtchev va arriver en Amérique. « Mon intention », m'indique le Président, « est de tâcher d'engager avec lui une négociation constructive, de lui montrer ce qu'est la vie chez nous, par là de le faire réfléchir sur les réalisations de nos régimes respectifs ». Évoquant la grève des métallurgistes qui, alors, se prolonge aux États-Unis, il ajoute, non peut-être sans candeur voulue : « Je lui ferai même voir ce qu'est une grève américaine ! »

J'expose à Eisenhower qu'à mon sens les rapports entre l'Ouest et l'Est ne doivent pas être traités sous le seul angle de la rivalité des idéologies et des régimes. Certes, le communisme pèse très lourd dans l'actuelle tension internationale. Mais, sous sa dictature, il y a toujours la Russie, la Pologne, la Hongrie, la Tchécoslovaquie, la Bulgarie, la Roumanie, la Yougoslavie, l'Albanie, la Prusse, la Saxe, comme aussi la Chine, la Mongolie, la Corée et le Tonkin. « Après ce qui s'est passé pour la Russie lors des deux guerres mondiales », lui dis-je, « croyez-vous qu'un Pierre le Grand aurait réglé l'affaire des frontières et des territoires autrement que le fit Staline? » Parlant de la détente, je précise que, pour être valable, elle doit donc être fondée sur les réalités nationales. Sans méconnaître qu'un arrangement technique sur les armements entre Washington et Moscou pourrait faciliter les choses, je pense que ce ne serait pas une véritable solution. Ce n'en serait pas une non plus qu'un accord, fût-il spectaculaire, de ménagements mutuels que concluraient les deux camps, chacun rassemblé sous l'égide de son protecteur. Car on ne ferait ainsi que perpétuer les blocs, dont la seule existence est exclusive d'une véritable paix. Au contraire, de nation européenne à nation européenne, un rapprochement, effectué à partir des faits accomplis et n'ayant, pour commencer, que des objets économiques, culturels, techniques, touristiques, offrirait des chances de briser pan par pan le rideau de fer, de rendre peu à peu injustifiable la frénésie des armements, même de conduire pas à pas les totalitaires à relâcher leur rigueur. La France, qui n'a rien pris et rien à prendre au peuple russe ni à aucun de ceux qu'il s'est adjoints, qui est connue d'eux tous depuis toujours et vers qui les porte, au long des siècles, un attrait exceptionnel, peut et doit donner l'exemple. C'est ce qu'elle a l'intention de faire. J'indique à Eisenhower que je compte, moi aussi, inviter Khrouchtchev, dont je sais qu'il ne demande pas mieux, que je suis sûr qu'il me parlera surtout de l'Allemagne et de la nécessité de la maintenir coupée en deux, que je ne le contredirai pas actuellement sur ce point, que d'ailleurs je pense qu'il n'y a pas pour elle d'avenir satisfaisant et, en particulier, de chance d'être jamais réunifiée autrement que grâce à l'entente de l'Europe tout entière, mais que, sans plus attendre, je me propose de traiter avec le Premier soviétique d'une coopération franco-russe dans divers domaines pratiques.

Eisenhower observe que, du côté de Moscou et après la suggestion de Londres, on lance maints ballons d'essai quant à la réunion d'une « Conférence au sommet » entre la Russie, l'Amérique, la Grande-Bretagne et la France. Pour sa part, il est disposé à l'accepter. Je réponds que je n'y fais pas d'objection de principe, que cependant l'issue négative d'une réunion récente à Genève des quatre ministres des Affaires étrangères semble indiquer qu'il ne faut pas se presser et que, d'abord, je veux voir Khrouchtchev.

Avec insistance, le Président des Etats-Unis m'entretient de l'O.T.A.N. et de l'attitude de la France vis-à-vis de cette institution. Ce qui le préoccupe surtout, c'est notre décision de nous doter d'armes atomiques. Reprenant la proposition qu'avait naguère esquissée Foster Dulles, il offre de nous en céder, à condition que les Américains en aient le contrôle, autrement dit en détiennent les clefs, afin que les projectiles ne puissent être utilisés que par ordre du Commandant en chef de l'O.T.A.N. Comme je lui réponds que, précisément, nous ne voulons de bombes chez nous que si nous en disposons, il me déclare y voir une marque de méfiance envers les États-Unis, ce qui m'amène à lui dire ceci : « Si la Russie nous attaque, nous sommes vos alliés, vous les nôtres. Mais, dans cette hypothèse de conflit et, au demeurant, dans toute autre, nous voulons tenir dans nos mains notre destin, lequel dépendrait surtout du fait que nous serions, ou non, victimes des engins nucléaires. Il nous faut donc avoir de quoi dissuader tout agresseur éventuel de nous frapper chez nous, ce qui exige que nous soyons en mesure de le frapper chez lui et qu'il sache que nous le ferions sans attendre aucune permission du dehors. Dans une lutte entre l'Ouest et l'Est, vous, Américains, avez assurément les moyens d'anéantir l'adversaire sur son territoire. Mais il a ceux de vous mettre en pièces sur le vôtre. Comment nous, Français, serions-nous sûrs, qu'à moins que vous soyez bombardés directement sur le sol des États-Unis, vous vous mettriez dans ce cas que la mort vous tombe sur la tête, même si, en expirant, vous pourriez croire que le peuple russe disparaît en même temps que vous ? La réciproque est d'ailleurs vraie, de telle sorte que, pour la Russie et pour l'Amérique, la dissuasion existe. Mais elle n'existe pas pour les alliés respectifs de celle-ci et de celle-là. Qu'est-ce qui, en effet, empêcherait l'une et l'autre d'écraser ce qui se trouve entre leurs œuvres vives, c'est-à-dire essentiellement le champ de bataille européen ? N'est-ce pas, d'ailleurs, ce à quoi se prépare l'O.T.A.N. ? Au surplus, dans cette éventualité, la France serait condamnée par préférence, pour beaucoup de raisons géographiques, politiques, stratégiques, comme l'ont, à l'avance, montré les deux guerres mondiales. Elle tient donc à se donner une chance de subsister, et cela quel que soit et d'où que vienne le péril qui la menacerait ».

« Pourquoi », demande Eisenhower, « doutez-vous que les États-Unis confondent leur sort avec celui de l'Europe ? » Je réponds : « Si l'Europe, roulant au malheur, devait être un jour tout entière conquise par vos rivaux, il est vrai que les États-Unis seraient bientôt mal en point. Aussi l'idéologie, qui suivant l'usage recouvre des intérêts vitaux, s'appelle-t-elle aujourd'hui pour vous : « cause de la liberté » et « solidarité atlantique ». Mais, entre le début et la fin du compte, qu'adviendrait-il de mon pays ? Au cours des deux guerres mondiales, les Etats-Unis furent les alliés de la France et celle-ci — vous venez d'en avoir la preuve en remontant les Champs-Élysées — n'oublie pas ce qu'elle a dû à leur concours. Mais elle n'oublie pas non plus que, pendant la Première, celui-ci ne lui est venu qu'après trois longues années d'épreuves qui faillirent lui être mortelles et que, pendant la Seconde, elle avait été écrasée avant votre intervention. Dans cette constatation, ne voyez pas, de ma part, le moindre reproche. Car je sais, comme vous-même le savez, ce qu'est un État, avec sa géographie, ses intérêts, son régime, son opinion publique, ses passions, ses craintes, ses erreurs. Il peut en aider un autre, non point s'identifier à lui. Voilà pourquoi, bien que fidèle à notre alliance, je n'admets pas, pour la France, l'intégration dans l'O.T.A.N. Quant à harmoniser — si l'on ose appliquer ce mot céleste à cet infernal sujet — l'emploi éventuel de nos bombes et celui des vôtres autant que ce serait possible, nous pourrions le faire dans le cadre de la coopération directe des trois puissances atomiques que je vous ai proposée. En attendant que vous l'acceptiez, nous garderons entière, nous comme vous, la liberté d'initiative ».

« Mais », objecte le Président, « étant donné le coût de cette sorte d'armements, la France ne pourra pas, à beaucoup près, atteindre au niveau soviétique. Dès lors, quelle sera la valeur de sa propre dissuasion ? » — « Vous savez bien », lui dis-je, « qu'à l'échelle des mégatonnes, il ne faudrait que quelques volées de bombes pour démolir n'importe quel pays. Afin que notre dissuasion puisse être efficace, il nous suffit d'avoir de quoi tuer l'adversaire une fois, même s'il possède les moyens de nous tuer dix fois ». Nous nous quittons, Eisenhower et moi, ayant ainsi mis les choses au point sur ce qu'est et doit demeurer l'alliance franco-américaine. Par la suite, l'action menée par la France pour s'armer à sa guise et sortir de l'intégration lui vaudra maints reproches et invectives de la part de beaucoup de milieux américains, mais ne donnera jamais lieu à rupture, ni même à brouille, entre les deux gouvernements.

Le 13 février 1960, la première bombe atomique française est expérimentée avec succès à Reggan. L'événement a été précédé, sur le plan international, par toutes sortes de mises en garde inspirées par les Anglo-Saxons et portant sur les dangers de contamination atmosphérique que ferait courir l'explosion. Ainsi l'O.N.U. nous avait-elle sommés d'y renoncer. Ainsi plusieurs gouvernements africains protestaient-ils contre l'utilisation du Sahara pour ces expériences. Ainsi le Nigéria allait-il jusqu'à rompre les relations. Nous avions assisté, en marquant quelque ironie, à cette coalition d'alarmes de la part de tant d'États qui avaient vu, sans montrer aucune indignation, Américains, Britanniques, Soviétiques, procéder déjà à quelque deux cents explosions. Mais, le fait étant accompli par nous avec toutes les précautions possibles et sans qu'en soit résultée la mort de personne, les émotions s'apaisent bientôt. Reste la preuve donnée par la France qu'elle a su — puisque, hélas ! il le fallait — accomplir par ses seuls moyens et sans nul concours extérieur la série d'exploits scientifiques, techniques et industriels que représente l'aboutissement et que, décidément, elle reprend son indépendance.

Cet avènement de notre pays au domaine suprême de la force, s'il dérange les données du jeu de Washington, ne manque pas d'éveiller à Londres, sinon de la satisfaction, tout au moins beaucoup d'intérêt. Au milieu de l'univers, tel qu'il évolue, l'Angleterre est inquiète et mélancolique. La victoire, que le monde libre n'a remportée que grâce au courage de son peuple, l'a pourtant effacée du premier rang. L'immense Empire, qui faisait sa puissance, s'en est allé morceau par morceau. La mer, où elle régnait, est maintenant dominée par d'autres. Son économie, ses finances, sa monnaie, ont perdu leur prépondérance. Depuis les jours de détresse où, pour n'être pas engloutie en dépit de ses sacrifices, il lui fallut le prêt-bail accordé par Roosevelt, elle se trouve placée sous l'hégémonie américaine. Alors qu'elle aurait besoin de la paix et du temps pour s'adapter, à l'intérieur d'elle-même, aux conditions d'une époque bouleversée, elle voit la race des hommes déchirée sous un ciel chargé d'orages. Bref, sa situation lui semble injuste et alarmante. Mais, comme elle n'a pas cessé d'être ambitieuse et entreprenante, elle cherche de quel côté, de quelle façon, avec quels appuis, s'ouvrir une carrière nouvelle. Deux voies lui sont accessibles. L'une est l'acceptation définitive de la suprématie américaine qui, dès à présent, en échange de sa docilité, lui découvre les secrets nucléaires, l'aide à maintenir ses liens économiques avec ses anciens dominions, lui permet de conserver des bases sur les océans : Singapour, Hong-kong, Aden, Bahrein, Trinidad, Chypre, Tobrouk, Malte, Gibraltar. L'autre la mène vers l'Europe, qu'elle a toujours, jusqu'alors, travaillé à diviser, mais dont aujourd'hui l'union, si elle y participait en acceptant certaines entraves, pourrait assurer un rôle éminent à sa valeur et à son expérience.

Ce danger suspendu et ce dilemme posé hantent l'esprit du Premier britannique. Au cours des nombreux entretiens que nous avons à cette époque, il ne me dissimule pas son anxiété et sa perplexité. Du reste, nous sommes des amis, depuis la période de la guerre où, ministre de Churchill, il était auprès de moi et de mon « Comité » d'Alger. Ces souvenirs, joints à l'estime que j'ai pour son caractère, ainsi qu'à l'intérêt et à l'agrément que me procure sa compagnie, font que je l'écoute avec confiance et lui parle avec sincérité. Et puis, j'admire l'Angleterre, toujours jeune dans sa vieille ordonnance, grâce à son génie d'adapter le moderne au traditionnel, inébranlable quand le danger atteint le paroxysme et qui l'a récemment prouvé pour son salut et celui de l'Europe. Sitôt revenu au pouvoir, j'ai, d'ailleurs, tenu à marquer mes sentiments en recevant, pour lui remettre la Croix de la libération, Churchill vieilli mais fidèle à l'Histoire qui nous a réunis. Harold MacMillan me trouve donc disposé à m'accorder avec lui, dès lors qu'il serait possible à son pays et au mien de marcher sur la même route.

C'est le cas pour ce qui concerne la détente avec les Soviétiques. Sur ce sujet, en effet, le gouvernement britannique me paraît bien orienté, à la condition toutefois qu'il ne pousse pas la conciliation jusqu'à admettre l'abandon. Dès 1955, Khrouchtchev avait pu venir à Londres en voyage d'exploration. En février 1959, MacMillan lui avait fait une visite qui montrait sa bonne volonté et d'autant plus que les foucades de son hôte lui rendaient le contact assez pénible. Parmi les interlocuteurs qui, maintenant, envisagent avec moi la perspective d'une Troisième Guerre mondiale, aucun n'en ressent plus d'horreur que le Premier ministre anglais, convaincu que son pays, tout insulaire qu'il soit, risquerait fort d'y sombrer corps et biens. Aussi est-il peu favorable aux griefs de l'Allemagne, réservé quant aux mesures à prendre pour briser, le cas échéant, un nouveau blocus de Berlin, froid à l'égard de la tendance à « refouler » les Soviets que manifeste épisodiquement la politique américaine.

Mais c'est de l'Europe qu'Harold MacMillan m'entretient le plus souvent. Vis-à-vis de l'ébauche d'union que représente le Marché commun, il a d'abord pris une attitude passionnément hostile. Ensuite, son gouvernement s'est efforcé d'amener l'Organisation de Bruxelles à s'élargir, c'est-à-dire à se dissoudre, dans un libre-échange général. Faute d'y avoir réussi, les Anglais ont alors paru se contenter de dresser en face du groupe des Six une association des Sept. Plus tard, ils poseront carrément leur candidature à un siège de la Communauté. Pourtant, quelles que soient ces apparentes fluctuations, MacMillan ne me cache à aucun moment que, pour la Grande-Bretagne, il s'agit de choisir son destin et que lui-même a pris parti pour l'union avec le Continent. Sans doute sait-il quels obstacles il faut franchir pour y parvenir. Mais il affirme pouvoir surmonter ceux qui se dressent du côté britannique et m'adjure d'abaisser les barrières du côté de la Communauté.

« La question économique présente, certes, des difficultés », me répète le Premier ministre. « Mais ce qui l'emporte et me détermine moi-même, c'est la suite politique de cette opération. Croyez-moi ! Nous ne sommes plus l'Angleterre de la Reine Victoria, de Kipling, du « British Empire », du « splendide isolement ». Chez nous, beaucoup de gens, en particulier dans la jeunesse, sentent qu'il nous faut faire une autre Histoire que celle-là. Les guerres mondiales nous ont montré à quel point nous sommes solidaires de ce qui se passe, non seulement comme autrefois sur le Rhin et dans les Alpes, mais désormais sur le Danube, la Vistule, même la Volga. Or, le drame récent, qui a fait apparaître l'énorme bloc soviétique et affaibli les autres puissances de notre Ancien Monde, nous met tous, Occidentaux d'Europe, dans une situation en permanence dangereuse. Il faut rétablir l'équilibre. Certes, pour le moment, la présence américaine nous garantit l'essentiel. Mais on peut douter qu'elle doive durer indéfiniment. D'autre part, il en résulte pour les Européens une pénible sujétion, à laquelle vous, Français, voudriez vous soustraire et que nous, Anglais, supportons malaisément. Rassemblons l'Europe, mon cher ami ! Nous sommes trois hommes qui pouvons le faire ensemble : vous, moi et Adenauer. Au cas où, pour le temps où tous les trois nous nous trouvons en vie et au pouvoir, nous laisserions passer cette occasion historique, Dieu sait si, quand et à qui elle se représentera jamais ! »

Ce langage a de quoi m'émouvoir. Nul n'est plus convaincu que moi qu'il serait du plus grand intérêt que l'Angleterre fît partie d'un groupement organisé et indépendant des États occidentaux d'Europe et que l'évolution qu'elle accomplirait dans ce sens serait hautement satisfaisante. Mais est-elle actuellement en mesure de s'imposer à elle-même les contraintes nécessaires à une adhésion aussi contraire à ce que fut, de tous temps, sa nature et à ce que sont, aujourd'hui encore, les conditions de son existence ? Or, pour qu'une construction puisse tenir, il lui faut des bases solides et non pas seulement les bonnes intentions de ses dessinateurs. « Au point de vue économique », dis-je au Premier ministre, « vous, les Britanniques, dont l'activité repose principalement sur de larges échanges avec les États-Unis et sur un système de ventes et d'achats préférentiels avec le Commonwealth, accepteriez-vous vraiment de vous enfermer avec les Continentaux dans un tarif extérieur qui contrarierait gravement votre commerce américain et exclurait vos anciens dominions et vos colonies d'hier ? Vous, qui mangez pour pas cher le blé du Canada, les moutons de Nouvelle-Zélande, les bœufs et les pommes de terre d'Irlande, le beurre, les fruits, les légumes, d'Australie, le sucre de la Jamaïque, etc., consentiriez-vous à vous nourrir des produits agricoles continentaux, en particulier français, nécessairement plus coûteux ? Vous, dont la monnaie est celle de la vaste zone sterling, comment la débarrasseriezvous des hypothèques, dettes et obligations que comporte ce caractère international, pour la ramener au rang modeste d'une bonne livre simplement anglaise ? »

MacMillan reconnaît que le Marché commun aurait des concessions à faire et, qu'en outre, il faudrait une longue période de transition. « Ces concessions accordées et cette transition passée », lui dis-je, « que resterait-il de la Communauté ? Or, à quoi bon vous joindre à elle si cela revient à la détruire ? Vaut-il pas mieux attendre que, de votre côté, vous vous soyez mis en état d'en faire partie telle qu'elle est ? D'ailleurs, n'en serait-il pas de même pour une union politique ? Celle-ci ne pourrait, en effet, avoir de raison d'être et de ressort que si elle organisait une Europe européenne, présentement alliée, il est vrai, avec les États-Unis, mais ayant sa politique et sa défense à elle. Or, étant donné les liens privilégiés qui vous attachent à l'Amérique, viendriez-vous à une telle Europe ou, si vous y veniez, serait-ce pas pour qu'elle s'intègre et se noie dans quelque atlantisme ? » Le Premier ministre proteste, à coup sûr très sincèrement, de sa volonté d'indépendance européenne. Mais rien n'indique qu'il soit résolu à en tirer les conséquences vis-à-vis des États-Unis.

MacMillan et moi passerons ensemble beaucoup d'heures, que nous soyons seul à seul, ou secondés par nos ministres : pour lui les distingués Douglas Home puis Selwyn Lloyd, et le très avisé Edward Heath, pour moi Debré et Couve de Murville toujours précis et assurés. Nous traiterons de ce grand sujet à Paris, à Londres, à Rambouillet, dans sa propriété de Birchgrove, au château de Champs, sans que je parvienne à croire, malgré le désir que j'en ai, que son pays soit prêt à devenir l'Angleterre nouvelle qui s'amarrerait au Continent. Plus tard, un jour viendra où un certain accord spécial, concernant la fourniture de fusées américaines, précisant la subordination des moyens nucléaires britanniques et conclu séparément à Nassau avec John Kennedy, justifiera ma circonspection.

On n'en est pas là vers la fin de 1959, où dans le monde ce qui domine le jeu c'est la perspective de détente ouverte entre l'Est et l'Ouest par l'action de Nikita Khrouchtchev.

La visite prolongée, animée, colorée, qu'il a faite, en novembre, aux États-Unis, y a sans nul doute brisé la glace. Comme, pour les Américains, le parti communiste n'existe pratiquement pas chez eux, le passage du Premier soviétique dans leurs villes et leurs villages ne soulevait localement aucun remous politique. Au contraire, en raison de l'inquiétude causée par la tension internationale, sa présence aux côtés du Président semblait à tous satisfaisante. D'ailleurs, l'aspect du personnage, jovial et primesautier, n'avait rien qui pût alarmer. Son langage était rassurant qui célébrait la coexistence pacifique. Enfin, la volonté de concurrence, qu'il affichait en matière de production, de machinisme, de technique, de conquête de l'espace, paraissait inspirée par un esprit sportif de bon aloi. Dans ses conversations avec Eisenhower, n'avaient été traités, en dehors de lieux communs sur la paix, que des sujets qui importaient également aux deux pays et concernaient la manière de consolider leur monopole nucléaire. A la suite de cette tournée, l'idée d'une Conférence au sommet des quatre Grands se présente à tous les esprits.

Sans être convaincu que les choses soient encore assez mûres, je ne puis me refuser de répondre au désir universel. Je m'en explique, le 10 novembre, devant la presse du monde entier. « Il semble », dis-je, « qu'après des années de tension internationale, se dessinent du côté soviétique quelques indices de détente ». Puis j'en donne les raisons : certitude, du côté russe, qu'un conflit aboutirait à l'anéantissement général ; moindre virulence à l'intérieur du régime communiste sous la poussée profonde du peuple qui souhaite une vie meilleure et la liberté ; tendances nationales centrifuges dans les pays satellisés que Moscou régit sans les avoir acquis ; enfin, ascension de la Chine. « Devant celle-ci, la Russie soviétique constate que rien ne peut faire qu'elle-même ne soit la Russie, nation blanche de l'Europe, conquérante d'une partie de l'Asie, en somme fort bien dotée en terres, mines, usines et richesses, en face de la multitude jaune, innombrable et misérable, indestructible et ambitieuse, bâtissant à force d'épreuves une puissance qu'on ne peut mesurer et regardant autour d'elle les étendues sur lesquelles il lui faudra se répandre un jour ». Enfin et « peut-être surtout », j'attribue le début de la nouvelle orientation du Kremlin à « la personnalité du chef actuel de la Russie soviétique, discernant, qu'à l'échelon suprême des responsabilités, le service rendu à l'Homme, à sa condition, à sa paix, est le réalisme le plus réaliste, la politique la plus politique ». J'observe alors « que de cet ensemble est sortie l'idée d'une conférence des chefs des Etats ayant des responsabilités mondiales ; que, sur le principe d'une telle réunion, il n'y a d'aucun côté aucune opposition ; que la France y est favorable ; mais que, justement parce qu'elle souhaite que la rencontre aboutisse à quelque chose de positif, elle croit nécessaire de ne pas se hâter ». Je précise : « S'il s'agissait simplement d'organiser entre quatre ou cinq présidents un concert d'assurances mutuelles de bonne volonté et d'effusions réciproques,... la Conférence au sommet présenterait peu d'avantages. Mais, si l'on estime au contraire qu'un pareil aréopage devrait ouvrir la voie au règlement pratique des problèmes qui étreignent l'univers : course aux armements, misère des pays sous-développés, immixtion dans les affaires des autres, destin de l'Allemagne, situation dangereuse en Orient, en Afrique, en Asie, alors, avant de se réunir, des conditions doivent être remplies ». Je les énumère : « Amélioration des relations internationales à poursuivre au cours des prochains mois ; entente préalable des chefs d'État occidentaux qui auraient à participer à la future conférence Est-Ouest ; contact personnel de M. Khrouchtchev avec moi-même, avec M. Debré et avec notre gouvernement, afin que la Russie et la France s'expliquent directement l'une avec l'autre sur les problèmes du monde ». J'annonce que, d'ailleurs, « M. Khrouchtchev sera en France au mois de mars ». Je conclus : « Il semble donc que se prépare, en vertu des impondérables, autant que des désirs des dirigeants, une sorte de confrontation du monde moderne avec lui-même. Cette échéance, nous l'abordons avec foi et avec espérance, quoique non sans prudence et non sans modestie ».

Le 19 décembre, je réunis à Paris autour de moi Eisen-

hower, MacMillan et Adenauer. Nous nous transportons
ensuite à Rambouillet. Cette conférence occidentale est
double. Elle se déroule, tantôt à trois partenaires : le
Français, l'Américain, l'Anglais ; tantôt à quatre quand
l'Allemand y est introduit. En outre, dans toutes les
réunions, Debré est à mes côtés. Ce qui s'y passe n'est pas de
nature à dissiper mes appréhensions. En effet, les Anglo-
Saxons se montrent fort indécis. Non point, bien entendu,
quant à l'invitation à adresser à Khrouchtchev. Car, sur ce
point, l'opinion publique étant saisie et très intéressée, il
n'est pas, dans ces démocraties, question de la décevoir.
Mais quel programme va-t-on proposer au Kremlin ?
Quand j'indique que deux sujets s'imposent : l'Allemagne
et le désarmement, et qu'un troisième : l'aide à fournir aux
pays sous-développés, pourrait permettre d'amorcer avec
les Russes un commencement de coopération, on ne me
contredit pas. Mais les entretiens font voir que, sur chacun
de ces problèmes, la position de Washington et de Londres
n'est pas solidement fixée.

En ce qui concerne Berlin, Eisenhower et MacMillan
penchent pour un compromis, sans d'ailleurs dessiner lequel.
Le Président et le Premier ministre croient que Khrouchtchev, malgré ses airs bien intentionnés, est réellement
résolu à obtenir que la ville soit coupée de l'Ouest et, s'il le
faut, à passer aux actes. Ils admettent que, dans ce cas
extrême, il y aurait des mesures à prendre. Mais ils
ne sont aucunement prêts à les définir et ne cachent pas
que, le cas échéant, ils le seraient encore moins à les pres-
crire. Au fond, tous deux inclinent à faire tout pour éviter
le pire. MacMillan, en particulier, déclare avec émotion qu'il
n'envisage pas que lui-même, pour le simple motif de la
destination — déjà fort hypothéquée — d'une ville germanique, puisse assumer la responsabilité de conduire son
pays à une épouvantable destruction. Quant à moi,
j'estime au contraire que, si l'on cède à la menace, l'équilibre
psychologique sera rompu. Alors, la pente naturelle des
choses entraînera les Soviétiques à exiger toujours davantage et les Occidentaux à ajouter sans cesse à leurs
concessions, jusqu'au moment où, le recul devenant inac-

ceptable pour ceux-ci et la conciliation impossible pour
ceux-là, se produira la déflagration. « Vous ne voulez pas
mourir pour Berlin », dis-je à mes deux amis, « mais soyez
sûrs que les Russes ne le veulent pas non plus. S'ils nous
voient déterminés à maintenir le *statu quo*, pourquoi iraient-
ils prendre l'initiative du choc et du chaos ? D'ailleurs,
même si notre éventuel laisser-aller n'aboutissait pas, dans
l'immédiat, à une aggravation générale de la crise, la conséquence en serait sans doute la défection de l'Allemagne,
qui irait chercher à l'Est un avenir qu'elle désespérerait de
se voir garantir à l'Ouest ». Tout justement, Adenauer,
qui n'assiste naturellement pas à ces tergiversations, mais
qui sait à quoi s'en tenir sur l'état d'esprit des dirigeants
américains et britanniques, vient conférer avec moi pour
m'adjurer de faire barrage à l'abandon. Invité à s'expliquer
en réunion, il déclare : « Si Berlin devait être perdu, ma
situation politique deviendrait aussitôt intenable. A
Bonn, ce sont les socialistes qui prendraient le pouvoir. Ils
iraient à un arrangement direct avec Moscou et c'en serait
fini de l'Europe ! » L'angoisse, peut-être excessive mais
certainement sincère, du Chancelier et mes propres observations réchauffent un peu la fermeté, sans toutefois que
rien de précis ne soit arrêté pour le cas où, au sommet,
Khrouchtchev exigerait le règlement de l'affaire.

Pas plus nettement n'est tracée la position commune à
prendre à propos du désarmement. Tandis qu'Eisenhower,
appuyé par MacMillan, voudrait que la future Conférence
scellât l'accord russo-américain en gestation sur l'arrêt des
expériences atomiques, l'interdiction à faire aux États qui
n'ont pas de bombes d'en fabriquer ou d'en acquérir, bref
l'affirmation définitive du privilège des deux géants, je
réserve entièrement à cet égard la liberté d'action de la
France. Inversement, ma proposition de mettre en avant la
destruction contrôlée des véhicules de lancement est trop
éloignée des intentions des États-Unis pour que leur Président la fasse sienne à ce stade.

Enfin, l'idée française de créer à quatre : Washington,
Londres, Paris et Moscou, pour le progrès des pays en voie
de développement, une organisation commune à laquelle

chacun apporterait d'office un certain pourcentage de son
revenu national soulève des appréhensions du côté des
Américains, qui redoutent de voir le Kremlin s'immiscer,
sous ce couvert, dans leurs opérations d'assistance. Même
notre projet de concentrer l'action commune sur des objectifs bien déterminés, par exemple : la mise en valeur de la
vallée du Nil, l'alimentation de l'Inde, la lutte contre le
cancer ou la leucémie, n'emporte pas leur adhésion. En fin
de compte, on se sépare en pleine cordialité, mais sans que
soit levée l'incertitude sur ce qu'on devrait dire d'une seule
voix au Premier soviétique, ni même sur un ordre du jour
à proposer pour la Conférence. Il est simplement entendu,
à la demande d'Eisenhower, que si Khrouchtchev en est
d'accord celle-ci aura lieu à Paris.

Le 23 mars 1960, à Orly, les micros diffusent les paroles
que j'adresse au Chef du gouvernement soviétique, le premier qui soit reçu en France : « Vous voilà donc, Monsieur
le Président ! » Je souligne qu'en sa personne nous accueillons le dirigeant d'un grand pays dont le peuple fut, de
tout temps, l'ami du peuple français, qui a été notre allié
dans les deux guerres mondiales, qui a, par sa valeur et ses
sacrifices, assuré la victoire finale et qui est, aujourd'hui,
indispensable à la paix. Sur le parcours jusqu'au Quai
d'Orsay, le public, assez nombreux, regarde passer notre
hôte avec curiosité. Cette réserve relative fait contraste
avec les démonstrations bruyantes de quelques groupes
de communistes disposés de place en place. Par la suite, à
mesure du séjour, l'atmosphère de Paris se réchauffera
notablement. D'ailleurs, Khrouchtchev fait de grands
efforts pour qu'il en soit ainsi. Se donnant l'allure bon
enfant, il est venu en famille avec Madame Khrouchtchev,
leur fils, leurs deux filles et leur gendre. Partout, il paraît
chaleureux, alerte et preste malgré son embonpoint, pro-
diguant les rires et les gestes de la cordialité. Après trois
jours passés dans la capitale, où se déroule l'habituel programme des entretiens, réceptions et repas officiels ; des
cérémonies publiques : Arc de Triomphe, Hôtel de Ville,
Mont Valérien ; des visites : Versailles, maison de Lénine,
usine de Flins, Centre atomique de Saclay, Chambre de

commerce, etc., le Président, accompagné successivement
par Louis Joxe, Louis Jacquinot et Jean-Marcel Jeanneney,
se rend à Bordeaux, Lacq, Arles, Nîmes, Marseille, Dijon,
Verdun, Reims, Rouen. Car j'ai tenu à ce qu'il aille et
qu'on le voie en province. Là, comme à Paris, il se montre
dispos, pittoresque, principalement intéressé par les techniques et les rendements et ne manquant jamais, devant
ce qu'on lui fait voir, de proclamer les réussites soviétiques.
Enfin, Rambouillet l'attend, où nous passerons deux jours
studieux au milieu des nôtres, lui et moi conférant à loisir,
tandis que ma femme fait visiter aux dames russes les
sites de l'Ile-de-France.

A l'Élysée et à Rambouillet, nous trouvant longtemps
ensemble, nous parlons beaucoup, mais non pas pour ne rien
dire. Je mets, tout de suite, les points sur les i : « Je ne vois
en vous que le Chef du gouvernement actuel de la Russie.
Veuillez ne voir en moi que le Président de la République
française. Nous ne discuterons donc que des intérêts
nationaux de nos deux pays et des moyens de les accorder ».
— « Vous avez raison », me répond-il. « D'ailleurs, je ne suis
pas venu pour autre chose et je sais à qui j'ai affaire ». Les
sujets de nos entretiens et des réunions que nous tiendrons
avec nos ministres : Kossyguine et Gromyko d'une part,
Debré et Couve de Murville d'autre part, et avec les ambassadeurs Vinogradov et Dejean, n'ont rien qui n'ait été
prévu et, s'ils révèlent maintes divergences, ne provo-
queront pas de choc. Au reste, Khrouchtchev, qui cause
très volontiers, est dans la conversation détendu et désin-
volte, surtout quand — n'étaient les interprètes — nous
nous trouvons seul à seul. Pour grandes que soient les différences d'origine, de formation, de conviction, il s'établira
entre nous un réel contact d'homme à homme.

Sur le compte de l'Allemagne, mon interlocuteur étale
une méfiance passionnée. Cela tient, certes, au souvenir
toujours brûlant des invasions germaniques au cours des
deux guerres mondiales, des malheurs où faillit s'abîmer la
Russie, des dangers mortels qu'y a courus le régime des
Soviets et des affreuses épreuves infligées à la population.
Mais il y a là, aussi, une attitude politique bien calculée.

Pour justifier le maintien de la situation imposée par
Moscou au Centre et à l'Est de l'Europe grâce au consentement accordé à Yalta par les Anglo-Saxons, le postulat du
« revanchisme » allemand est, en effet, nécessaire. Quand je
fais observer à Khrouchtchev qu'il n'y a plus aucun rapport
entre la puissance relative du Reich d'Hitler et celle de la
République fédérale et que la capacité militaire, économique, politique, de la Russie d'aujourd'hui n'a rien de
comparable à ce qu'elle était autrefois, il en convient évidemment, mais affirme que la menace demeure parce que le
Gouvernement de Bonn entretient l'antisoviétisme parmi
les Occidentaux et qu'ainsi l'incendie risque de s'allumer à
tout moment. C'est pourquoi la division de l'Allemagne en
deux États est indispensable. « Après tout », me déclare
Khrouchtchev, « cette division est aussi dans l'intérêt de la
France, qui a payé cher l'unité germanique. Pourquoi donc
ne reconnaissez-vous pas la République de Pankow ? »

Je relève qu'en effet mon pays, qui a terriblement souffert des agressions de l'Allemagne, est par excellence habi-
lité à décider des précautions à prendre à son égard. Je rappelle à Khrouchtchev — qui m'avait été présenté à Moscou
en 1944 — quelle solution j'avais alors proposée à Staline
et qui consistait, sans briser le peuple allemand, à le
ramener à la structure politique qui lui était naturelle et
dans laquelle il avait vécu jusqu'à ce que la Prusse fît
l'Empire à la faveur d'une défaite de la France. Chaque
région, en tant qu'État, eût recouvré son ancienne autonomie. Toutes, à égalité, auraient organisé leur Confédération, à l'exclusion d'un Reich centralisé. Quant au contrôle
international, au lieu qu'il fût réparti en zones séparées,
il eût été établi en commun par les vainqueurs et se
serait exercé notamment sur le Bassin de la Ruhr. Cela
aurait permis de prélever à leur source les réparations dont
l'Allemagne était redevable et de l'empêcher de se fabriquer
des armements dangereux. Un tel programme, si la Russie
et la France l'avaient fait leur, aurait été la base du
règlement. Mais Staline ne l'a pas voulu. Il a préféré se
servir lui-même, directement et largement, en arrachant au
corps allemand la Prusse et la Saxe pour y installer de force

un régime à sa dévotion et en laissant le reste à la discrétion de l'Ouest. Dès lors, comment éviter que la République fédérale, ulcérée et redoutant d'être un jour annexée à son tour, se constitue en un État unitaire, fasse de la réunification le but de sa politique et entretienne à l'Occident la malveillance vis-à-vis des Soviets ? Quant à la France, qui a certes les meilleures raisons d'empêcher que son principal voisin ne redevienne belliqueux, mais aussi celles de coopérer continuellement avec lui, elle prend acte de ce qui est et elle fait en sorte que Bonn, encadré par un ensemble européen raisonnable, se lie à elle autant qu'il est possible.

« Je comprends votre position », me dit Khrouchtchev. « Mais soyez assuré que la République de l'Est continuera d'exister et ne sera jamais absorbée par celle de l'Ouest. Ne serait-il pas, de votre part, réaliste de vous mettre en relation avec la première aussi bien qu'avec la seconde ? D'autant mieux, qu'au fond, vous n'êtes certainement pas pressé de voir l'Allemagne rassemblée ». Revenant sur toutes les notes que Moscou a déjà adressées sur le sujet à Washington, à Londres et à Paris, il me déclare qu'il est temps de régler la question allemande en concluant formellement la paix avec les deux républiques. Au cas où sa proposition ne serait pas agréée, Moscou signerait séparément un traité avec Pankow. Alors, la souveraineté de Pankow devenant entière aux yeux du Gouvernement soviétique, celui-ci transmettrait à la République de l'Est le contrôle de sa frontière, ce qui entraînerait le changement complet du régime des communications entre la République fédérale et Berlin et soumettrait aux visas du gouvernement présidé par Walter Ulbricht les mouvements intéressant les troupes françaises, américaines et britanniques stationnées dans l'ancienne capitale. Au cas où ces conditions donneraient lieu, du côté des Occidentaux, à des actes de force contre la République de l'Est, son alliance avec l'Union Soviétique jouerait automatiquement. Le mieux à faire, pour éviter de graves complications, serait d'ériger Berlin-Ouest en une ville libre qu'évacueraient les forces des trois puissances de l'Ouest et qui réglerait elle-même avec Pankow les modalités de son existence. Moscou, pour sa part, est prêt à lui reconnaître ce caractère de ville libre. Mais les Occidentaux doivent se décider promptement, faute de quoi l'Union Soviétique, ne pouvant attendre davantage, agira unilatéralement.

M'enveloppant de glace, je fais comprendre à Khrouchtchev que la menace qu'il agite ne m'impressionne pas beaucoup. « Personne », lui dis-je, « ne saurait vous empêcher de signer ce que vous appelez un traité avec Pankow et qui ne sera rien d'autre qu'un papier rédigé entre communistes et que vous vous adresserez à vous-même. Mais, quand vous l'aurez fait, le problème allemand restera posé tout entier. D'ailleurs, les difficultés que votre initiative entraînerait pour les contingents français, américains et britanniques qui occupent Berlin, tout le monde saurait que c'est de vous qu'elles viendraient. Or, les trois puissances ne laisseront pas bafouer leurs troupes. Si cela mène à la guerre, ce sera bien par votre faute. Mais vous parlez à tous les échos de coexistence pacifique, vous blâmez chez vous rétrospectivement Staline, vous étiez, il y a trois mois, l'hôte d'Eisenhower, vous êtes, aujourd'hui, le mien. Si vous ne voulez pas la guerre, n'en prenez pas le chemin ! La question n'est pas de susciter des risques de se battre mais d'organiser la paix. A cet égard, je suis d'accord avec vous pour penser qu'il ne faut pas que l'Allemagne se retrouve en état de nuire, que ses actuelles frontières ne sauraient être remises en cause et qu'elle ne doit disposer d'aucun armement atomique. Mais reconnaissez avec moi que rien, non plus, ne serait acquis au point de vue de la paix, tant que ce grand peuple subirait une situation nationale insupportable. La solution, nous devons la chercher, non point en dressant face à face deux blocs monolithiques, mais au contraire en mettant en œuvre successivement la détente, l'entente et la coopération dans le cadre de notre Continent. Nous créerons ainsi entre Européens, depuis l'Atlantique jusqu'à l'Oural, des rapports, des liens, une atmosphère, qui d'abord ôteront leur virulence aux problèmes allemands, y compris celui de Berlin, ensuite conduiront la République fédérale et votre République de l'Est à se rapprocher et à se conjuguer, enfin tiendront l'ensemble germanique encadré dans une Europe de paix et de progrès où il pourra faire une carrière nouvelle ».

Ces perspectives semblent intéresser Khrouchtchev. Radouci, il se dit très disposé à la détente et affirme même que son projet de traité ne vise qu'à la favoriser. En tout cas, il ne précipitera rien et est prêt, avant de conclure, à laisser passer un délai de deux ans. Quant à la coopération européenne, il veut y travailler et, pour commencer, mettre en route des échanges de toutes sortes entre la Russie et la France. Cependant, il me met en garde contre toute illusion au sujet de l'Allemagne. « Qui vous dit », me demande-t-il, « que la République de l'Est n'absorbera jamais celle de l'Ouest ? Et qui vous dit, qu'un jour, le Gouvernement de Bonn ne s'accordera pas directement avec l'Union Soviétique ? » Je lui réponds que, s'il arrivait que le peuple allemand changeât de camp, l'équilibre en Europe serait rompu, et c'est alors qu'on verrait accourir la guerre. « Lénine, Staline, vous-même, chefs historiques du bolchevisme russe, qu'étiez-vous ? » demandé-je à Khrouchtchev, « sinon les disciples du Prussien-Rhénan Karl Marx ? A quelles extrémités d'impérialisme et de tyrannie la Russie totalitaire pourrait-elle être entraînée, le jour où elle ferait corps avec une Allemagne tout entière communisée et possédée par ses instincts de conquête et de domination ? »

Khrouchtchev s'applique à me démontrer que, partout, l'action de son gouvernement est résolument pacifique. Il en donne pour preuves les bonnes relations qu'il a rétablies avec l'Inde, la Turquie, l'Iran, après la tension de l'époque stalinienne. S'il fournit un concours important à certains États, qui pourtant ne sont pas communistes, tels, en Orient : l'Egypte ; en Afrique : le Ghana, la Guinée, la Somalie ; en Asie : l'Afghanistan, le Pakistan, l'Indonésie, ce n'est pas par tentation d'impérialisme ou d'idéologie, mais parce qu'il n'y a pas de raison pour les laisser à la discrétion des États-Unis, ce qui est, suivant lui, le cas pour l'Amérique latine et, en ce moment même, pour le Congo-Léopoldville. Sur ma remarque que le Gouvernement de Paris consacre au tiers-monde une part de son revenu national qui est relativement la plus forte parmi tous les

pays de l'univers, qu'il n'admet pas que d'autres y contra-
rient son œuvre et qu'il condamne, en particulier, les rapports que Moscou entretient avec le Comité de Ferhat
Abbas, le Premier soviétique proteste de son respect pour
l'action et l'influence mondiales de la France, affirme qu'il
n'a, avec l'organisation algérienne, que « des relations de
circonstance », qu'enfin, depuis ma déclaration de septembre sur l'autodétermination, il est convaincu que la
France résoudra le problème.

Aux questions que je lui pose sur la Chine et sur Mao-Tse-
Toung, il répond avec un optimisme évidemment simulé :
« Tout va très bien entre Moscou et Pékin. Certes, beaucoup de gens croient que l'immense population chinoise,
n'ayant chez elle ni assez de place ni assez de ressources,
en cherchera tôt ou tard chez ses voisins et qu'il y aura
conflit avec la Russie soviétique, dont les terres immenses
de Sibérie et d'Asie centrale sont limitrophes de ce pays
sur 6 000 kilomètres. Mais ceux qui font ces prédictions
ne tiennent pas compte des possibilités offertes par le progrès moderne. En réalité, la Chine contient de vastes
régions désertiques et d'autres mal exploitées qu'il n'est que
d'irriguer, d'amender et de peupler pour les rendre fertiles.
D'ailleurs, l'industrialisation y est à peine commencée ; il
suffit qu'elle se développe pour procurer de quoi vivre à
des centaines de millions d'hommes. C'est dans ces vues
que nous, Russes, aidons la Chine de tous nos moyens.
Là aussi, nous travaillons pour la paix ».

« Peut-être le voulez-vous », dis-je. « Les Américains
déclarent le vouloir, eux aussi. Cependant, votre pays et
le leur se sont dotés d'une colossale puissance de destruction, qu'au surplus ils ne cessent pas d'accroître. Tant que
cette double menace de mort subite sera suspendue sur le
monde, comment y faire régner l'esprit de la paix ? » Avec
véhémence, Khrouchtchev m'expose la thèse que son gouvernement présente inlassablement à la Conférence de
Genève et qu'il m'a lui-même développée à travers un
fleuve de dialectique dans les nombreuses lettres et notes
qu'il m'a adressées depuis mon retour aux affaires. En bref,
il propose que soient détruites toutes les armes atomiques,

mais il s'oppose au contrôle, ce qui, bien évidemment, rendrait vaine l'interdiction. Mon opinion est que, sans manquer de condamner à grands cris les moyens de la terreur, il n'a garde de s'en dépouiller. Au demeurant, c'est là également la raison de l'attitude des Américains. J'indique que, du côté français, on ne s'y trompe pas. Cependant, pour le cas où il y aurait quelque sincérité dans ce qu'affectent les deux rivaux quant à leur intention de renoncer à ces instruments monstrueux de leur puissance, la France a pris une position que je rappelle au Premier soviétique. Tout en tenant pour nécessaire d'interdire sans aucune réserve la fabrication et la détention des projectiles nucléaires et d'organiser, à cet effet, un rigoureux contrôle international, nous soutenons, qu'à défaut de cette solution totale, tout au moins devraient être détruits — il serait possible de le constater sur place — les véhicules, quels qu'ils soient, qui peuvent porter et lancer les bombes.

Bien que notre proposition soit connue de lui depuis longtemps et que nous en ayons tous deux maintes fois traité par correspondance, Khrouchtchev paraît soudain la découvrir. Rentré à Moscou, il déclarera même publiquement que : « Les conceptions du général de Gaulle sur le désarmement répondent à celles de l'Union Soviétique ». Mais les choses n'iront pas plus loin ; les Russes et les Américains étant pareillement résolus à conserver l'écrasant argument de suprématie que leur assurent leurs engins et leurs explosifs et à s'accorder pour que les autres n'en aient pas.

A Khrouchtchev, comme récemment à Eisenhower, je donne à entendre que la France, qui veut être indépendante, n'entrera pas dans leur combinaison et se dotera elle aussi, dans la mesure de ses moyens, d'un armement nucléaire complet. Il se trouve tout justement que nous procédons, le 1er avril au Sahara, à notre deuxième expérience atomique. Le compte rendu de son succès me parvient à Rambouillet ce matin-là. Je l'annonce à Nikita Khrouchtchev, en ajoutant que je tiens à ce qu'il ne l'apprenne pas par les agences. Il me répond avec bonne grâce et une remarquable note humaine : «Merci de votre attention ! Je comprends votre joie. De notre côté, nous avons naguère éprouvé la même ». Puis, après un instant : « Mais, vous savez, c'est très cher ! »

Depuis le début de leur séjour en France, les dirigeants russes ont abondamment discuté avec les nôtres de la coopération pratique des deux pays. Le sujet vient en discussion dans une réunion plénière où Debré et Couve de Murville, Kossyguine et Gromyko font connaître les résultats de leurs négociations. Un important accord culturel et technique est conclu aussitôt. Mais, en matière économique, tout est à faire. En somme, la Russie, qui a de vastes besoins d'équipements industriels, s'offre à nous en acheter sur une grande échelle pourvu que nous lui passions des commandes d'une valeur équivalente. Or, ce sont des matières premières : minerais, charbon, pétrole, etc., qu'elle peut nous fournir surtout et pour lesquelles nos courants d'échanges fonctionnent actuellement dans d'autres directions. Nos interlocuteurs russes font, en outre, grand état des possibilités soviétiques quant aux ventes de produits finis, notamment de machines-outils, que jusqu'à présent nous trouvons ailleurs. De toute façon, il existe, pour les rapports commerciaux, de très notables perspectives d'accroissement. Mais cela implique que l'on surmonte beaucoup d'habitudes et de préjugés et que l'on organise en conséquence informations, études et contacts. C'est ce qui est décidé et le fait est, qu'à partir de là, les choses progresseront à un rythme qui ira en s'accélérant.

Avec beaucoup de chaleur, Alexis Kossyguine plaide pour qu'il en soit ainsi. Cet ingénieur, ministre du Plan, en impose par son intelligence, la connaissance approfondie qu'il a des ressources et des besoins de son pays, enfin la passion qui l'anime quand il vient à parler de la Sibérie qui est, à ses yeux, pour les Russes quelque chose comme ce que fut le Far-West pour les Américains. Khrouchtchev l'appuie dans ses exposés, mais, quand la conversation a cessé d'être officielle, ne lui ménage pas les railleries et les brocards. « Il travaille trop ! » déclare le Président. Au cours d'une promenade dans le parc, nous embarquons sur un canot amarré au bord d'une pièce d'eau. Khrouchtchev s'écrie : « Kossyguine ! A toi de ramer, comme toujours ! » L'interpellé saisit les avirons. En plaisantant, je demande au Premier soviétique : « Au fait, vous-même, quand travaillez-vous ? On publie constamment que vous êtes en voyage en Russie ou à l'étranger. On annonce sans cesse que vous accordez à toutes sortes de gens des entretiens prolongés. Quel temps vous reste-t-il pour les dossiers ? » Et Khrouchtchev : « Mais je ne travaille pas ! Un décret de notre Comité central prescrit qu'après soixante-cinq ans — j'en ai soixante-six — on n'exerce ses fonctions que six heures par jour et quatre jours par semaine. C'est tout juste assez pour mes voyages et mes audiences ». — « Comment, alors, se règlent les affaires ? » — « Elles n'ont pas besoin de moi. Le Plan les a réglées d'avance ! » Khrouchtchev ajoute, montrant Kossyguine qui pousse le bateau : « Le Plan ! C'est lui ! » Cela n'est-il dit que pour rire ? Ou bien est-ce que n'y transparaît pas quelque obscure rivalité d'hommes et d'attributions ?

Au terme de nos entretiens, le Premier soviétique me promet sa présence enthousiaste à la Conférence des Quatre et s'en remet à moi quant à la date, au lieu et au programme. Il me promet qu'à Moscou, où à son invitation j'ai, en principe, accepté de me rendre, je trouverai un magnifique accueil. Nous échangeons les cadeaux d'usage. Parmi les siens figure la miniature du fameux « Spoutnik ». Le dernier soir, pour faire compensation aux attitudes débonnaires qu'il a prises pendant son voyage, il prononce à la radio un discours de rigoureux doctrinaire communiste. Il repart le 3 avril, cordial et guilleret, me laissant, je dois le dire, impressionné par la force et le ressort de sa personnalité, disposé à croire, qu'en dépit de tout, la paix mondiale a des chances, l'Europe de l'avenir, et pensant que quelque chose d'important s'est produit, en profondeur, dans les relations séculaires de la Russie et de la France.

A mon tour d'aller voir les autres ! Le 5 avril 1960, la Grande-Bretagne me reçoit. Elle le fait avec grandeur. Tout y a été préparé de telle façon que la visite du général de Gaulle sorte de l'ordinaire. Évidemment, le Royaume-

Uni tient à montrer avec éclat qu'il n'oublie pas que la
France Libre resta fidèle à l'alliance, qu'il apprécie l'espèce
de performance historique que fut, à l'actif de la France
initialement taillée en pièces, la participation à toute la
guerre et à la victoire, qu'il considère avec estime le redressement national accompli par nous depuis deux ans. En
même temps, du côté des visiteurs français, en particulier
du mien, il ne sera pas fait un geste, ni prononcé un mot,
qui ne témoignent du respect que nous avons pour le
peuple britannique, de l'admiration que nous inspire la
façon dont il s'est conduit dans un drame où, soudain, tout
ne dépendait plus que de lui, de la confiance que nous
portons, pour l'avenir, à sa valeur et à son amitié. Cet
accord des sentiments fait que l'accueil prendra une signification très élevée et sans précédent.

La Reine Elizabeth donne le ton. C'est ainsi, qu'à notre
arrivée, où elle est venue avec le Prince Philip à la gare de
Victoria me recevoir ainsi que ma femme et ceux qui nous
accompagnent et où nous traversons Londres, elle et moi,
dans son carrosse découvert, la souveraine ne cesse d'en-
courager de la manière la plus ostensible, par des signes et
des sourires, l'enthousiasme de la foule massée le long du
parcours. C'est ainsi que, pour donner un cachet exceptionnel à la solennité du dîner et de la réception de Buckingham,
elle fait, pour la première fois, tirer autour du palais un
brillant feu d'artifice et, au milieu des illuminations, se
tient longuement au balcon à mes côtés devant l'énorme
foule qui nous acclame sur la place. C'est ainsi que, par son
ordre, à la soirée d'opéra de Covent Garden, la salle a été,
du haut en bas, tapissée d'œillets du printemps. C'est ainsi,
qu'au dîner que j'offre à l'ambassade de France la famille
royale tout entière est présente autour de la Reine. C'est
ainsi, qu'à son invitation, j'ai l'honneur inusité de passer
en revue sa garde. Ayant près de moi le Duc d'Edimbourg,
en présence des états-majors de l'armée, de la marine et de
l'aviation britanniques, je reçois le salut, parcours les rangs
et assiste au défilé de ce Corps, dont la tenue, l'allure et
l'ordonnance proclament le loyalisme, la discipline et la
tradition.

Dans les entretiens, officiels ou privés, que j'ai avec la souveraine à Buckingham où elle nous a, ma femme et moi, installés, il m'est donné de constater qu'elle est informée de tout, que les jugements qu'elle porte sur les gens et sur les événements sont aussi nets que réfléchis, qu'aucune personne n'est, plus qu'elle-même, pénétrée des soucis que comporte notre époque bouleversée. Comme elle me demande ce que je pense de son propre rôle face à tant d'incertitudes, je lui réponds : « A la place où Dieu vous a mise, soyez qui vous êtes, Madame ! Je veux dire quelqu'un par rapport à qui, en vertu de la légitimité, tout s'ordonne dans votre royaume, en qui votre peuple voit la patrie et qui, par sa présence et par sa dignité, l'aide à l'unité nationale ».

De l'équilibre et de la stabilité, qui sont les apanages politiques de la Grande-Bretagne, j'ai sous les yeux la preuve vivante quand je suis reçu par le Parlement. Dans le grand hall de Westminster sont réunis les lords, les députés aux Communes, les ministres, les principaux dignitaires, les plus hauts fonctionnaires, les représentants de l'économie, des syndicats, des universités, de la presse, etc., bref, tous ceux qui, en tous domaines, ont à conduire le pays. Après les discours de bienvenue du lord-chancelier et du « speaker » de la Chambre des Communes, je m'adresse à cette assemblée des plus éminents Britanniques. C'est, d'abord, pour rendre hommage à l'Angleterre qui, naguère, « héroïque et solitaire, assuma la liberté du monde ». Et de rappeler mon dernier passage sur la terre de Grande-Bretagne : « Quand, à partir de vos rivages, les armées de l'Occident reprenaient pied sur le sol de la France afin de libérer l'Europe, cet événement marquait l'éclatante réussite guerrière de votre royaume et du Commonwealth, glorifiait les efforts et les sacrifices que votre peuple avait prodigués dans les combats sur terre, sur mer et dans les airs, comme aux usines, aux mines, aux champs et aux bureaux, récompensait toutes les angoisses et toutes les larmes qu'il avait secrètement refoulées, décernait à Winston Churchill la gloire immortelle d'avoir été, dans la plus grande épreuve que l'Angleterre ait connue, son

chef, son inspirateur et celui de beaucoup d'autres ».
J'observe que : « Ce rôle exceptionnel au milieu de la
tempête, vous le devez, non seulement à vos profondes
qualités nationales, mais aussi à la valeur de vos institutions ». Suit l'éloge du régime politique britannique, que :
« sûrs de vous-mêmes, sans presque en avoir l'air, vous
pratiquez dans la liberté ». — « Si fortes », dis-je, « sont
chez vous la tradition, la loyauté, la règle du jeu, que votre
Gouvernement est tout naturellement doté de cohésion et
de durée ; que votre Parlement a, au long de chaque
législature, une majorité assurée ;... que vos pouvoirs,
exécutif et législatif, s'équilibrent et collaborent en quelque
sorte par définition... La preuve en est que quatre hommes
d'État seulement, mes amis : Sir Winston Churchill, Lord
Attlee, Sir Anthony Eden et M. Harold MacMillan —
lesquels sont, d'ailleurs, présents et côte à côte — ont
conduit vos affaires pendant vingt extraordinaires années ».
Je déclare alors que : « Cette Angleterre-là inspire confiance
à la France », et que : « Anglais et Français, assurés de ce
qu'ils valent, mais à l'abri du vertige qui, parfois, entraîne
les colosses et qu'eux-mêmes ont naguère éprouvé, sont
faits pour agir ensemble afin d'aider à construire la paix ».
Cette paix, j'en indique les conditions fondamentales :
réaliser le désarmement nucléaire, empêcher que s'élargis-
sent les séparations et que s'enveniment les blessures,
« y compris celles qu'a subies le peuple allemand », établir
l'entente et la coopération entre les deux parties de
l'Europe, organiser l'aide que les peuples qui ne manquent
de rien doivent fournir à ceux qui manquent de tout. Enfin,
ayant évoqué la réunion prochaine de la Conférence au
sommet, « qui aura tenu pour beaucoup à l'action du
Premier ministre M. Harold MacMillan » et où les Quatre
vont se rendre « dans l'état d'esprit de voyageurs qui entreprennent une navigation prolongée et difficile », j'affirme
que la France, en cette occasion, est aux côtés de l'Angleterre et je demande, pour conclure : « Quels peuples savent,
mieux que la France et la Grande-Bretagne, que rien ne
sauvera le monde, sinon ce dont elles sont par excellence
capables : la sagesse et la fermeté ? »

J'ai parlé en français et, d'après mon habitude, sans recourir à des notes. Beaucoup de mes auditeurs m'ont directement compris. Les autres ont suivi mon discours sur une traduction distribuée à l'avance. Il arrive qu'un détail calculé puisse compter dans une grave affaire. En tout cas, et bien que je n'aie pas dit un mot de la « Communauté européenne », mes propos sont accueillis par une grandiose approbation qui apparaît comme le signe du désir des Britanniques de s'accorder avec la France telle que, ce jour-là, elle s'est fait entendre et voir.

On ne saurait, non plus, interpréter autrement le concours et les vivats du peuple de Londres partout où je me rends, comme prévu, accompagné de Maurice Couve de Murville et de notre très bon ambassadeur Jean Chauvel : mausolée du Soldat inconnu, que les Anglais, suivant l'esprit nordique, ont creusé dans une abbaye et non pas, à la manière latine, exposé sur une place publique ; Hôpital Royal de Chelsea où, après que j'y eus passé en revue les invalides et les vétérans, nous reçoit le Gouvernement ; Guild Hall, qui sert de cadre traditionnel au banquet offert par le lord-maire Sir Edmund Stockdale, à des contacts avec les dirigeants de l'économie britannique et au défilé des cortèges folkloriques de la Cité ; Société franco-britannique, que me présente éloquemment son président Lord Harvey ; Institut et Lycée français, que je trouve en plein essor ; Carlton Garden, qui fut le siège de la France Libre et où je viens en pèlerinage au milieu d'une multitude débordant d'émotion ; Clarence House, où nous allons rendre visite à la Reine mère Elizabeth. C'est le même sentiment que m'exprime Harold MacMillan au cours de nos entretiens, ainsi que tous les ministres, les nombreux parlementaires et les multiples personnalités que je rencontre à mesure. Churchill — lumière qui s'éteint — assiste cependant aux réceptions et cérémonies. Comme je vais le voir dans sa demeure, il me répète : « Vive la France ! », les derniers mots que j'entendrai de lui.

Quelques jours après, c'est par le Canada que commence mon voyage en Amérique. Nous sommes à Ottawa le 19 avril. A deux reprises déjà, je m'étais rendu en visite

officielle dans ce pays. Voici quatre siècles, la France
l'avait mis au monde. Après deux cents ans d'admirables
efforts, elle s'en était éloignée pour cause d'épreuves européennes. Mais, de nos jours, par un véritable miracle de
fécondité et de fidélité, la substance française y demeure
très vivante sous la forme d'une population de cinq millions
d'habitants agglomérés dans le Québec sur les rives du
Saint-Laurent et de deux millions d'autres répartis dans
le reste du territoire. Lors de mes précédents passages, en
1944 et en 1945, l'appareil de la guerre couvrant tout, je
n'avais pu qu'entrevoir les réalités profondes qui font de la
Fédération canadienne un État perpétuellement mal à son
aise, ambigu et artificiel. Cette fois, je vais le discerner
nettement, quoique ce ne doive être encore que sous une
lumière tamisée.

Mon ami, le général Vannier, nous reçoit en sa qualité de
gouverneur-général. Sa personne est, au plus haut degré,
respectable et respectée. Il exerce sa fonction avec la plus
grande dignité et le plus complet loyalisme. Il déploie des
trésors de bonne grâce pour que tout nous semble normal
et bien en place. Mais, quoi qu'il puisse faire, les contradictions inhérentes à la Fédération ne manquent pas
d'apparaître. Lui-même, d'ailleurs, n'y échappe pas. Il fait
fonction de Chef de l'État, alors qu'il est nommé par la
Reine d'Angleterre et que, pourtant, le territoire se veut
exempt de toute dépendance. Il est, ainsi que sa femme,
entièrement français de souche, d'esprit, de goût, bien que
sa race ne se soit maintenue qu'en luttant sans relâche
contre toutes les formes d'oppression ou de séduction
déployées par les conquérants pour la réduire et la dissoudre. Il préside au destin d'un pays presque sans bornes
mais à peine peuplé, plein de ressources mais sans capitaux,
apparemment garanti dans sa sécurité par son immense
étendue, mais situé tout au long de l'océan Boréal face à la
côte sibérienne et russe allongée sur l'autre rive, tandis que
les États-Unis, limitrophes de son territoire sur cinq mille
kilomètres, débordent d'hommes, d'argent et de puissance.
Le Canada, sous la chaleur de son accueil et à travers le
spectacle du grand effort de son économie, ne peut me

dissimuler les hypothèques de sa structure et de sa situation.

C'est le cas pour la capitale fédérale. Dans les cérémonies
organisées en mon honneur, dans les réceptions qui ont lieu
au gouvernement-général, au parlement, à l'ambassade de
France où notre ambassadeur Francis Lacoste me présente
les personnalités, dans la séance du Conseil des ministres à
laquelle le Premier John Diefenbaker m'a prié de prendre
part, ainsi que Couve de Murville, il y a toujours, présent
et pesant, le fait que le Canada est séparé en deux Communautés ethniques radicalement différentes. Sans doute
s'accommode-t-on plus ou moins bien les uns des autres, en
raison des nécessités de l'existence sur le même espace
géographique, des souvenirs des deux guerres mondiales
où l'on avait vaillamment combattu ensemble et, d'ailleurs, en France seulement, des avances et prévenances
avec lesquelles, du côté canadien anglais, on traite les
personnalités politiques et intellectuelles qui, de l'autre
côté, se prêtent au jeu de la Fédération, enfin des intérêts
et des calculs qui, chez les Français, portent une partie de
la classe supérieure à pratiquer le système. Mais il est clair
qu'il y a là compromis entre des résignations, non point du
tout unité nationale.

John Diefenbaker m'entretient de ses soucis et de ses
projets. Dans la dualité des deux peuples qui cohabitent
sous son gouvernement, il affecte de voir surtout une question de langue que le bilinguisme devrait résoudre peu à
peu. Lui-même s'efforce de donner l'exemple en s'exprimant
par moments et à grand-peine en français. Pour contenir la
pénétration économique, technique et financière des États-
Unis, il voudrait que l'Europe et, notamment, la France
concourent le plus possible au développement du Canada
et se dit prêt à conclure à cette fin des accords avec Paris
et, même, à laisser la province du Québec le faire elle-même
pour ce qui la concerne. Enfin, la sécurité de son pays, qui au
surplus couvre au Nord sur d'immenses espaces le Continent
américain et doit subir en conséquence la mainmise militaire de Washington, préoccupe fort le Premier ministre.

Aussi est-ce sur le désarmement nucléaire qu'il fait porter l'essentiel de son action extérieure. Car, éventuellement, le ciel canadien serait le plus court chemin des projectiles stratégiques entre l'Union Soviétique et le Nouveau Monde par-dessus la région polaire et, d'autre part, en supprimant la menace, on pourrait se dégager de l'emprise des « Yankees ».

J'indique au Premier ministre que la France attache maintenant au Canada une importance considérable, par comparaison avec l'indifférence relative qu'elle lui a si souvent montrée. D'abord, son propre renouveau ramène son attention et ses sentiments vers le rameau d'elle-même qui s'y est maintenu et développé. Le sort du Québec et des populations françaises implantées dans d'autres provinces la touche, désormais, de très près. En outre, tout en étant l'amie et l'alliée des États-Unis, elle ne se soumet pas à leur hégémonie, qui risque d'entraîner pour le monde et pour eux de graves inconvénients. C'est pourquoi, pendant qu'elle-même s'en affranchit en Europe, elle trouverait bon qu'existent en Amérique des éléments qui fassent contre-poids. Elle est donc opposée à toute perspective d'absorption du Canada et envisage volontiers d'y accroître ses investissements industriels, techniques et culturels. Nous en concluons qu'il y a lieu de mettre en chantier des accords à ce sujet et j'invite le Premier ministre à venir en discuter à Paris. Enfin, pour ce qui est des armements nucléaires, je rappelle à Diefenbaker en quoi consiste la conception de la France. « Si, comme nous le proposons », lui dis-je, « étaient interdits, pour commencer, rampes, fusées, bombardiers, sous-marins, porteurs et lanceurs de bombes, la sécurité et, du coup, l'indépendance du Canada y trouveraient certainement leur compte. En dépit du conformisme atlantique qui vous lie à d'autres projets, je souhaite pour vous que vous souteniez le nôtre ». Pour conclure, je déclare au Premier ministre, dont les intentions sont certainement très estimables, que la France serait disposée à se rapprocher beaucoup de son pays. Mais, pour qu'elle le fasse de grand cœur et, d'ailleurs, pour que l'ensemble canadien ait le ressort et le poids voulus, il faudrait qu'il veuille et sache résoudre le problème posé par ses deux peuples, dont l'un est un peuple français qui doit, comme tout autre, pouvoir disposer de lui-même.

Telle est bien l'évidence qui paraît à Québec à travers fictions et précautions. Étant, là aussi, reçu par le Gouvernement fédéral, mon passage est organisé en vue de contacts avec les notabilités, de cérémonies militaires et de visites aux hauts-lieux historiques, sans qu'il y ait place pour aucune manifestation populaire. Pourtant, une sorte de bouillonnement de la foule des gens qui se trouvent là, les cris ardents de : « Vive la France ! », « Vive de Gaulle ! » qui sont les seuls qui soient poussés, le fait qu'apparaisse partout une profusion d'emblèmes à fleurs de lis du Québec à côté de très rares drapeaux de la Fédération, me révèlent que depuis mes précédents voyages un courant nouveau s'est déclenché. Au reste, le gouverneur du Québec Onésime Gagnon et le Premier ministre Antoine Barrette, tous deux grands érudits de l'histoire de Champlain et des suprêmes batailles de Montcalm et de Lévis, n'en sont nullement contrariés. Lors du dîner officiel, les verres se lèvent : « A la France ! » Je dis : « Chacun de vous, j'en suis sûr, pense : « Le pays d'où je viens ! » Passe alors dans l'assistance un frémissement qui ne trompe pas.

Montréal fait la même impression que Québec, accentuée toutefois par le caractère massif et populeux de l'agglomération, par l'angoisse diffuse que répand l'emprise grandissante des Anglo-Saxons possesseurs et directeurs des usines, des banques, des magasins, des bureaux, par la subordination économique, sociale, linguistique, qui en résulte pour les Français, par l'action de l'administration fédérale qui anglicise d'office les immigrants. Le maire Fournier, me faisant traverser la grande cité, me montre force constructions et entreprises sortant de terre sous l'empire des capitaux américains et se désole de ne voir venir de la patrie d'origine que bien peu d'investissements vers « la deuxième ville française du monde ». Jamais je n'ai vérifié plus nettement que ce jour-là à quel point l'expansion au-dehors est nécessaire à la situation mondiale de la France et ce que lui coûtent, à cet égard, ses longues routines commerciales.

Le voyage au Canada se termine à Toronto. Dans ce chef-lieu de l'Ontario, je vois comme la réplique anglaise de Montréal français. L'industrie y est très active, le bâtiment en plein essor, l'université florissante. Mais on y sent l'inquiétude de devenir, par-dessus le grand lac, une succursale des États-Unis. Le gouverneur Keiller Mackay, glorieux mutilé de Vimy, et le Premier ministre Leslie Frost trouvent dans cette osmose avec le colossal voisin des facilités matérielles quant au progrès de la province. Mais ils en éprouvent aussi beaucoup de mélancolie. En quittant ce pays, je me demande si ce n'est pas grâce à l'institution d'un État de souche française, à côté d'un autre de souche britannique, coopérant entre eux dans tous les domaines librement et de préférence, associant leurs deux indépendances afin de les sauvegarder, qu'un jour le Canada effacera l'injustice historique qui le marque, s'organisera conformément à ses propres réalités et pourra rester canadien.

A Washington, le 22 avril, nous sommes jetés dans le grand tumulte de l'enthousiasme américain. Depuis l'aérodrome jusqu'à « Blair House », aux côtés du Président Eisenhower, je roule sous un déchaînement d'acclamations, de sirènes et d'orchestres, au milieu d'une forêt de banderoles et de drapeaux. Le même accueil sera fait aux hôtes français d'un bout à l'autre de leur voyage, exprimant de la manière la plus démonstrative possible une extraordinaire sympathie populaire. Il y a là un fait sentimental d'une telle évidence et d'une telle dimension qu'il s'impose comme un élément politique majeur. J'en avais été frappé déjà lors de mes précédents passages aux États-Unis. Mais c'était pendant la guerre et, dans l'accueil reçu, je devais faire la part des circonstances héroïques du moment. Cette fois, il faut reconnaître que la chose est fondamentale et d'autant plus impressionnante pour moi qu'elle contraste avec ce que, d'ordinaire, me font lire et entendre sur le compte de la France et sur le mien la plupart des feuilles et des émissions américaines. En tout cas, dans la capitale fédérale, l'atmosphère chaleureuse qui règne lors de notre entrée en ville et des céré-

monies publiques du cimetière d'Arlington et du monument
de La Fayette enveloppe nos actes officiels.

Ce sont, d'abord, pendant deux jours, des entretiens
à la Maison-Blanche. Y participent, par intervalles, le
secrétaire d'État Herter et l'ambassadeur Houghton, ainsi
que Couve de Murville et Alphand. Le 23, au « National
Press Club », vaste conférence de presse où la plupart
des questions qu'on me pose visent le projet de réunion
des « Quatre ». Le dimanche 24, Madame Eisenhower
emmène les dames naviguer sur le Potomac et le Président
me transporte dans sa ferme de Gettysburg. Nous y
devisons en toute intimité. En vieux soldats, nous visitons
le champ de bataille qui vit, presque cent ans plus tôt,
la victoire décisive des Nordistes. Nous rentrons à Washington par Camp David, groupe de baraques au milieu des
bois, qu'Eisenhower affectionne pour conférer avec ses
hôtes. Il me raconte comment il a tenté d'y endoctriner
Khrouchtchev. Dans toutes nos conversations, le Président des États-Unis revient sans cesse sur la prochaine
Conférence au sommet. Il me dit : « J'y tiens beaucoup !
Mon mandat se termine avec l'année et je ne me repré-
senterai pas. Quelle belle fin de carrière ce serait pour moi
que d'aboutir, sans nuire aux principes, à un accord entre
l'Est et l'Ouest ! » Je réponds à Dwight Eisenhower qu'en
quittant ses fonctions il emportera l'estime générale quoi
qu'il advienne de la Conférence. Quant à moi, je n'attends
guère de résultats positifs de la réunion des Quatre. La
coexistence pacifique est trop récente et trop limitée. Le
problème allemand n'est pas mûr. Mais, quelle que soit
l'issue de la confrontation de Paris, je travaillerai à la
détente et à la coopération bilatérales avec la Russie et
tâcherai de les faire passer sur le plan européen en y mêlant
progressivement, en dehors des blocs et des hégémonies,
tout ce qui borde le Rhin, le Danube et la Vistule.

Le Président convient que les États-Unis ne doivent
pas tout faire, qu'il appartient à l'Europe de régler elle-
même, si elle le peut, les questions qui lui sont propres,
qu'à cet égard la France a le droit d'initiative et que son
redressement est un événement capital pour l'Ancien

Continent, pour l'Occident et pour le monde entier. Toutefois, il m'invite à considérer que l'Amérique est, par nature, portée à rester chez elle et que, dans l'état présent du globe, il pourrait être désastreux que, lassée et déçue par ceux-là mêmes qui ont besoin de son concours, elle retourne à l'isolationnisme. J'avoue à Eisenhower que, tout en pensant que l'Amérique est indispensable au monde, je ne souhaite pas la voir s'ériger en juge et en gendarme universels. Quant à la perspective inverse, celle du repliement sur elle-même, je la tiens pour peu vraisemblable. Au degré de puissance où elle est parvenue, les tentations les plus fortes la sollicitent vers des interventions et, d'ailleurs, comment, en cas de drame mondial, resterait-elle détachée, alors qu'à tout instant et à partir de tout point de la terre la mort pourrait la frapper ?

Mes entretiens avec le Président sont complétés par ceux que j'ai avec Richard Nixon. A son poste assez étrange de Vice-Président, je trouve en lui une de ces personnalités franches et fermes sur lesquelles on sent qu'on pourrait compter pour les grandes affaires, s'il lui incombait, un jour, d'en répondre au premier rang.

25 avril, au Capitole ! J'y suis reçu par le Congrès. Tous les sénateurs, tous les représentants, sont là, remplis de cordialité et de curiosité. Le « speaker », Sam Rayburn, m'adresse une excellente allocution de bienvenue. Comme à Westminster, mon discours a été d'avance traduit et distribué. Ce que j'expose, c'est la politique de la France. Ce que je montre, c'est qu'elle en a une. Et de développer ses buts : Devant le danger d'une guerre qui détruirait notre espèce, instaurer la détente internationale... Créer ainsi une ambiance pacifique qui réduise peu à peu l'opposition entre les régimes et dont puissent sortir les conditions d'un règlement des problèmes posés, avant tout celui de l'Allemagne... Organiser, par coopération de l'Ouest et de l'Est, l'aide aux pays qui en ont besoin... Réaliser le désarmement et, d'abord, la destruction de tous véhicules des projectiles atomiques, faute de quoi mon pays est contraint de se doter d'un armement nucléaire... Je fais une prudente allusion à la rencontre

imminente des Quatre : « Il ne suffira pas que MM. Eisenhower, MacMillan, Khrouchtchev et moi nous trouvions ensemble pour régler aussitôt des problèmes d'une telle dimension. Mais peut-être pourrons-nous décider de la route à suivre, si longues et difficiles que doivent être les étapes ». Je termine en affirmant « qu'en tout cas la France a fixé ses intentions et ses espoirs ».

L'ovation du Congrès, puis, au cours de la réception qui suit la séance, les propos que me tiennent nombre d'auditeurs me montrent qu'à la satisfaction que leur cause mon discours se mêle de l'étonnement. Jusqu'alors, en effet, ils ne savaient guère de mon action que ce qu'en rapportaient, interprétaient et commentaient les voix de l'information. Or, celles-ci, dans leur ensemble, n'avaient jamais cessé d'être dénigrantes à l'égard du « machiavélisme » supposé du général de Gaulle. « Comment expliquez-vous cela ? » me demande Richard Nixon. Je lui réponds : « C'est peut-être pour cette raison que ce que je dis et tâche de faire, depuis juin 1940, est toujours aussi net et droit que possible. Comme beaucoup de professionnels de la politique et de la presse ne conçoivent pas l'action publique sans tromperies et reniements, ils ne voient que de la ruse dans ma franchise et ma sincérité ».

Ce n'est certes pas la ruse que New York acclame en ma personne dans un déferlement inouï de population, tandis que je remonte Broadway sous les torrents de papier qui tombent des toits et des fenêtres, ou que je m'adresse à la foule sur la place de l'Hôtel de Ville, ou que je suis les avenues pour me rendre aux réceptions prévues. Je dois dire que le gouverneur Nelson Rockefeller et le maire Robert Wagner ont tout fait pour que rien ne gêne l'enthousiasme colossal de la colossale cité. Passant à l'autre bout des États-Unis, où m'accompagne Douglas Dillon, j'atteins San Francisco qui déborde, à son tour, de chaleureuse ardeur. D'ailleurs, la Californie est en proie à l'euphorie de sa croissance. Je l'entends proclamer par le gouverneur Edmund Brown, par le maire George Christopher, par les présidents des multiples associations qui me reçoivent d'heure en heure. Je le constate en parcourant la zone industrielle et en faisant le tour de la rade. Que sera-ce pour cette Amérique du Pacifique le jour où l'immense marché chinois s'ouvrira à des échanges !

Mon voyage aux États-Unis prend fin à La Nouvelle-Orléans. Là, les démonstrations exaltées de la multitude me touchent d'autant plus que surgissent partout les souvenirs de la Louisiane française. Arrivant à l'aérodrome Moisant, traversant la ville dont le centre est resté tel qu'il était « au temps royal », invité par le gouverneur Earl Long à passer les troupes en revue sur la place même où, jadis, les nôtres faisaient l'exercice, assistant au Te Deum dans l'ancienne cathédrale bondée de gens pleurant d'émotion, percevant maintes clameurs en français parmi celles que pousse la foule des blancs et des noirs autour du monument Bienville, naviguant sur le Mississipi qui fut l'artère magnifique de la « Nouvelle France », entendant les allocutions du maire de Lesseps, de l'évêque-coadjuteur et du « président des Créoles » qui tous deux s'appellent Bezou, du porte-parole des Acadiens qui porte le nom d'Arescaux, je me sens saisi par la grandeur du passé, mais aussi convaincu que son legs peut être, dans l'avenir, utile à notre rayonnement. Si ce que nous avons semé est demeuré une plante vivace, cultivons-la par-dessus l'océan ! Je regagne notre capitale par la Guyane, la Martinique et la Guadeloupe. L'explosion des sentiments de ces trois départements à l'occasion de ma présence montre, une fois de plus, avec quelle passion on veut y être Français et d'autant plus qu'on se trouve justement sur les bords du Nouveau Monde.

En rentrant, je vois l'attention universelle concentrée sur Paris où doit se réunir la Conférence au sommet. J'avais, à Londres prévenu MacMillan, à Washington Eisenhower, de Cayenne, écrit à Khrouchtchev, que je fixais au 16 mai la date de la première séance. Mais, le jour même où ma lettre volait vers Moscou, le rideau se levait sur la mauvaise comédie qui ferait tout avorter. Le 1er mai, un avion-photographe américain était abattu et son pilote fait prisonnier au-dessus du polygone des rampes de lancement russes dans la région de la mer d'Aral. C'était là, sans aucun doute, de la part des services secrets des États-Unis, une violation absurde, tant elle était intempestive, du ciel de l'Union Soviétique. D'ailleurs, le Département d'État déclarait — peut-être voulait-il le croire? — qu'il ne pouvait s'agir que d'une erreur de navigation aérienne. Puis, la Maison-Blanche faisait connaître, avec quelque humilité, que des dispositions étaient prises pour que de tels vols ne se renouvellent pas. Mais on devait bientôt constater que le Kremlin était résolu à donner à l'incident des dimensions dramatiques et que, du coup, le travail de la Conférence allait être compromis. Dès le 5 mai, le Premier soviétique, en répondant à ma lettre de convocation, développait les pires récriminations à l'encontre des Américains. Dans des propos tenus en public et dans une note adressée à Washington il les accusait d'agression, d'espionnage criminel et de mauvaise foi. Cependant, il faisait dire qu'il serait présent à mon rendez-vous de Paris.

De fait, je le recevais, le 15 mai, à l'Élysée. Mais il était accompagné, non seulement de Gromyko et de Vinogradov, mais aussi de Malinovsky, le « maréchal des fusées ». Khrouchtchev, après avoir protesté de son respect et de sa confiance à mon égard, me remettait le texte d'une déclaration suivant laquelle il ne pourrait prendre part à la Conférence, à moins qu'Eisenhower, publiquement, adressât des excuses à l'Union Soviétique, condamnât l'agression commise par les États-Unis, fît connaître quelles sanctions étaient infligées aux coupables et prît l'engagement que jamais plus un avion d'espionnage américain ne survolerait le territoire russe. Il était clair que les Soviets voulaient, soit obtenir une humiliation sensationnelle des États-Unis, soit se dégager d'une conférence qu'à présent ils ne souhaitaient plus après l'avoir vivement réclamée.

Je marquai à Khrouchtchev que cette affaire d'avion-photographe n'était qu'un épisode de la guerre froide et de la concurrence d'armements entre l'Union Soviétique et les États-Unis ; que c'est précisément en raison de cet état de tension qu'il y avait des actes d'espionnage du

côté américain et qu'il y en avait aussi du côté russe ;
que la véritable question était de savoir si, de part et
d'autre, on voulait mettre fin à une pareille situation et
organiser la détente ; que tel était justement l'objet de la
Conférence au sommet et que rien, plus clairement que
ce qui venait de se passer, ne montrait qu'elle pouvait
être utile. Si, du fait des Soviétiques, la réunion n'avait
pas lieu, la France pourrait le regretter, surtout pour les
deux rivaux, mais elle en prendrait son parti, car ce n'était
pas elle, c'étaient eux qui avaient depuis longtemps
demandé cette convocation. Là-dessus, le Premier soviétique, affectant toujours la plus vive irritation, affirma
que son pays était blessé dans son honneur, qu'il ne tolé-
rerait pas les outrages, qu'il avait tous les moyens d'écraser
ses adversaires et, qu'en particulier, il pouvait à tout instant
détruire leurs bases là où elles se trouvaient. « Je sais »,
dit-il, « que la France n'est pour rien dans les provocations
américaines. Mais elle est l'alliée des États-Unis qui ont
des forces sur son territoire. Sans que nous l'ayons cherché,
quels malheurs pourraient la frapper ! » Je répondis rude-
ment à Khrouchtchev qu'il était vain de prédire ce qui
se passerait dans le cas d'un conflit et que, deux fois déjà
dans ma vie, j'avais vu battre un État qui, dans sa certitude de vaincre, s'était risqué à en ouvrir un. Je conclus
l'entretien en disant : « Ce n'est pas pour parler de guerre
que j'ai convoqué la Conférence à Paris, mais pour chercher
à assurer la paix. Dans ce but, la première réunion a lieu
ici demain matin ».

L'après-midi, Eisenhower et MacMillan ayant été avertis
de la communication soviétique, je les réunis à l'Élysée.
Ce fut, d'abord, pour entendre Adenauer, qui lui aussi
était à Paris, tant il s'inquiétait des concessions que les
Occidentaux pourraient être amenés à faire sur Berlin.
Le Chancelier craignait en effet que Khrouchtchev, prenant barre sur le Président américain qui s'était mis dans
son tort, n'obtînt, par compensation, des changements
dans la situation de l'ancienne capitale allemande. Il
faut dire que les Anglo-Saxons, principalement les Britanniques, ne semblaient pas résolus à refuser ce mar-

chandage. MacMillan se montrait même favorable à un arrangement qui, comme Khrouchtchev l'avait naguère proposé, érigerait Berlin en « ville libre ». Les forces anglo-franco-américaines en seraient alors retirées, quitte à masquer plus ou moins la portée de l'opération sous une « garantie » que l'on demanderait aux Nations Unies. Bien entendu, Adenauer s'élevait contre une pareille « solution ». Quant à moi, je m'y opposais pour les raisons que j'avais déjà exposées à mes interlocuteurs. Abandonner Berlin dans l'état de tension où l'on se trouvait plongé, ce serait afficher le recul et déchaîner tous les démons des crises. Ce n'est qu'une fois instaurées la détente et la coopération qu'il serait possible de chercher à résoudre les problèmes allemands. On parut s'accorder sur cette manière de voir et Adenauer repartit pour Bonn.

Cependant, le Président et le Premier ministre se montraient mal assurés quant à l'attitude à prendre le lendemain devant Khrouchtchev. Eisenhower, fort contrarié par la tournure que prenaient les choses, annonça son intention de faire à la réunion des « Quatre » une déclaration lénifiante en réponse à celle, brutale, que m'avait lue le Chef du gouvernement soviétique. MacMillan, qui venait justement d'aller voir celui-ci, pensait que son intransigeance s'expliquait par un revirement des instances dirigeantes de Moscou, Khrouchtchev, critiqué pour l'apparente faiblesse de sa politique de coexistence pacifique, aurait saisi le prétexte offert par le vol d'espionnage américain pour changer momentanément de cap. Suivant le Premier ministre, il fallait gagner du temps et, quant à la réponse à faire à la mise en demeure soviétique, traîner les choses en longueur au cours d'une série de séances à quatre et d'entretiens bilatéraux. Pour ma part, j'annonçai quelle position j'allais prendre à la réunion plénière. « Je me refuse », dis-je, « à admettre que la Conférence puisse consister en un échange d'invectives entre Russes et Américains. J'entends placer les choses sur le seul terrain qui soit digne et, le cas échéant, utile. Veut-on aborder l'étude des grandes questions qui doivent faire l'objet de la rencontre : désarmement, Allemagne, aide aux pays sous-développés? Si oui, le débat est ouvert. Si non, la conférence n'a pas actuellement d'objet et est remise « sine die ». »

Le 16 mai, les quatre délégations prennent place autour de la table. J'ai mis à ma droite les Anglais, à ma gauche les Soviétiques, en face les Américains. Auprès de moi sont Debré et Couve de Murville ; auprès d'Eisenhower, Herter et Thomas Gates ; auprès de MacMillan, Selwyn Lloyd et Hoyar Miller ; auprès de Khrouchtchev, Malinovsky et Gromyko. Dès l'ouverture, Khrouchtchev s'empare de la parole. Il donne connaissance d'une déclaration analogue à celle qu'il m'a lue la veille, exigeant que les États-Unis reconnaissent et condamnent publiquement leur agression, fassent des excuses et châtient les coupables. Faute de quoi, lui-même ne prendra part à aucun autre débat. Il ajoute qu'en outre la visite, prévue pour le 15 juin, du Président des États-Unis en Union Soviétique ne pourrait pas avoir lieu. Tandis que parle Khrouchtchev, on voit le maréchal Malinovsky ponctuer le discours de gestes impératifs et de mimiques martiales. A son tour, Eisenhower lit un long document affirmant que le survol du territoire soviétique par un avion américain n'était en rien un acte d'agression, qu'il ne s'agissait là que d'une mesure défensive et, qu'en tout cas, l'affaire ne se reproduirait pas. MacMillan exhale son émotion et son inquiétude. Pour lui, il faut absolument sauver la Conférence. Il propose donc qu'on se donne tout le temps de la réflexion, que chacun examine à loisir les deux déclarations qui viennent d'être faites, qu'on laisse la porte ouverte à des rencontres bilatérales, en particulier à celle du Président américain avec le Chef du Gouvernement soviétique, qu'on se garde de publier ce qui vient d'être formulé de part et d'autre et qu'on se retrouve après deux ou trois jours de délai.

Ayant laissé les autres s'exprimer, je prends la parole à mon tour. C'est d'abord, en direction de Khrouchtchev, pour observer que, l'affaire de l'avion ayant eu lieu le 1er mai et la Conférence étant convoquée pour le 16, on aurait dû pendant ces quinze jours ou bien parvenir au règlement bilatéral de l'incident puisqu'on le jugeait nécessaire, ou bien faire savoir qu'on ne se rendrait pas à la réunion convenue. Il était, en effet, fâcheux qu'on laissât venir à Paris deux autres Chefs d'État ou de Gouvernement et qu'on y vînt soi-même pour formuler des exigences qui risquaient d'empêcher les travaux. « En tout cas, nous sommes là tous les quatre et la raison qui nous y amène c'est le souci commun d'instaurer la détente internationale et d'examiner ensemble les problèmes qui s'y opposent. Pourquoi ne pas commencer ? L'espionnage est, à coup sûr, une pratique déplorable. Mais comment faire pour qu'il n'y en ait pas, dès lors que deux puissances rivales et surarmées se donnent mutuellement l'impression qu'on peut en découdre à tout moment ? Un avion américain a survolé la Russie. Aujourd'hui même, en vingt-quatre heures, un satellite soviétique passe dix-huit fois au-dessus de la France. Comment savoir s'il ne la photographie pas? Comment être assuré que les engins de toutes sortes qui traversent le ciel ne vont pas jeter, tout à coup, de terribles projectiles sur n'importe quelle nation? La seule garantie possible serait la détente pacifique assortie de mesures adéquates de désarmement. Or, voilà précisément l'objet de notre Conférence. Je propose donc d'ouvrir ce débat. Puisque deux déclarations ont été faites tout à l'heure sur l'incident de l'avion, laissons aux deux intéressés le loisir d'y réfléchir et de se rencontrer à part et réunissons-nous demain pour aborder décidément les problèmes inscrits à notre ordre du jour. D'ici là, il est évidemment indispensable que les textes lus ce matin ne soient pas lancés dans le public ».

Khrouchtchev fait connaître alors que, quel que soit son désir de voir s'ouvrir les travaux, il n'y participera pas tant qu'il n'aura pas publiquement reçu du Président Eisenhower les excuses et les engagements nécessaires. D'autre part, il va publier tout de suite le texte de sa déclaration. En effet, l'honneur et la souveraineté de l'Union Soviétique étant en jeu, l'opinion de son pays n'admettrait pas que lui-même s'entretînt d'autre chose avec les Occidentaux, « tous trois solidaires dans l'O.T.A.N. »

sans avoir obtenu réparation. Et il s'exclame : « Quel est
le diable qui a poussé les Américains à commettre cet
acte odieux? » Là-dessus, je remarque : « qu'il y a, dans
le monde, beaucoup de diables qui gâtent les affaires »,
et je lève la séance en disant que je me tiendrai en contact
avec les délégations et que, s'il est possible de tenir une
nouvelle séance pour entamer l'ordre du jour, elle aura
lieu demain.

Ce qui suit n'est que formalités. Le 17 mai, de bonne
heure, conférence de presse improvisée que le Président
du Conseil soviétique tient devant la porte de son ambassade sur le trottoir de la rue de Grenelle et qui publie ses
exigences en attendant que, le jour suivant, il les expose
en détail à cinq centaines de journalistes. Réunion des
trois Occidentaux à l'Élysée, où Eisenhower se montre
blessé par les invectives maintenant publiques de Khrouchtchev et sans illusion sur le sort de la Conférence. Convocation de principe que j'adresse aux quatre délégations
es invitant à se réunir dans l'après-midi « pour vérifier
s'il est possible que la Conférence commence ses travaux ».
Refus de Khrouchtchev, qui fait savoir, puis écrit, qu'il
ne peut venir tant que les obstacles n'auront pas été levés
par le Président des États-Unis. Couplet de la désolation
prononcé par MacMillan qui, dit-il, « voit s'effondrer
l'action pacifique menée depuis deux ans... et son pays
jeté dans la pire épreuve qu'il ait connue depuis la guerre ».
Publication d'un communiqué franco-anglo-américain constatant que la Conférence se sépare sans avoir pu commencer. Le 18 mai, visite d'adieu du Président du Conseil
soviétique, lequel, tout en récriminant sur le compte
du Président des États-Unis, « personnage médiocre, jouet
de ses services, incapable de commander », semble soucieux
de ce que va être la suite. Enfin, concert des éloges et des
remerciements que m'adressent tous les participants.
Eisenhower écrit : « J'emporte de Paris la chaleur et la
force de notre amitié, plus appréciée que jamais... et je
porte à votre personne un respect et une admiration que
je n'éprouve que pour peu d'hommes ». MacMillan déclare :
« Je remercie le Général de la façon magistrale dont il a

présidé les entretiens... Les trois Occidentaux y ont
connu des déceptions... mais aussi renforcé leur amitié ».
Khrouchtchev télégraphie : « Je vous remercie sincèrement
de l'accueil chaleureux et hospitalier que vous m'avez
accordé... Permettez-moi d'exprimer l'espoir que les contacts
personnels établis entre nous en mars-avril et nos conversations de ces derniers jours serviront la compréhension
entre l'Union Soviétique et la France, le développement
fructueux de leurs relations et la consolidation de la paix
du monde ». Adenauer mande : « Combien je me félicite
que le Général de Gaulle ait présidé les entretiens de
Paris ! Grâce à la fermeté et à la force de sa personnalité,
l'Occident a évité un recul grave dont l'Allemagne, la
première, aurait eu à payer les frais ». Sans faire fi des
sentiments aimables que veulent bien m'exprimer mes
correspondants, je ne puis me dissimuler qu'il s'y trouve, de
la part de tous, le soulagement d'être sortis sans catastrophe d'une crise dangereuse et l'impression satisfaisante,
qu'après tout, c'est déjà beaucoup que de pouvoir conti-
nuer à vivre, fût-ce dans le *statu quo*.

Du côté soviétique, après avoir remué ciel et terre pour
intimider les autres, on adopte, au cours des mois suivants,
une attitude de modération. Jusqu'à la fin de 1960, le
Kremlin ne parle plus d'obtenir de la Maison-Blanche les
réparations qu'il exigeait lors de la réunion de Paris et
met une sourdine à son projet de traité séparé avec l'Allemagne de l'Est. Khrouchtchev se borne à des propos
désobligeants sur le compte de l'actuel Président américain
et en appelle d'avance à celui, quel qu'il soit, qui aura à
prendre la place.

Le successeur est John Kennedy. Choisi pour entreprendre, mais élu d'extrême justesse ; mis à la tête d'un
pays colossal, mais dont les problèmes intérieurs sont
graves ; enclin à agir vite et fort, mais aux prises avec
la lourde machine des pouvoirs et des services fédéraux ;
entrant en scène dans un univers où s'étalent la puissance
et la gloire américaines, mais dont toutes les plaies sup-
purent et où se dresse, à l'opposé, un bloc hostile et mono-
lithique ; trouvant, pour jouer la partie, le crédit ouvert

à sa jeunesse, mais aussi les doutes qui entourent un novice, le nouveau Président, en dépit de tant d'obstacles, est résolu à faire carrière au service de la liberté, de la justice et du progrès. Il est vrai que, persuadé du devoir que les États-Unis et lui-même auraient de redresser les torts, il sera porté d'abord à des interventions que le calcul ne justifie pas. Mais l'expérience de l'homme d'État eût sans doute contenu peu à peu l'impulsion de l'idéaliste. John Kennedy avait les moyens et, sans le crime qui le tua, il aurait pu avoir le temps d'imprimer sa marque à l'époque.

A peine est-il en fonction, encore quelque peu tâtonnant et foisonnant, qu'il entre en correspondance avec moi. En février, c'est pour me demander d'appuyer son gouvernement qui veut voir les Nations Unies s'emparer de la direction militaire, politique et administrative du Congo-Léopoldville, à quoi d'ailleurs je dois me refuser. En mars, c'est pour me proposer de le suivre dans son projet de placer d'office le Laos sous la protection de l'O.T.A.S.E., ce que non plus je ne puis accepter. En avril, c'est pour me dire sa joie de se rendre bientôt en France à mon invitation. En mai, c'est pour me confier qu'il compte, après m'avoir vu, rencontrer Khrouchtchev à Vienne. Entre-temps, il a permis et couvert l'expédition malheureuse vers Cuba des exilés partis de Floride. Le 31 mai 1961, il arrive à Paris, débordant de dynamisme, entouré par une atmosphère de vive curiosité, formant avec son épouse brillante et cultivée un couple rempli de charme. De la part du public, l'accueil est sympathique au plus haut degré. Les réceptions officielles offertes dans la capitale et au palais de Versailles revêtent le plus grand éclat. Mais l'essentiel est, évidemment, la série des entretiens du Président, secondé par Dean Rusk et Gavin, avec moi-même qu'accompagnent Debré, Couve de Murville et Alphand.

Il en ressort que l'attitude des États-Unis à l'égard de la France a décidément bien changé ! Il est déjà loin le temps où — amitié traditionnelle mise à part — Washington s'en tenait à considérer Paris comme l'un quelconque de ses protégés, avec lequel on ne traitait, ainsi qu'on faisait pour les autres, qu'au sein d'organismes collectifs : O.T.A.N., O.T.A.S.E., O.N.U., O.C.D.E., F.M.I., etc. Maintenant, les Américains ont pris leur parti de notre indépendance et ont affaire à nous directement et spéciale- ment. Mais ils n'imaginent pas pour autant que leur action cesse d'être prépondérante et que la nôtre puisse s'en séparer. En somme, ce que Kennedy me propose dans chaque cas, c'est de recevoir une part dans ses entre- prises. Ce qu'il m'entend lui répondre, c'est que Paris est assurément très disposé à une concertation étroite avec Washington, mais que, ce que fait la France, elle le fait de son propre chef.

Comme le Président revient sur l'affaire du Congo, où le Secrétaire général de l'O.N.U., Dag Hammarskjöld, sur l'impulsion de l'Amérique, suscite lui-même un gouverne- ment au lieu et place de celui de Patrice Lumumba, je décline toute participation à l'opération en cours. Mais c'est surtout au sujet de l'Indochine que je marque à Kennedy combien nos politiques · divergent. Il ne me cache pas, en effet, que les États-Unis se préparent à intervenir. Au Siam, ils implantent des bases aériennes, grâce à l'influence quasi exclusive qu'ils exercent sur le gouvernement du maréchal Sarit. Au Laos, dont cepen- dant la neutralité va être réaffirmée par une conférence à Genève, ils introduisent leurs « conseillers militaires » en liant partie avec des chefs locaux, malgré les réticences du Prince Souvanna Phouma et du parti des « neutra- listes ». Au Sud-Vietnam, après avoir poussé à la prise du pouvoir dictatorial par Ngo Dinh Diem et au départ des conseillers français, ils commencent à mettre en place, sous prétexte d'assistance, les premiers éléments d'un corps expéditionnaire. John Kennedy me fait comprendre que l'affaire va se développer en vue d'établir dans la péninsule indochinoise un môle de résistance aux Soviets. Mais, au lieu de lui donner l'avis favorable qu'il souhaite, je déclare au Président qu'il s'engage sur une mauvaise voie.

« Pour vous », lui dis-je, « l'intervention dans cette

région sera un engrenage sans fin. A partir du moment où
des nations se sont éveillées, aucune autorité étrangère,
quels que soient ses moyens, n'a de chance de s'y imposer.
Vous allez vous en apercevoir. Car, si vous trouvez sur
place des gouvernants qui, par intérêt, consentent à vous
obéir, les peuples, eux, n'y consentent pas et, d'ailleurs,
ne vous appellent pas. L'idéologie que vous invoquez n'y
changera rien. Bien plus, les masses la confondront avec
votre volonté de puissance. C'est pourquoi, plus vous
vous engagerez là-bas contre le communisme, plus les
communistes y apparaîtront comme les champions de
l'indépendance nationale, plus ils recevront de concours
et, d'abord, celui du désespoir. Nous, Français, en avons
fait l'expérience. Vous, les Américains, avez voulu, hier,
prendre notre place en Indochine. Vous voulez, maintenant, y prendre notre suite pour rallumer une guerre
que nous avons terminée. Je vous prédis que vous irez
vous enlisant pas à pas dans un bourbier militaire et politique sans fond, malgré les pertes et les dépenses que vous
pourrez y prodiguer. Ce que vous, nous et d'autres devons
faire dans cette malheureuse Asie, ce n'est pas de nous
substituer aux États sur leur propre sol, mais c'est de leur
fournir de quoi sortir de la misère et de l'humiliation qui
sont, là comme ailleurs, les causes des régimes totalitaires.
Je vous le dis au nom de notre Occident ».

Kennedy m'écoute. Mais l'événement fera voir que je
ne l'ai pas convaincu. Par contre, il a adopté, pour ce qui
est de l'Amérique latine, une doctrine qui semble se
rapprocher de celle que je lui expose. Il m'indique quelle
importance son gouvernement attache à un projet d'alliance
conclue sous le signe du progrès et en vertu de laquelle
les États-Unis prêteraient massivement leur concours au
développement des autres pays du Nouveau Monde. Toutefois, conscient de l'inconvénient que présente ce quasi-
monopole, des abus et des contrecoups qui pourraient en
résulter, il insiste pour que l'Europe et, en particulier, la
France fassent sentir davantage, dans le Centre et dans
le Sud du continent américain, leur influence et leur activité. Il me demande même de faire en sorte que le Marché

commun envoie des observateurs à la prochaine conférence interaméricaine, qui aura lieu à Punta del Este. Je complimente le Président sur une orientation aussi peu conforme au principe exclusif de Monroe et lui annonce que mon intention est, en effet, de multiplier les liens déjà existants entre la France et les États latins d'outre-Atlantique. D'autre part, je lui rappelle quelle est la position de Paris dans le débat mondial en cours sur le commerce international. Mon gouvernement préconise que les matières premières et les produits tropicaux, qu'exportent beaucoup de régions en voie de développement, notamment l'Amérique latine, et qui leur permettent d'acheter les équipements dont elles ont besoin, voient leurs prix stabilisés d'office et à un niveau suffisant au lieu d'être constamment mis en cause par une abusive spéculation. Mais, sur ce sujet, qui touche de près des intérêts d'affaires aux États-Unis, John Kennedy ne semble pas porté à prendre une route nouvelle.

Ce qui lui tient à cœur par-dessus tout, c'est la situation dominante de son pays dans la défense de l'Occident. Il s'ingénie à chercher le moyen de la maintenir sans paraître aller à l'encontre de l'indépendance française. A propos de l'emploi éventuel des armes atomiques, il affirme que l'Amérique y recourrait certainement plutôt que de laisser l'Europe de l'Ouest tomber aux mains des Soviets. Mais, sur mes questions précises, il ne peut m'indiquer, ni à quel moment, ni à partir de quelle ligne atteinte par l'invasion, ni sur quels objectifs, lointains ou proches, stratégiques ou tactiques, situés ou non en Russie même, les projectiles seraient effectivement lancés. « Je n'en suis pas surpris », lui dis-je. « Le général Norstad, commandant en chef allié, que j'estime au plus haut point et qui me marque une grande confiance, n'a jamais pu me fixer sur ces points, essentiels pour mon pays ». D'autre part, le Président, dans son désir d'éviter que la France se fabrique des bombes, propose d'attribuer à l'O.T.A.N. des sous-marins armés de fusées « Polaris », engins atomiques nouveaux et portant loin, ce qui, suivant lui, assurerait une dissuasion proprement européenne. L'ayant

entendu, je ne puis que lui confirmer la volonté de la
France de devenir une puissance nucléaire. C'est pour
elle le seul moyen de faire en sorte que quiconque ne puisse
tenter de la tuer sans risquer la mort. Quant aux sous-
marins Polaris, le fait que l'O.T.A.N. en recevrait quelques-
uns ne serait qu'un transfert opéré d'un commandement
américain à un autre et qui laisserait le déclenchement
des fusées à la décision du seul Président des États-Unis.

John Kennedy se montre assez anxieux de ce qui va
se passer entre lui et Nikita Khrouchtchev. « En allant
à Vienne », m'indique-t-il, « je ne veux que lui faire une
bonne manière, prendre contact et échanger des vues ».
Cette réserve me paraît sage. Je le dis au Président, en
ajoutant : « Puisqu'on ne se bat pas et que la guerre
froide coûte très cher, l'avenir peut être la paix. Mais on
ne saurait l'organiser que moyennant une détente générale
et prolongée. Or, celle-ci exige l'équilibre. Ce qui viendrait
à le rompre et, d'abord, pour ce qui est de l'Allemagne,
risquerait de faire rouler l'univers aux pires dangers.
Aussi, quand demain Khrouchtchev vous sommera de
changer le statut de Berlin, c'est-à-dire de lui livrer la
ville, tenez bon ! C'est le meilleur service que vous puissiez
rendre au monde entier, Russie comprise ».

Kennedy quitte Paris. J'ai eu affaire à un homme que
sa valeur, son âge, sa juste ambition, chargent de vastes
espoirs. Il m'a semblé être sur le point de prendre son essor
pour monter haut, comme un oiseau de grande envergure
bat des ailes à l'appel des cimes. De son côté, rentré à
Washington, il dira le 6 juin dans un « discours à la nation
américaine » : « J'ai trouvé dans le Général de Gaulle un
conseiller avisé pour l'avenir et un guide éclairé pour
l'Histoire qu'il a contribué à faire... Je ne pourrais avoir
une confiance plus grande en qui que ce soit ». Nous étant
l'un l'autre reconnus, nous continuons notre route, chacun
portant son fardeau et marchant vers sa destinée !

Ainsi qu'il était à prévoir, l'entretien de Khrouchtchev
et de Kennedy a porté sur Berlin. Comme le serpent de
mer sortant de l'onde, le projet soviétique d'institution
d'une soi-disant ville libre est venu au jour une fois de

plus. Le Président américain ne s'est pas laissé aller à
l'approuver tout de go, mais n'a pas manqué d'être impressionné par l'assurance apparente de son interlocuteur.
Celui-ci, qui s'en est aperçu, a proclamé quelques jours
après dans deux discours solennels que, décidément, la
Russie va signer un traité de paix séparée avec l'Allemagne de l'Est et lui reconnaître une entière souveraineté
sur sa frontière et sur son territoire. John Kennedy en
conclut qu'une crise grave est au moment d'éclater. Il ne
cessera pas de le croire et de m'écrire, de mois en mois,
qu'il faudrait, pour empêcher le pire, accepter de négocier
sur l'Allemagne avec les Soviets. Cependant, il entend
renforcer les moyens de défense de l'Europe. Sur ce dernier
point, je suis d'accord et, pour ce qui nous concerne, fais
compléter ostensiblement les effectifs et le matériel de
nos forces sur le Rhin. Mais, quant au reste, je précise ma
position — qui n'est pas celle de Washington ni de Londres
— dans une lettre adressée, le 6 juillet, au Président des
États-Unis et dans une allocution à la nation prononcée
le 12 juillet.

« Dans le cas d'une crise suscitée par les Soviets »,
écrivé-je à Kennedy, « seule une attitude de fermeté et de
solidarité, prise et affirmée à temps par l'Amérique, l'Angleterre et la France, empêcherait de mauvaises conséquences.
... C'est seulement après une longue période de détente
internationale — ce qui ne dépend que de Moscou — que
nous pourrions négocier avec la Russie sur l'ensemble de
la question allemande ». Aux Françaises et aux Français,
à qui, par la voie des ondes, je parle de la situation intérieure et extérieure de notre pays, je déclare : « Voici que
la perspective d'une crise réapparaît à l'horizon. Bien
entendu, l'affaire est engagée par les Soviets... Ils renouvellent leur prétention de régler unilatéralement le sort de
Berlin en mettant en cause les communications de l'ancienne
capitale allemande et la situation des troupes américaines,
britanniques et françaises qui s'y trouvent, au cas où
Washington, Londres et Paris ne renonceraient pas au
statut actuel de la ville suivant ce que veut Moscou...
Il n'y a aucune chance pour que cela soit accepté... Comme

j'ai eu maintes fois l'occasion de le dire, et notamment l'année dernière à M. le Président Khrouchtchev, si les Soviets veulent, comme ils le publient, la détente et la coexistence, qu'ils commencent par les rendre possibles en cessant de menacer !... Dans une atmosphère mondiale qui deviendrait celle de la coopération des États et du rapprochement des peuples, un problème comme celui de l'Allemagne perdrait de son acuité et pourrait, à un moment donné, être considéré objectivement par les puissances intéressées. Mais, dès lors qu'en remuant le tonnerre dans la coulisse on manifeste l'intention de disposer de Berlin, comme si trois grandes puissances n'y avaient pas les droits qui sont les leurs et comme si les Berlinois ne devaient pas être maîtres d'eux-mêmes, on prend d'avance à son compte la responsabilité des graves conséquences qui pourraient en résulter ».

Du côté allemand, Adenauer me fait savoir qu'il est transporté de confiance et de joie par l'appui catégorique qui est ainsi prêté à l'Allemagne dans ses alarmes. Du côté anglo-saxon, Kennedy et MacMillan jugent qu'ils ne peuvent passer outre au jugement de la France et, sans cesser d'évoquer dans leur correspondance l'intérêt que pourrait présenter une négociation avec Khrouchtchev, se gardent de l'aborder. Du côté soviétique on en tire les conséquences en changeant soudain d'attitude au sujet de Berlin. Au mois d'août 1961, un mur s'élève, qui sépare les quartiers de la ville occupés respectivement par les Russes et par les trois Occidentaux. Du coup, est bloqué le courant qui amenait constamment à l'Ouest les fugitifs de l'Allemagne de l'Est et hypothéquait l'activité économique de celle-ci. Mais, en même temps, cette construction marque, sur le terrain même, que le Gouvernement de Moscou ne compte plus sur le consentement effrayé des Américains, des Britanniques et des Français pour mettre la main sur la ville.

L'action d'une France qui n'évite pas, ni ne se cache, d'être la France éveille l'attention des peuples du « tiers-monde ». Il est vrai que certains d'entre eux, en raison du drame algérien, maintiennent encore à notre égard une attitude de réprobation. Comme il est naturel, c'est le cas surtout chez les musulmans : pays arabes, régions mahométanes d'Afrique en dehors de la Communauté, contrées islamiques de l'Asie. Mais il en est également ainsi de quelques autres États « non alignés » ou qui voudraient pouvoir ne pas l'être. Cependant, pour tous ceux-là, l'éloignement par rapport à notre pays est si contraire à leur tradition et si grand est leur désir de voir, parmi les têtes de la civilisation moderne, d'autres puissances que les deux grands rivaux, qu'ils considèrent avec faveur la réapparition des « Francs ». D'autant plus que notre politique de désengagement colonial éteint peu à peu leurs griefs. Nous voyons donc se tourner vers nous des sympathies populaires nouvelles ou renouvelées et, chez maints gouvernements, l'intention de nouer ou de renouer des rapports actifs avec le nôtre. Le changement de la situation morale, diplomatique et matérielle de la France déclenche vers Paris des visites qui iront se multipliant et contribueront à faire de notre capitale un centre de politique mondiale plus actif qu'il ne l'avait été depuis des générations.

En dehors de douze Présidents d'Afrique Noire et de celui de Madagascar qui sont reçus officiellement, du Roi du Maroc Hassan II et du Président tunisien Bourguiba qui viennent régler des questions concernant l'indépendance récente de leur pays, nombre de Chefs d'État et de Gouvernement qui n'appartiennent ni à l'O.T.A.N. ni au Pacte de Varsovie sont nos hôtes au cours de cette période. Plusieurs d'entre eux : l'Empereur d'Éthiopie, le Président du Pérou, le Président de l'Argentine, le Prince Rainier de Monaco, le Roi de Thaïlande, l'Empereur d'Iran, tiennent même, par le caractère solennel de leur voyage, à nous donner publiquement les marques de leur amitié. Ainsi, indépendamment de nos relations avec nos alliés, des contacts que nous prenons avec l'Est européen, des liens qui nous unissent à nos anciennes dépendances d'outre-mer, commence à s'établir entre nous et beaucoup d'autres États un réseau de rapports, puis d'accords, qui place la France dans une situation d'influence grandissante et lui ouvre des champs étendus d'activité économique et culturelle.

Le Pandit Nehru vient me voir et me revoir. Après une vie partagée entre la révolte et la prison, il incarne l'Inde indépendante et rassemblée. Il a changé la mystique de patience et de non-violence de Gandhi en une politique active de progrès. Grand homme, pour qui la cause de l'homme est celle même du peuple indien, sans cesse démenti dans ses plans par l'excessive dimension de l'œuvre, mais inlassable dans sa foi et dans son effort, il m'expose les problèmes gigantesques de subsistance et d'unité avec lesquels son pays est aux prises et la façon dont le mien pourrait, non sans bénéfice futur, contribuer à l'en soulager. A l'Inde, océan de misères et de rêves mais aussi de valeurs et de vertus, terre éternellement en proie aux routines des castes et aux ravages de la nature mais capable de doubles récoltes et d'amples fabrications, la France est effectivement en mesure d'apporter une aide technique, alimentaire, sanitaire et culturelle importante. Elle y trouverait en échange une audience et une clientèle dont elle avait été écartée depuis la fin de l'entreprise des La Bourdonnais, des Dupleix et des Lally-Tollendal. Au surplus, champions de l'équilibre, nous avons les meilleures raisons de souhaiter que, face à la Chine, l'Hindoustan affirme sa consistance. Nous répondons positivement à l'appel du Pandit Nehru. Ainsi faisons-nous, d'autre part, à ce que demande sur une très modeste échelle, lors de son passage à Paris, le Roi Mamendra du Népal, petit pays accroché entre les deux géants indien et chinois sur la pente de l'Himalaya.

Tour à tour, je reçois les deux chefs successifs du Gouvernement japonais : Nobusuké Kishi et Hayato Ikeda, puis Eisaku Sato qui est de taille à prendre la place et, d'ailleurs, la prendra bientôt. Au nom d'une grande nation, terriblement éprouvée par son désastre, mais intacte dans sa vitalité, tirant parti de sa soumission, mais impatiente du joug américain, bornant jusqu'à nouvel ordre son effort national au domaine économique, mais déployant pour y accéder au rang des principales puissances d'extraordinaires qualités de travail et de discipline, ces dirigeants très avisés proposent à la France d'échanger plus largement ses produits, ses idées et ses sentiments avec ceux d'un peuple qui, jusqu'alors, lui est resté presque hermétique. Leur requête est entendue. Les rapports franco-nippons vont prendre une dimension nouvelle.

Le jeune Roi de Thaïlande, Bhumipol Adulyadej, fait à Paris un voyage officiel, cherchant à y retrouver l'atmosphère des relations confiantes que son pays avait nouées et entretenues avec la France depuis le siècle de Louis XIV. Le souverain me dit combien l'inquiètent les pressions extérieures que la conjoncture indochinoise attire sur son royaume. Il espère pourtant voir renaître chez nous l'amitié active d'autrefois. Je lui indique que telle est également notre intention pourvu que la Thaïlande veuille rester maîtresse d'elle-même. De son côté, le prudent et intelligent Prince Souvanna Phouma, devenu, quoique avec des éclipses, Premier ministre du Laos, où nos écoles, nos compétences administratives, notre mission militaire, nos entreprises économiques, jouent dans le développement un rôle capital, m'entretient périodiquement des menaces que les prodromes de la guerre au Vietnam font courir à l'unité et à l'intégrité du pays. Dans le Nord, s'implantent la dictature et les bandes du Pathet Lao, mouvement dirigé par le Prince Souphanouvong et qu'Hanoï utilise en face de la pénétration américaine. Sur le reste du territoire, dans les milieux des fonctionnaires, des militaires et des propriétaires, s'organise au contraire, sous l'égide du Prince Boun Oum, une tendance favorable à l'intervention des États-Unis. Enfin, la politique de neutralité, c'est celle de Souvanna Phouma lui-même. Nous soutenons le Premier ministre, tant sur place qu'à l'étranger. Nous lui recommandons de s'en tenir, quoi qu'il arrive, à sa position qui seule est compatible avec l'indépendance du Laos et à ce qui a été décidé à Genève sur le plan international. Nous l'aidons à lier l'attitude de son gouvernement à celle que maintient avec beaucoup d'énergie et une extrême habileté Norodom Sihanouk, chef de l'État voisin du Cambodge. De fait, la tragédie vietnamienne va se dérouler sur les frontières de ces deux pays et déborder sur leur territoire, sans que ni l'un ni l'autre, tant que je serai moi-même en place, laissent aliéner leur souveraineté.

Au Moyen-Orient, nos affaires sont, d'abord, au plus bas. Car la crise algérienne et celle du canal de Suez nous ont fermé l'accès de l'ensemble des pays arabes. Dans cette région où, depuis toujours, la France fut présente et active, j'entends naturellement rétablir notre position. D'autant plus que la grande importance politique et stratégique des bassins du Nil, de l'Euphrate et du Tigre, de la mer Rouge et du golfe Persique est maintenant, de par le pétrole, assortie d'une valeur économique de premier ordre. Tout nous commande de reparaître au Caire, à Damas, à Ammam, à Bagdad, à Khartoum, comme nous sommes restés à Beyrouth, en amis et en coopérants. En attendant, les chefs des trois États limitrophes du monde arabe viennent s'enquérir de ce que va faire la France à présent rentrée en ligne

Avec le Négus Haïlé-Sélassié, mes entretiens sont fréquents. Depuis longtemps, nous nous connaissons. Il fut, pendant la guerre, l'âme de son peuple, d'abord écrasé puis vainqueur. Il veut, à présent, en faire un pays moderne. Il joue un rôle personnel éminent dans les efforts que l'Afrique affranchie déploie pour s'organiser. Comme il règne sur un État chrétien mais entouré de contrées musulmanes, comme le principal débouché de l'Éthiopie est le port français de Djibouti, comme l'aide des Américains et celle des Soviétiques entraînent de pesantes servitudes, l'Empereur tient à ce que s'accroisse le concours multiforme qui lui est prêté par la France. Nous-mêmes avons intérêt à soutenir l'Éthiopie millénaire, amicale et raisonnable. Nous conclurons avec elle des accords fort étendus.

Chaque année, je revois le Shah d'Iran. Au cours du conflit mondial, je l'avais rencontré à Téhéran, quand, tout jeune souverain, il héritait d'un Empire en proie aux pressions rivales des étrangers et aux complots des factions intérieures. Ayant maintenu l'unité et sauvegardé l'indépendance, Reza Pahlavi est maintenant en train de diriger la transformation matérielle, intellectuelle et sociale de la Perse, État aussi ancien que l'Histoire du monde. Que de fois, l'entendant traiter de problèmes de développement, j'ai admiré sa connaissance approfondie de toutes les réalités de son pays ! Il se trouve, d'ailleurs, que le vaste Iran recèle des ressources pétrolières et minières considérables et comporte de grandes possibilités industrielles et agricoles. Il se trouve aussi que cet Empire, voisin des Russes et exposé, de tous temps, aux empiéte- ments des Anglo-Saxons, tient à s'assurer d'autres appuis que les leurs. Le Shah offre donc à ce qui est français une place de choix dans les affaires, les recherches, les écoles, les universités. Appréciant cette sagesse, la France pratique avec l'Iran une coopération qui ne cesse pas de grandir.

Voici et revoici David Ben Gourion ! D'emblée, j'ai pour ce lutteur et ce champion courageux beaucoup de sympathique considération. Sa personne symbolise Israël, qu'il gouverne après avoir dirigé sa fondation et son combat. Bien que la France n'ait pas, dans la forme, participé à la création de cet État né d'une décision conjointe des Britanniques, des Américains et des Soviétiques, elle l'a chaudement approuvée. La grandeur d'une entreprise, qui consiste à replacer un peuple juif disposant de lui- même sur une terre marquée par sa fabuleuse histoire et qu'il possédait il y a dix-neuf siècles, ne peut manquer de me séduire. Humainement, je tiens pour satisfaisant qu'il retrouve un foyer national et je vois là une sorte de com- pensation à tant de souffrances endurées au long des âges et portées au pire lors des massacres perpétrés par l'Alle- magne d'Hitler. Mais, si l'existence d'Israël me paraît très justifiée, j'estime que beaucoup de prudence s'impose à lui à l'égard des Arabes. Ceux-ci sont ses voisins, et le sont pour toujours. C'est à leur détriment et sur leurs terres qu'il vient de s'installer souverainement. Par là, il les a blessés dans tout ce que leur religion et leur fierté ont de plus sensible. C'est pourquoi, quand Ben Gourion me parle de son projet d'implanter quatre ou cinq mil- lions de Juifs en Israël qui, tel qu'il est, ne pourrait les contenir et que ses propos me révèlent son intention d'étendre les frontières dès que s'offrirait l'occasion, je l'invite à ne pas le faire. « La France », lui dis-je, « vous aidera demain, comme elle vous a aidé hier, à vous maintenir quoi qu'il arrive. Mais elle n'est pas disposée à vous fournir les moyens de conquérir de nouveaux territoires. Vous avez réussi un tour de force. Maintenant, n'exagérez pas ! Faites taire l'orgueil qui, suivant Eschyle, « est le fils du bonheur et dévore son père ». Plutôt que d'écouter des ambitions qui jetteraient l'Orient dans d'affreuses secousses et vous feraient perdre peu à peu les sympathies internationales, consacrez-vous à poursuivre l'étonnante mise en valeur d'une contrée naguère désertique et à nouer avec vos voisins des rapports qui, de longtemps, ne seront que d'utilité ». Tandis que je donne ces conseils à Ben Gourion, je mets un terme à d'abusives pratiques de collaboration établies sur le plan militaire, depuis l'expédition de Suez, entre Tel-Aviv et Paris et qui introduisent en permanence des Israéliens à tous les échelons des états-majors et des services français. Ainsi cesse, en particulier, le concours prêté par nous à un début, près de Bersheba, d'une usine de transformation d'uranium en plutonium, d'où, un beau jour, pourraient sortir des bombes atomiques.

Manuel Prado, Président du Pérou, veut faire de sa visite officielle le témoignage de l'attachement d'esprit et de sentiment que son pays voue à la France et qui, d'ailleurs, l'a porté, en tête de tous les États d'Amérique du Sud et du Nord, à reconnaître la France Libre au cours de la guerre mondiale. Ce sage, que tourmentent les intrigues du dedans et les exigences du dehors, me fait sentir l'importance que le soutien organisé des nations latines de l'Ancien Monde, et notamment de la France, revêtirait pour les États sortis jadis des empires espagnol et portugais. J'en suis confirmé dans l'idée que l'Europe unie, à condition qu'elle soit européenne et qu'elle englobe les Ibères et les Lusitaniens, pourrait remplir une tâche aussi grande que la terre. C'est ce que me donne, à son tour, à penser le Président Arturo Frondizi, reçu solennellement à Paris, quand il me décrit ce que l'Argentine a déjà accompli, ce qu'elle contient de possibilités, ce dont elle

aurait besoin, pour asseoir sur des bases solides son activité et, par là, sa politique. Les flammes et les laves du
péronisme ne s'expliquent que trop bien. Comme le Gouvernement de Buenos Aires rejette la tutelle des États-
Unis, c'est vers l'Europe et, d'abord, vers la France et
vers l'Italie que Frondizi se tourne pour être aidé. En
prêtant à l'Argentine le concours qu'il nous demande,
nous ajoutons quelque chose à l'espérance du monde latin.

Justement — événement nouveau et de taille ! — l'Espagne envoie par deux fois officiellement en France son
ministre des Affaires étrangères, Fernando Castiella, qui
a entre-temps et avec quelque solennité rencontré dans
l'île des Faisans, sur la Bidassoa, Maurice Couve de Murville. Le moment est venu, en effet, de rendre aux relations
des deux peuples leur étendue et leur lustre d'antan. Car
le gouvernement du général Franco veut sortir de l'isolement où il a été placé, soit de son fait, soit de celui des
autres, en raison de la guerre civile, puis d'épisodes de
la guerre mondiale. Au reste, la paix qu'il a rétablie à
l'intérieur et maintenue à l'extérieur permet à l'Espagne
moderne de mettre en valeur ses ressources et ses capacités et la nature des choses implique qu'elle les conjugue
avec celles de la France voisine, familière et complémentaire. De mon côté, je mesure quelle peut être la portée
du rapprochement auquel nous invite ce peuple grand à
tant d'égards et qui nous touche de si près ! Aussi les
relations politiques sont-elles remises au plan de la cordialité, tandis que s'animent les rapports économiques et
culturels.

Le Chancelier fédéral d'Autriche, Alfons Gorbach, n'a
pas à nous proposer d'arrangements particuliers. Mais il
veut vérifier que la France, en s'associant à l'Allemagne
fédérale, n'en tient pas moins fermement à l'indépendance
de son pays. Sur ce point, il reçoit les apaisements les
plus formels. Car, si j'ai entrepris de faire en sorte que la
solidarité des Gaulois et des Germains remplace leur
inimitié, c'est à la condition qu'il n'y ait plus jamais
d'Anschluss pour nos voisins d'outre-Rhin, pas plus d'ailleurs que de révision de leurs frontières ni d'emprise sur

la Bohême. Le traité de 1955, en vertu duquel Russes, Français, Britanniques et Américains ont reconnu et garanti la souveraineté et la neutralité de l'Autriche, demeure l'un des piliers d'une construction toujours précaire et toujours nécessaire : l'équilibre européen.

Pour des raisons du même ordre, auxquelles se joignent celles d'une amitié de tous les temps, nous accueillons les visites du Premier ministre de Grèce. Ce peuple, dont la vie politique est aussi dentelée que les côtes et complexe que le relief, Constantin Karamanlis parvient à le gouverner. Du coup, l'économie, le niveau de vie, la situation sociale, ne cessent de s'y améliorer. Karamanlis, tout naturellement, souhaite que la France prenne une part plus active à ce progrès et il demande qu'elle aide la Grèce à obtenir du Marché commun un traité d'association qui multiplierait les échanges. D'autre part, le Premier ministre d'un royaume constamment en butte aux visées de ses voisins, toujours inquiet des projets balkaniques éventuels de la Russie, contrarié par la sollicitude excessive des Anglo-Saxons, soucieux de ce qui se passe à Chypre, voudrait retrouver l'appui traditionnel de Paris. Il aura satisfaction.

Je reçois — non sans émotion — Jean Lesage devenu Premier ministre du Québec. Il vient pour traiter d'affaires qui sont bel et bien françaises. Ce dont il s'agit, en effet, c'est d'organiser le concours direct de la France au rameau canadien de son peuple, perdu pour sa souveraineté, mais qui, pressé de tous côtés sur le sol américain par des éléments d'autres origines, veut rester fidèle à sa langue et à son âme et, pour cela, disposer en propre des moyens de vivre et de s'instruire. La mission de Jean Lesage n'a jamais eu de précédent. Elle atteste les alarmes de la Communauté française du Canada et l'espérance que ranime en elle le renouveau de l'ancienne patrie. Il faut dire que le Québec fait de lui-même un grand effort pour son salut. Il multiplie les écoles, crée son enseignement technique, développe ses universités de Québec, Montréal, Sherbrooke, monte une gigantesque entreprise énergétique l' « Hydro-Québec », s'efforce de se doter d'usines qui ne soient pas étrangères. Son Gouvernement et celui de Paris règlent entre eux et sans intermédiaire le début de l'assistance que la France consacre désormais aux Français du Canada.

Ainsi, de toutes les parties du monde, se portent à présent vers nous les attentions et les anxiétés. En même temps, sur le Continent, c'est de nous que procèdent les initiatives et les actes qui peuvent le conduire à l'union : solidarité franco-allemande, projet d'un groupement des Six qui ne soit qu'européen, début de coopération avec la Russie Soviétique. D'ailleurs, quand il s'agit de la paix des hommes, c'est auprès de nous que viennent s'expliquer les dirigeants de l'Est et de l'Ouest. Notre indépendance répond donc, non pas seulement à ce qu'exigent l'estime et l'espérance de notre peuple envers lui-même, mais encore à ce qu'attend de nous tout l'univers. Pour la France, il en résulte à la fois de puissantes raisons de fierté et de pesantes obligations. Mais n'est-ce pas sa destinée ? Pour moi, cela ne va pas sans l'attrait, et aussi le poids, d'une lourde responsabilité. Mais suis-je là pour autre chose ?

LE CHEF DE L'ÉTAT

Les institutions nouvelles sont en place. Du sommet de l'État, comment vais-je les façonner ? Dans une large mesure, il m'appartient de le faire. Car les raisons qui m'y ont amené et les conditions dans lesquelles je m'y trouve ne ressortent pas des textes. Au surplus, elles n'ont, dans l'Histoire, aucun précédent. Sous la Monarchie, en vertu d'un principe traditionnel admis par tous, y compris ceux qui se révoltaient, l'hérédité faisait du roi la source unique des pouvoirs, lors même qu'il octroyait des droits ou déléguait des attributions. Les plébiscites qui instaurèrent chacun de nos deux empereurs leur conféraient, à vie, l'autorité entière, quelles que fussent les instances établies à côté d'eux. A l'opposé, sous nos IIIe et IVe Républiques, le Président, élu pour sept ans et par le seul Parlement, ne disposait de la décision que pour commuer la peine de mort, bien qu'il fût partiellement revêtu des apparences de la souveraineté, que son influence pût s'exercer en certains cas, que tout fût décrété ou promulgué en son nom. Mais moi, c'est sans droit héréditaire, sans plébiscite, sans élection, au seul appel, impératif mais muet, de la France, que j'ai été naguère conduit à prendre en charge sa défense, son unité et son destin. Si j'y assume à présent la fonction suprême, c'est parce que je suis, depuis lors, consacré comme son recours. Il y a là un fait qui, à côté des littérales dispositions constitutionnelles, s'impose à tous et à moi-même. Quelle que puisse être l'interprétation que l'on veuille donner à tel ou tel article, c'est vers de Gaulle en tout cas que se tournent les Français. C'est de lui qu'ils attendent la solution de leurs problèmes. C'est à lui que va leur confiance ou que s'adressent leurs reproches. Pour vérifier que l'on rapporte à sa personne les espérances aussi bien que les déceptions, il n'est que d'entendre les discours, les conversations, les chansons, d'écouter les cris et les rumeurs, de lire ce qui est imprimé dans les journaux ou affiché sur les murs. De mon côté, je ressens comme inhérents à ma propre existence le droit et le devoir d'assurer l'intérêt national.

Il est vrai que la Constitution que j'ai fait adopter par le pays définit les attributions des diverses autorités, mais sans contredire l'idée que le peuple et moi nous faisons de mes obligations. Que le Président soit, comme cela est formulé, « le garant de l'indépendance nationale, de l'intégrité du territoire et du respect des traités et assure, par son arbitrage, le fonctionnement régulier des pouvoirs publics et la continuité de l'État », voilà qui ne fait qu'exprimer le rôle capital qui est le mien à mes yeux et à ceux des citoyens. Certes, il existe un Gouvernement qui « détermine la politique de la nation ». Mais tout le monde sait et attend qu'il procède de mon choix et n'agisse que moyennant ma confiance. Certes, il y a un Parlement, dont l'une des deux Chambres a la faculté de censurer les ministres. Mais la masse nationale et moi-même ne voyons là rien qui limite ma responsabilité, d'autant mieux que je suis juridiquement en mesure de dissoudre, le cas échéant, l'assemblée opposante, d'en appeler au pays au-dessus du Parlement par la voie du référendum et, en cas de péril public, de prendre toutes les mesures qui me paraîtraient nécessaires. Cependant et précisément parce que ma fonction, telle qu'elle est, résulte de mon initiative et de ce qui se passe à mon égard dans la conscience nationale, il est nécessaire qu'existe et se maintienne entre le peuple et moi un accord fondamental. Or, cet accord, les votes d'ensemble qui ont lieu pour répondre à ce que je demande le traduisent manifestement. Bref, rien, ni dans mon esprit, ni dans le sentiment public, ni dans les textes constitutionnels, n'altère ce que les événements avaient naguère institué quant au caractère et à l'étendue de ma tâche. A moi donc de régler les conditions dans lesquelles je m'en acquitte, sans nullement méconnaître le libellé des parchemins.

En dehors de situations dramatiques exigeant soudain de l'État une attitude qui soit tranchée et que je prenne alors directement à mon compte, mon action consiste avant tout à tracer des orientations, fixer des buts, donner des directives, à l'organisme de prévision, de préparation, d'exécution, que constitue le Gouvernement. Cela a lieu normalement en Conseil. Une fois par semaine, rarement plus souvent, toujours sous ma présidence, est réuni le Conseil des ministres. Tous y assistent ainsi que les secrétaires d'État, car il n'y a qu'une politique du Gouvernement et, pour ceux qui l'assument, la solidarité ne se divise pas. En face de moi est Michel Debré. A ma droite, j'ai et j'aurai toujours André Malraux. La présence à mes côtés de cet ami génial, fervent des hautes destinées, me donne l'impression que, par là, je suis couvert du terre-à-terre. L'idée que se fait de moi cet incomparable témoin contribue à m'affermir. Je sais que, dans le débat, quand le sujet est grave, son fulgurant jugement m'aidera à dissiper les ombres. La séance se déroule d'après l'ordre du jour que j'ai fixé et notifié à l'avance en suivant, d'ordinaire, ce que m'a demandé le Premier ministre et que m'ont présenté conjointement le Secrétaire général de la Présidence Geoffroy de Courcel et le Secrétaire général du Gouvernement Roger Belin. Ces deux hauts-fonctionnaires, au centre et au courant de tout, sont spectateurs muets de la réunion et enregistrent les décisions. Par « communications » des ministres, sont tour à tour soumises au Conseil toutes les questions qui concernent les pouvoirs publics, soit qu'elles donnent lieu à des exposés et à des discussions d'ensemble, soit qu'elles comportent l'adoption d'un texte : projet de loi, décret, communiqué, soit qu'elles impliquent une solution immédiate. Chacun peut demander la parole ; elle lui est toujours donnée. Dans les cas les plus importants, j'invite tous les membres à faire connaître leur avis. De toute façon, le Premier ministre présente ses arguments et ses propositions. En fin de compte, j'indique quelle est ma manière de voir et je formule la conclusion. Après quoi, le « relevé des décisions » est arrêté par moi-même et c'est auprès de moi que le ministre de l'Information vient prendre ses directives pour ce qu'il va faire connaître au public de la réunion qui s'achève. Il faut dire qu'aucune semaine ne se passe sans que je donne, au moins une fois, audience au Premier ministre et considère avec lui, à loisir, la marche des affaires. En outre, je le reçois avant d'ouvrir toute séance du Conseil afin de préciser ce à quoi il convient d'aboutir. D'ailleurs, les membres du Gouvernement viennent me voir à tour de rôle, chacun me rendant compte de ce qu'il fait et projette de faire et prenant acte de mes intentions. Enfin, et à moins d'extrême urgence, des Conseils restreints, groupant les ministres intéressés et leurs principaux fonctionnaires, étudient avec moi les problèmes qui sont en cause. Ce qui fut décidé, de mon fait, à cette époque a pu l'être à tort ou à raison. Je ne crois pas que, jamais, ç'ait été à la légère.

Si, dans le champ des affaires, il n'y a pas pour moi de domaine qui soit ou négligé, ou réservé, je ne manque évidemment pas de me concentrer sur les questions qui revêtent la plus grande importance générale. Au point de vue politique, ce sont, au premier chef, celles qui concernent l'unité nationale : ainsi du problème de l'Algérie, des rapports d'association qui remplacent notre souveraineté dans l'Union Française, du statut de l'enseignement privé qui met un terme à soixante ans de guerre des écoles, des mesures à prendre pour notre agriculture, soit de nous-mêmes, soit dans le Marché commun, du début de participation à la marche des entreprises que représente l'intéressement. Dans l'ordre économique et financier, c'est avant tout à propos du Plan, du budget, de la situation monétaire, que j'ai à intervenir, car tout en dépend

et, d'ailleurs, il y faut un arbitrage indiscutable qui naturellement m'incombe. Notre action extérieure requiert
mon impulsion, puisqu'elle engage notre pays à longue
échéance et d'une manière vitale ; au demeurant, la Constitution rend explicitement le Président de la République
garant de l'indépendance et spécifie qu'il négocie et ratifie
les traités, fait de nos ambassadeurs ses représentants
personnels et dispose que ceux des États étrangers sont
accrédités auprès de lui. Il va de soi, enfin, que j'imprime
ma marque à notre défense, dont la transformation est
tracée suivant ce que j'indique et où le moral et la discipline de tous font partie de mon ressort ; cela pour d'évidentes raisons qui tiennent à mon personnage, mais aussi
parce que, dans nos institutions, le Président répond de
« l'intégrité du territoire », qu'il est « le chef des Armées »,
qu'il préside « les conseils et comités de la Défense
nationale ».

Avec mon gouvernement, je me trouve donc en rapports
constants et approfondis. Cependant, mon rôle n'absorbe
pas le sien. Sans doute, l'ayant entendu, ai-je à fixer la
direction d'ensemble qu'il doit suivre. Mais la conduite
de l'administration est entièrement laissée aux ministres
et jamais je n'adresse par-dessus leur tête aucun ordre
aux fonctionnaires. Sans doute les Conseils que je tiens
donnent-ils lieu à des décisions. Mais tous ceux qui y
prennent part s'y font entendre librement et complètement et, au surplus, on n'est ministre que parce qu'on l'a
bien voulu et on peut, à son gré, cesser de l'être. Sans
doute, s'il m'arrive de téléphoner à Michel Debré ou à
l'un de ses collègues, ne suis-je jamais appelé à l'appareil
par aucun d'entre eux, mes collaborateurs recevant les
communications. Mais tout membre du Gouvernement,
quand il m'adresse un rapport, est sûr que je le lirai et,
quand il me demande audience, est certain que je le recevrai. En somme, je me tiens à distance, mais non point
dans une « tour d'ivoire ».

Étant donné l'importance et l'ampleur des attributions
du Premier ministre, il ne peut être que « le mien ». Aussi
l'est-il, choisi à dessein, maintenu longuement en fonction,

collaborant avec moi constamment et de très près. Mais,
comme nos activités respectives sont non point séparées
mais distinctes, comme pour chaque problème posé les
données politiques et administratives qu'embrasse le
Gouvernement doivent m'être présentées sans fard, comme
il est bon que les idées et l'action du Chef de l'État soient
complétées, soutenues et, même, quelquefois compensées
par une initiative, une capacité, une volonté, autres que
les siennes, il faut que le Premier ministre affirme sa
personnalité. Michel Debré le fait vigoureusement, tant
dans la conception à laquelle il participe que dans la
préparation qu'il organise et dans l'exécution qu'il dirige.
Tout de même, qu'à bord du navire, l'antique expérience
des marins veut qu'un Second ait son rôle à lui à côté du
Commandant, ainsi dans notre nouvelle République l'Exécutif comporte-t-il, après le Président voué à ce qui est
essentiel et permanent, un Premier ministre aux prises
avec les contingences. Du reste, je tiens pour raisonnable
que celui-ci porte sa charge, lourde et lassante entre toutes,
pendant une phase déterminée de l'action des pouvoirs
publics et soit ensuite placé en réserve. En nommant
Michel Debré, je lui ai fait connaître mon intention à cet
égard. Quand les institutions, dont il fut au premier rang
de leurs architectes, ont fait leurs preuves, quand le redressement économique, financier et monétaire du pays est
assuré, quand l'association de la France et de ses anciennes
dépendances est réalisée, quand la question de l'Algérie
est réglée, quand l'Assemblée Nationale élue en 1958 a
accompli l'œuvre législative de grande portée que l'on
pouvait en attendre, quand, une fois les périls passés, va
s'ouvrir une période politique très différente, je juge le
moment venu de soulager du présent, en prévision de
l'avenir, mon éminent Premier ministre. Au mois d'avril
1962, Georges Pompidou prend la place.

Au long de ces quarante mois, pas plus que n'ont manqué
la valeur et le dévouement de Debré, n'a fait défaut la
cohésion du Gouvernement nommé sur sa proposition.
Certes, à mesure du temps, il s'est produit des changements dans la composition de cet ensemble de vingt-sept

personnes. En sont sortis : Félix Houphouët-Boigny,
quand la Côte-d'Ivoire l'eut élu Président ; Antoine Pinay,
faute qu'il ait voulu être ministre d'État en quittant les
Finances ; Max Fléchet, qui l'a suivi ; Jean Berthoin et
Félix Chatenet, l'un après l'autre, pour des raisons de
santé ; André Boulloche qui, ayant mis sur pied le projet
de loi sur l'enseignement privé, a préféré ne pas en faire
lui-même l'application ; Jacques Soustelle et Bernard
Cornut-Gentille, à cause de l'Algérie ; Roger Houdet qui,
après son passage à l'Agriculture, a tenu à retrouver son
siège de sénateur ; Robert Lecourt et Henri Rochereau,
pour devenir respectivement Président de la Cour de Justice et membre de la Commission de la Communauté
économique européenne. Sont entrés au ministère : Wilfrid
Baumgartner, qui toutefois pour des motifs privés se
retirera avant le terme, Pierre Messmer, Louis Terrenoire,
Jean Foyer, Lucien Paye, Edgard Pisani, Robert Boulin,
François Missoffe, Jean de Broglie, Christian de la Malène.
Mais, s'il y a eu ainsi certains échanges de personnes,
André Malraux, Edmond Michelet, Maurice Couve de
Murville, Roger Frey, Louis Joxe, Pierre Guillaumat,
Jean-Marcel Jeanneney, Robert Buron, Paul Bacon,
Bernard Chenot, Pierre Sudreau, Maurice Bokanowski,
Raymond Triboulet, Mademoiselle Nafissa Sid Cara,
Joseph Fontanet, Valéry Giscard d'Estaing, ont, du
premier jusqu'au dernier jour, fait partie du ministère.
Certes, ceux qui en furent membres étaient entre eux très
différents. Si beaucoup provenaient de groupes divers du
Parlement, nombre d'autres sortaient directement de la
fonction publique. S'ils étaient tous, au même titre, saisis
par l'attrait du pouvoir, empressés à leur fonction, passion-
nés pour l'intérêt national, ils se montraient inégaux en
savoir-faire et en capacité. Si l'aîné approchait de ses
soixante-dix ans, le plus jeune en avait trente-deux. Mais,
les voyant confrontés à des problèmes aussi brûlants et
enchevêtrés que ne le furent, à aucune époque, ceux qui
se posèrent à l'État et, d'autre part, toujours entravés par
les limites des moyens, je les jugeais, dans leur ensemble,
comparables à ce que furent les meilleurs ministres de la

Francè. Aussi longtemps qu'ils furent en place, j'ai porté sincèrement à tous estime et amitié. De tous j'ai reçu des témoignages d'attachement. Chez tous j'ai senti la conviction que l'œuvre de renouveau menée à mon appel par leur équipe était à la dimension de l'Histoire.

Dans l'opinion nationale et internationale, cette unité et cette solidité, qui font contraste avec les errements antérieurs, irritent les groupes de pression. Mais quel profit en tire l'autorité publique ! D'autant mieux, qu'en même temps, le Parlement subit dans son activité et dans son comportement des changements qui séparent les pouvoirs et, les tirant d'une confusion chronique, les établissent dans la stabilité. Sans doute est-ce avec peine que maints élus ressentent les contraintes des règles nouvelles et voient que le Gouvernement cesse d'être à leur continuelle discrétion. Sans doute se trouve contrarié le désir de ceux qui, naguère, à la faveur des crises, espéraient inlassablement devenir ou redevenir ministres. Sans doute disparaît, par là, un ferment qui animait la vie et l'éloquence parlementaires et sans lequel les discussions perdent de leur dramatique attrait. D'ailleurs, la complexité de la société moderne pour laquelle légifèrent les Chambres complique leur tâche de plus en plus. Les sujets de leurs délibérations sont si variés et divers que les interventions foisonnent. Mais, comme sessions et séances sont limitées, il en résulte que les « temps de parole » se trouvent réduits à l'extrême. De ce fait, auquel s'ajoutent la primauté des considérations techniques et l'embrigadement des opinions, on ne mêle plus guère aux débats les émouvantes généralités, envolées et argumentations dont les grandes voix d'autrefois remuaient et charmaient l'assistance. Une sorte de mécanisation morose régit maintenant les Assemblées. A moi, qui ai toujours révéré les talents oratoires dont s'illustrait la tribune française, cet effacement de la rhétorique inspire de la mélancolie. Mais je me console en voyant disparaître le trouble qui, sous le signe « des jeux, des poisons, des délices », parlementaires, marqua la IIIᵉ et la IVᵉ République et les emporta toutes les deux.

En prenant mes fonctions, je fais connaître au Parlement par un message qu'il faut qu'il en soit ainsi : « Le caractère de notre époque et le péril couru par l'État faute de l'avoir discerné ont conduit le peuple français à réformer profondément l'institution parlementaire. Cela est fait dans les textes. Il reste à mettre en pratique les grands changements apportés au fonctionnement des assemblées et aux rapports entre les pouvoirs. En le faisant, l'Assemblée Nationale assurera, pour ce qui la concerne, à l'État républicain l'efficacité, la stabilité et la continuité exigées par le redressement de la France... Là sera l'épreuve décisive du Parlement ». Par la suite, je vais m'employer à ce que ne soit pas altérée peu à peu et en détail la réforme capitale du système représentatif, suivant laquelle le Parlement, s'il délibère et vote les lois et contrôle le ministère, a cessé d'être la source d'où procèdent la politique et le gouvernement. C'est pourquoi les messages, qu'à plusieurs reprises j'adresse aux Chambres, leur notifient de graves initiatives qu'en dehors d'elles j'assume de mon propre chef. C'est pourquoi, lors de la formation du Ministère Debré, puis de celui qui le remplace, je me garde de consulter les groupes parlementaires, parce que ce serait les faire entrer, comme jadis, dans une opération qui n'est plus de leur ressort. C'est pourquoi j'appelle à faire partie du ministère maintes personnalités qui ne sont pas parlementaires. C'est pourquoi j'invite le Gouvernement à saisir le Conseil Constitutionnel des règlements que tentent de se donner les Chambres et qui excèdent leurs attributions ; par cette voie, les règlements sont, en effet, amendés. C'est pourquoi, en trois ans et demi, je n'autorise que quatre fois le Premier ministre à poser la question de confiance, car le droit à censure suffit. C'est pourquoi, en mars 1960, je ne consens pas à la convocation d'une session extraordinaire pour discuter des problèmes agricoles, session que demandent cependant, à des fins évidentes de propagande électorale, plus de la moitié des députés et des sénateurs, mais qui, suivant les textes, ne peut avoir lieu que si je la décrète. C'est pourquoi, enfin, jugeant que Georges Pompidou est qualifié pour devenir à son tour mon Premier ministre, je

le nomme à cette fonction, bien qu'il ne soit ni membre,
ni familier, du Parlement.

Mais, tout en empêchant l'institution de retourner par
des détours aux abus qui l'avaient compromise et risquaient
de détruire l'État, je ne lui témoigne pas moins la considération qu'elle m'inspire et ma conviction qu'elle est indispensable à notre pays à condition de ne pas sortir des
limites exigées. D'ailleurs, et faute de pouvoir prendre
directement le contact des assemblées, je me tiens constamment au courant de ce qui s'y passe. Jacques Chaban-
Delmas, Président de l'Assemblée Nationale, vient fréquem-
ment m'en entretenir. J'apprécie fort l'intelligence déliée
des choses et la bonne grâce à l'égard des gens qui le dési-
gnent comme un modèle pour conduire les travaux de la
Chambre, soit du haut de son fauteuil, soit en maniant les
hommes, les groupes et les commissions. Venu tout jeune
et d'un bond au premier rang de l'action dans la Résistance,
il y est resté dans la politique, sans que les années semblent
marquer son ardeur, ni son allure. Mais, s'il paraît ouvert
aux contacts, éclectique quant aux idées, flexible dans les
procédés, Chaban-Delmas s'est, depuis 1940, résolu à me
suivre et attaché à la cause du salut et du renouveau national. Tant que je dirige ce combat, je constate que son
adresse va de pair avec son mérite sans estomper sa
rectitude.

Le Président du Sénat, Gaston Monnerville, m'expose,
lui aussi, ce qu'il pense des sujets politiques. Il n'a pas
encore pris l'attitude qui, un jour, l'éloignera de moi. Cet
Antillais est habile et, par là, bien établi dans sa fonction.
Il est passionné pour tout ce qui concerne les attributions
et le prestige de l'assemblée qu'il préside littéralement de
fondation. Il est exclusif dans la conception qu'il s'est
faite, en d'autres temps, du régime républicain. A l'époque de Vichy et de l'occupation, cette conception, jointe
à son patriotisme, l'avait jeté dans la Résistance. Mais,
à présent, figée comme elle l'est, elle risque de le porter à
méconnaître une évolution nécessaire et à en juger sans
équité.

Outre ces entretiens avec les deux Présidents, maints

autres chemins me relient au Parlement. Les bureaux de l'une et de l'autre Chambre, ceux des groupes, ceux des commissions, sont reçus régulièrement à l'Élysée. De nombreuses audiences individuelles y amènent tel ou tel député ou sénateur et je trouve, la plupart du temps, grand intérêt aux propos de ces hommes qui se font l'écho des soucis et des souhaits des électeurs. D'ailleurs, mon frère Pierre a été sénateur de la Seine et Président du Conseil municipal de Paris et mon beau-frère Jacques Vendroux est député et maire de Calais. Ma visite à chaque département comporte toujours une réunion autour de moi des parlementaires pour l'étude de la situation locale. Il n'est point de cérémonie ou de réception officielle qui ne placent des représentants du peuple aux côtés du Chef de l'État. Enfin, je prends connaissance des principaux débats du Parlement avec soin et, dans une large mesure, avec satisfaction, car leurs résultats sont, dans l'ensemble, positifs. Il est vrai que, tant que dure le drame algérien, les partis se résignent vaille que vaille à la sourdine ; que les règles posées par la Constitution sont telles qu'une crise ministérielle est difficile à provoquer ; que l'on sait que la dissolution serait prononcée aussitôt si la censure était votée ; qu'il existe à l'Assemblée Nationale un groupe de plus de deux cents membres élus pour soutenir de Gaulle et, par suite, son gouvernement et qui, sauf quelques dissidents moins nombreux que les doigts des deux mains, demeure compact et résolu ; qu'enfin le Premier ministre, qui fixe l'ordre du jour des Chambres, organise leur coopération avec l'exécutif et prend part aux délibérations, trouve chez les parlementaires la considération que lui mérite son talent. En tout cas, l'œuvre législative réalisée pendant cette période sera des plus importantes.

Indépendamment des budgets qui, régulièrement discutés et toujours votés à temps, maintiennent les finances en équilibre et contribuent à l'ordre dans les domaines économique, administratif et social, un grand ensemble de réformes est accompli par la loi. Par exemple : Sont mis en œuvre les programmes d'équipement de la nation, quant aux industries de base, aux universités, aux lycées et aux écoles, à la santé publique et aux hôpitaux, à la recherche scientifique, à la construction de logements, à l'activité sportive. Sont fixés le cadre dans lequel évolue notre agriculture et les moyens nécessaires à sa transformation : orientation, investissements, marchés, assurances sociales, enseignement, distribution de l'eau. Est facilitée la promotion sociale des travailleurs par la formation professionnelle, l'adaptation à des emplois nouveaux, la création d'instituts universitaires du travail, l'accès au rang de technicien supérieur et d'ingénieur. Sont réglés, sur le rapport de la Commission présidée par Pierre-Olivier Lapie et où se rencontrent des compétences et des tendances très diverses, le concours que l'État apporte à l'enseignement privé, le contrôle qu'il y exerce et les obligations qui y sont imposées. Sont assurées la protection des monuments historiques et l'exécution des travaux qui restituent les plus grands dans leur originelle splendeur. Est érigée en une Région l'agglomération parisienne et créé le District qui en fera un tout planifié. Est mis en route le développement rationnel des départements et des territoires d'outremer. Est limité le privilège abusif des bouilleurs de cru. Est adopté le plan de modernisation de la Défense nationale, désormais fondée sur trois éléments : une force atomique destinée à agir par le sol, par la mer et par l'air ; un ensemble de grandes unités de l'armée, de la marine et de l'aviation, fait pour le choc, la manœuvre et l'intervention ; un système terrestre, naval et aérien de défense du territoire.

Les mêmes épreuves nationales, qui bouleversèrent les pouvoirs exécutif et législatif, n'avaient pas laissé d'ébranler le pouvoir judiciaire. Reprenant la tête, je le trouvais en pleine crise de dépression. C'était vrai, d'abord, pour son recrutement. Bien que le niveau d'entrée dans la magistrature ait été abaissé, bien qu'on en ait ouvert l'accès aux femmes, bien que les avocats, les avoués, les professeurs de Droit, y fussent admis pour ainsi dire d'office, il devenait impossible de pourvoir à tous les emplois et on pouvait se demander si, parmi ceux qui les remplissaient, n'allait pas apparaître un lot d'insuffisants et d'incapables. En effet, cette vocation, par excellence honorable et désintéressée, comportait peu d'avantages matériels en un temps où les affaires semblaient en offrir beaucoup. En outre, les secousses morales que les événements avaient fait subir à un Corps qui, entre tous, y est le plus sensible en diminuaient à la fois l'attrait et la cohésion. Telles étaient les conséquences accumulées des serments d'obédience imposés naguère par Vichy, des pressions qu'avaient exercées ce régime et l'ennemi pour que soient condamnés les résistants et les opposants, des sanctions prises à l'égard des juges qui n'y obtempéraient pas, à quoi avait succédé l'inévitable épuration opérée lors de la Libération. Plus récemment, la carrière judiciaire, qui exige l'indépendance, avait dû subir l'intrusion de la politique dans son administration, puisque, aux termes de la Constitution de 1946, plusieurs membres du Conseil supérieur de la Magistrature étaient désignés par l'Assemblée Nationale, autrement dit par les partis. Enfin, le malaise de la Justice était accru par le caractère périmé de son organisation — les tribunaux se trouvant mal répartis et trop nombreux pour une population de plus en plus concentrée dans les villes — et par l'insuffisance de ses moyens techniques et matériels, alors que sa mission revêt une croissante complexité.

Une profonde réforme judiciaire était donc indispensable. Le 22 décembre 1958, je la réalisais, sur la proposition de Michel Debré alors Garde des Sceaux, par deux ordonnances portant lois organiques liées à la Constitution nouvelle et relatives, l'une au Statut de la Magistrature, l'autre à son Conseil supérieur. Pour recruter les magistrats, unifier leur origine, leur donner une première formation, était créé le Centre d'études judiciaires qui s'installait à Bordeaux et qui serait à la Justice ce que l'École nationale d'Administration est à la Fonction publique. Pour que les juges aient une situation matérielle et morale digne de leur état, la hiérarchie était ramenée à deux grades, ce qui régularisait et accélérait l'avancement, les traitements recevaient une très notable majoration, le Conseil supérieur de la Magistrature était, par les changements apportés à

sa composition et à ses attributions, dégagé de la politique.
Pour adapter l'organisation judiciaire à la structure actuelle
du pays, étaient supprimés les tribunaux d'arrondissement
et les justices de paix et institués les tribunaux de grande
instance où se concentraient les affaires, tandis qu'étaient
renforcées les cours d'appel et, du haut en bas, simplifiées
les procédures.

A l'Élysée, je préside le Conseil supérieur de la Magistrature, dont le secrétariat général est assuré auprès de moi
par Pierre Chabrand. Là me sont rapportées, en vue des
nominations, affectations, distinctions, que j'aurai à
décréter, les propositions adressées par le Garde des Sceaux
ou par la Cour de cassation. Là me sont exposées les causes
des condamnés qui demandent leur grâce. Là me sont
fournis, sur chaque sujet général ou particulier, les avis
du ministre et des neuf autres membres. Afin que ce qui
est exprimé ne soit en rien influencé par ma propre manière
de voir, je ne formule mes décisions qu'une fois la séance
terminée.

En dehors du Conseil, pour suivre l'application de la
grande réforme, j'écoute les rapports que m'en fait le
ministre, Edmond Michelet, esprit ouvert, cœur généreux,
compagnon fidèle, dont les combats de la résistance, les
horreurs de la déportation, les blessures de la lutte politique,
ont assombri les illusions sans entamer l'indulgence.
J'entends Nicolas Battestini, premier président de la Cour
de Cassation, et mon ami Maurice Patin, président de la
Chambre criminelle. Je recueille l'avis des premiers
présidents de Cour d'Appel et des procureurs généraux que
je reçois périodiquement à Paris et avec qui je prends
contact lors de mes voyages en province. Ainsi puis-je
voir les magistrats français émerger du doute et de l'amertume où ils étaient souvent plongés, mais rester exposés
aux coups que leur porte notre époque. Je les vois, tels
qu'ils sont presque tous, modestes dans leur existence,
dignes et honnêtes dans leur conduite, mais, par là, assez
isolés au milieu d'une société matériellement avide et
moralement bouleversée. Je les vois, scrupuleux dans les
enquêtes qu'ils mènent et les procès qu'ils jugent, mais

contrariés et intimidés par le tumulte des spécialistes
d'opinion publique qui, d'ordinaire, aspirent au scandale
et prennent parti pour l'impunité. Bref, je les vois attachés
avec conscience et, souvent, avec distinction à leur exigeant
devoir, mais en proie à l'esprit d'une fin de siècle où les vents
dominants sont ceux du relâchement et de la médiocrité.
Cependant, l'effort de redressement entrepris dans ce
domaine comme dans les autres commence à porter ses
fruits. A partir de la réforme, s'améliorent progressivement la situation des magistrats et le fonctionnement des
tribunaux, s'accroissent le nombre et la qualité des jeunes
candidats à la carrière, s'affermit le pouvoir judiciaire
dont dépendent, à tant d'égards, la condition de l'homme
et les assises de l'État.

En somme, j'exerce ma fonction de manière à conduire
l'exécutif, à maintenir le législatif dans les limites qui lui
sont imparties, à garantir l'indépendance et la dignité du
judiciaire. Mais, en outre, j'ai activement affaire aux grands
Corps qui conseillent l'État, au lieu de n'avoir avec eux
que des rapports de forme et de convenance. Le Conseil
Constitutionnel, qui vient d'être créé, est en liaison régulière avec moi, notamment en la personne de son président,
Léon Noël. Tout ce que peut offrir une vaste expérience
juridique, administrative, diplomatique et politique,
quand elle est jointe à la valeur d'un esprit d'envergure
et à l'ardeur d'un patriote, il l'apporte aux avis qu'il me
donne sur le fonctionnement de nos nouvelles institutions.
Au Conseil Économique et Social, les représentants des
principales activités du pays examinent les projets touchant au progrès et au développement, en particulier
le Plan. Je consulte leurs compétences : le Président Émile
Roche, bien informé de tout, Robert Bothereau et Gabriel
Ventejol de la C.G.T.F.O., Maurice Bouladoux et Georges
Levard de la C.F.T.C., Georges Lebrun de la C.G.T.,
André Malterre et Roger Millot de la C.G.C., Léon Gin-
gembre des P.M.E., Joseph Courau et Albert Génin de la
F.N.S.E.A., Marcel Deneux et Michel Debatisse des Jeunes
Agriculteurs, René Blondelle des Chambres d'Agriculture,
Georges Villiers du Patronat, Georges Desbrière des

Chambres de Commerce, etc. Avec intérêt, j'écoute ces
hommes qualifiés, d'autant plus volontiers que, pendant
nos entretiens, leurs propos gardent un ton mesuré qui
fait contraste avec le tour virulent de leurs déclarations
publiques. Cependant, intransigeants qu'ils sont à faire
valoir leurs points de vue opposés, mais sachant que l'État
est l'arbitre et, souvent, le dispensateur, c'est sur lui que
chacun concentre ses griefs et ses exigences.

Le Conseil d'État est, autant que jamais, une élite
d'intelligences formées par l'étude du Droit et des Sciences
économiques et dont les plus jeunes ont fleuri récemment
aux parterres de l'École nationale d'Administration. Dans
ses examens juridiques et ses jugements au contentieux,
beaucoup de ses membres demeurent, à tout âge, fidèles
aux principes d'impartialité qui sont sa raison d'être et
ont fait sa grandeur. Plusieurs d'entre eux qui sont auprès
de moi et nombre d'autres détachés dans des postes administratifs ou aux côtés des ministres y déploient de bril-
lants mérites. Mais certains se livrent volontiers aux courants de la politique. C'est le cas, en particulier, de ceux
qui, ayant naguère quitté le Conseil pour être parlementaires et, même, devenir ministres, l'ont réintégré après
des déboires électoraux. Il en résulte que les « avis » formulés
au Palais-Royal sur les décrets et projets de loi préparés
par le Gouvernement se ressentent quelquefois des tendances. René Cassin, qui fut en temps de guerre et de paix
un champion de la démocratie et un apôtre des Droits de
l'homme, puis Alexandre Parodi, consacré par les grands
services qu'il a rendus à la République quand le danger
était au plus fort, dirigent successivement les travaux du
Conseil. Ils m'en font l'exposé assez clairement pour que
j'en tire profit et assez sincèrement pour que j'y discerne
ce qui doit être pris et laissé. La situation du Corps judiciaire, ses besoins, ses souhaits, le fonctionnement de la
Cour de Cassation, toujours formée de magistrats éminents
mais submergée de causes accumulées et à qui manquent
moyens et auxiliaires, sont les sujets qu'éclairent pour
moi le Premier Président Battestini et le Procureur général
Besson. Le rôle de la Cour des Comptes est remis en honneur

et en vigueur, dès lors que le sont l'équilibre du budget et l'ordre dans les dépenses. Le Premier Président Roger Léonard et le Procureur général Vincent Bourrel, quand ils viennent me soumettre les résultats des contrôles de l'Assemblée, savent que je les utiliserai moi-même, d'autant mieux que, les retards quasi séculaires étant maintenant comblés, ils s'appliquent aux exercices récents.

Le Délégué général : Pierre Piganiol puis André Maréchal, me tient au fait des travaux de plus en plus vastes de la Recherche Scientifique, des désirs de plus en plus étendus des chercheurs, des besoins de plus en plus grands des laboratoires. Je suis de près l'activité du Commissariat à l'Énergie atomique dont me rendent compte le Haut-Commissaire Francis Perrin, l'Administrateur général Pierre Couture et le Directeur des applications militaires l'Ingénieur principal Jacques Robert, ce dernier étant l'animateur et le maître d'œuvre des recherches, travaux et expériences d'où sort notre armement nucléaire. Ce qui se passe dans les Armées et ce qu'on y souhaite m'est exposé régulièrement par le général Chef d'État-major de leur ensemble, successivement : Ély, Olié et Ailleret, ainsi que par le Chef d'État-major et l'Inspecteur de chacune des trois ; leurs rapports complètent utilement, pour ma gouverne, ceux que m'en fait le ministre. Enfin, j'ai souvent affaire au général Catroux, Grand-Chancelier de la Légion d'Honneur. Pour couronner sa magnifique carrière, il élabore le Code nouveau en vertu duquel l'Ordre va être guéri de sa maladie d'inflation et prépare l'Acte qui, bientôt, instituera l'Ordre du Mérite national. Quant à l'Ordre de la Libération, la vie exemplaire qu'il mène et dont m'entretient son Chancelier : le général Ingold puis Claude Hettier de Boislambert, est pour moi un réconfort.

Sur un plan complètement différent, mais auquel j'attache un grand prix, je reçois à plusieurs reprises la visite, toujours discrète et pleine d'intérêt, du Comte de Paris. Avec beaucoup de hauteur de vues et de pertinence, l'héritier de nos rois ne se montre soucieux que de l'unité nationale, du progrès social, du prestige de notre pays.

C'est de cela qu'il me parle et de la même remarquable manière qu'en traite le « Bulletin » où sont exposées ses idées. Je dois dire que, de chaque entretien avec le Chef de la Maison de France, je tire profit et encouragement.

C'est pour me rendre compte de leur action et de leurs difficultés que viennent me voir, sur ma convocation, les hommes qui, au premier rang de la fonction publique, répondent de l'exécution. Ainsi des principaux directeurs de ministère : leur tâche ne cesse de s'accroître à mesure que s'étend le domaine administratif. Ainsi des dirigeants des services publics et des entreprises nationalisées : sans doute sont-ils épargnés par les affres de la concurrence, mais, en revanche, il leur faut subir les entraves de la tutelle des Finances et, en même temps, les revendications dispendieuses des syndicats. Ainsi des préfets : tout leur est imputé de ce qui se passe dans leur département, notamment pour ce qui concerne l'économique et le social et qui est, à présent, au premier plan, mais le fait est que leur autorité est reconnue partout et qu'ils sont effectivement les chefs de la vie locale. Ainsi de nos ambassadeurs : pour eux aussi, les questions pratiques, techniques, commerciales, deviennent essentielles à leur mission et, à cet égard-là comme à d'autres, ils mesurent ce que vaut la restauration du crédit politique de la France. Ainsi des recteurs d'Académie : ils voient avec satisfaction sortir de terre des universités, des lycées, des collèges, des écoles, et affluer des professeurs nouveaux, mais ils pressentent les secousses qu'entraînera, tôt ou tard, la marée montante des effectifs scolaires et ils s'inquiètent de la crise qui menace d'éclater, un jour, dans leurs établissements, où une partie du corps enseignant ne cesse de battre en brèche l'autorité, quelle qu'elle soit, et compromet son prestige traditionnel par des grèves répétées qui scandalisent ses disciples. Ainsi des commandants des régions militaires, maritimes et aériennes : les événements d'Algérie n'ont dévoyé aucun d'entre eux mais les ont moralement éprouvés ; tous sont anxieux, par-dessus tout, de voir la France reconstruire sa puissance.

En somme, les Corps constitués français forment toujours un tout capable et digne. Grâce au sens des réalités et de l'organisation qui inspira jadis les architectes du monument, celui-ci dure depuis Napoléon en dépit de toutes nos épreuves et de l'incroyable instabilité de nos régimes et gouvernements. Certes, il faut maintenant assouplir les modes de recrutement, élargir les domaines et les circonscriptions, adapter ces divers Corps à l'évolution qui met l'économique, le social, le scolaire, au premier plan de l'action publique et fait passer la France d'une existence rurale et villageoise à une autre industrielle et urbaine. Mais demeurent valables : leur conception d'origine, l'expérience qu'ils ont acquise, l'idée que s'en fait la nation qui, volontiers, les fronde et les brocarde mais n'entend pas les détruire. De leur côté, ils apprécient l'espèce de révolution qui donne une tête à la République. Un sentiment d'allègre contentement plane sur les réunions qui groupent leurs représentants autour du général de Gaulle, comme à l'Élysée pour les vœux de nouvelle année, ou dans les départements à l'occasion de mes visites. Chacun y est fort aise de sentir que l'édifice de l'État a désormais sa clef de voûte, cimentée avec les piliers.

Mais c'est au peuple lui-même, et non seulement à ses cadres, que je veux être lié par les yeux et les oreilles. Il faut que les Français me voient et m'entendent, que je les entende et les voie. La télévision et les voyages publics m'en donnent la possibilité.

Pendant la guerre, j'avais tiré beaucoup de la radio. Ce que je pouvais dire et répandre de cette façon avait certainement compté dans le resserrement de l'unité nationale contre l'ennemi. Après mon départ, les ondes m'étant refusées, ma voix n'avait plus retenti que dans des réunions locales. Or, voici que la combinaison du micro et de l'écran s'offre à moi au moment même où l'innovation commence son foudroyant développement. Pour être présent partout, c'est là soudain un moyen sans égal. A condition toutefois que je réussisse dans mes apparitions. Pour moi, le risque n'est pas le premier, ni le seul, mais il est grand.

Si, depuis les temps héroïques, je m'étais toujours

contraint, quand je discourais en public, à le faire sans
consulter de notes, au contraire, parlant dans un studio,
mon habitude était de lire un texte. Mais, à présent, les
téléspectateurs regardent de Gaulle sur l'écran en l'entendant sur les ondes. Pour être fidèle à mon personnage, il
me faut m'adresser à eux comme si c'était les yeux dans
les yeux, sans papier et sans lunettes. Cependant, mes
allocutions à la nation étant prononcées « ex cathedra »
et destinées à toutes sortes d'analyses et d'exégèses, je
les écris avec soin, quitte à fournir ensuite le grand effort
nécessaire pour ne dire devant les caméras que ce que j'ai
d'avance préparé. Pour ce septuagénaire, assis seul derrière
une table sous d'implacables lumières, il s'agit qu'il paraisse
assez animé et spontané pour saisir et retenir l'attention,
sans se commettre en gestes excessifs et en mimiques
déplacées.

Maintes fois en ces quatre ans, les Français, par millions
et par millions, rencontrent ainsi le général de Gaulle.
Toujours, je leur parle beaucoup moins d'eux-mêmes que
de la France. Me gardant de dresser parmi eux ceux-ci
contre ceux-là, de flatter l'une ou l'autre de leurs diverses
fractions, de caresser tel ou tel de leurs intérêts particuliers,
bref d'utiliser les vieilles recettes de la démagogie, je
m'efforce au contraire de rassembler les cœurs et les esprits
sur ce qui leur est commun, de faire sentir à tous qu'ils
appartiennent au même ensemble, de susciter l'effort
national. En chaque occasion, je vise à montrer où nous
en sommes collectivement devant le problème du moment,
à indiquer comment nous pouvons et devons le résoudre,
à exalter notre volonté et notre confiance d'y réussir. Cela
dure vingt minutes environ. Le soir, le spectacle paraît
sur la scène universelle sans que murmures ni applaudissements me fassent savoir ce qu'en pense l'immense et
mystérieuse assistance. Mais ensuite, dans les milieux de
l'information, s'élève, à côté du chœur modeste des voix
favorables, le bruyant concert du doute, de la critique et
du persiflage stigmatisant mon « autosatisfaction ». Par
contre, il se découvre que, dans les profondeurs nationales,
l'impression produite est que : « C'est du sérieux ! »,

que : « De Gaulle est bien toujours pareil ! », que : « Ah !
tout de même ! la France, c'est quelque chose ! » L'effet
voulu est donc atteint, puisque le peuple a levé la tête et
regardé vers les sommets.

Cependant, mes allocutions sont nécessairement trop
sommaires pour que j'y traite des grandes questions avec
assez de précision. Pour le faire, j'utilise la conférence de
presse, d'ailleurs télévisée et radiodiffusée et dont la
plupart des journaux reproduisent le texte intégral. Deux
fois par an, sont invités à l'Élysée les délégués de toutes les
publications françaises, les représentants de toutes les
agences internationales, les correspondants de tous les
organes étrangers. Il s'y joint quelques fonctionnaires
spécialisés des ministères et des ambassades. Le Gouvernement est là, groupé à côté de moi. Un millier de participants sont assis dans la « salle des fêtes » pour assister à
cette espèce de cérémonie rituelle à laquelle les souvenirs
du passé et les curiosités du présent donnent une dimension
mondiale. Je m'y trouve devant la sorte d'assistance qui
est la moins saisissable, formée de gens que leur métier
blase au sujet des valeurs humaines, dont les jugements
ne portent qu'à condition d'être acérés et qui, souvent, en
vue du titre, du tirage, de la sensation, souhaitent d'avoir
à décrire des échecs plutôt que des réussites. Il n'empêche, qu'à travers leur réserve, leur ironie, leur scepticisme, je discerne l'avidité de ces informateurs et la
considération de ces connaisseurs. A l'intérêt qu'ils me
témoignent répond celui que je leur prête. Il en résulte
qu'une atmosphère d'attention soutenue enveloppe la
conférence et souligne le caractère qu'elle a d'être, à chaque
fois, un événement.

D'ailleurs, j'ai soin qu'elle annonce des décisions, en
même temps qu'elle prend le tour d'un examen des problèmes. Les sujets sont, naturellement, imposés par les
circonstances. Ce que je compte dire de chacun a été,
quant à l'essentiel, bien préparé. D'autre part, mon chargé
de mission pour la presse s'est assuré avant la réunion que
des questions me seront posées à leur propos. J'y réponds
donc à mesure, de telle sorte que le tout soit l'affir-

mation d'une politique. Bien entendu, il ne manque pas d'interrogations malicieuses qui visent à m'embarrasser. J'arrête ces tentatives par quelques boutades qui font rire. Pendant une heure et demie, l'action et les intentions de la France en ce qui concerne : les institutions, l'économie, les finances, les questions sociales, la décolonisation, l'Algérie, les Affaires étrangères, la défense, etc., sont ainsi mises en lumière et, je le crois bien, plus franchement et complètement qu'elles ne le furent jamais auparavant. A peine ai-je terminé que se déchaîne la ruée vers les téléscripteurs, les téléphones, les salles de rédaction. Le lendemain, paraissent les déclarations que les porte-parole de toutes les tendances prodiguent sur mes propos, les interprétations qu'en donnent en exergue les radios françaises et étrangères, les articles, généralement hostiles, ou du moins pointus et piquants, qui les évoquent dans tout ce qui s'imprime. Puis l'information, ayant montré par son propre tumulte que mes déclarations ont «passé la rampe», se rassure elle-même en concluant : « Il n'a rien dit de nouveau ! »

Par le son et l'image, je suis proche de la nation, mais en quelque sorte dans l'abstrait. D'autre part, les cérémonies publiques, les prises d'armes, les inaugurations, auxquelles je donne assurément toute la solennité voulue, mais où je figure entouré du rituel qui est de rigueur, ne me mettent guère au contact direct des personnes. Pour qu'un lien vivant s'établisse entre elles et moi, j'entends me rendre dans tous les départements. Entre le début et le milieu de ce septennat, indépendamment des tournées outre-mer, j'en aurai vu, en trois ans et demi, soixante-sept dans la métropole. Ainsi se déroulent en province dix-neuf voyages de quatre, cinq ou six jours. Pendant l'année 1959, je visite, en février : la Haute-Garonne, le Gers, l'Ariège, les Pyrénées-Orientales, les Hautes-Pyrénées, les Basses-Pyrénées ; en avril : l'Yonne, la Nièvre, l'Allier, la Saône-et-Loire, la Côte-d'Or ; en mai : le Cher, l'Indre, le Loiret, le Loir-et-Cher, l'Indre-et-Loire ; en juin : le Cantal, la Haute-Loire, le Puy-de-Dôme, la Loire ; en septembre : le Pas-de-Calais, le Nord ; en novembre : le territoire de Belfort, le Haut-Rhin,

le Bas-Rhin. Pour 1960, ce sont, en février : le Tarn,
l'Aude, le Gard, l'Hérault ; en juillet : la Manche, l'Orne, le
Calvados, l'Eure, la Seine-Maritime ; en septembre : le
Finistère, les Côtes-du-Nord, le Morbihan, la Loire-Atlan-
tique, l'Ille-et-Vilaine ; au début d'octobre : l'Isère, la
Haute-Savoie, la Savoie ; à la fin du même mois : les Hautes-
Alpes, les Basses-Alpes, les Alpes-Maritimes. Pour 1961, en
avril : les Landes, le Tarn-et-Garonne, le Lot-et-Garonne, la
Dordogne, la Gironde ; en fin de juin et début de juillet :
la Meuse, les Vosges, la Meurthe-et-Moselle, la Moselle ; en
septembre : l'Aveyron, la Lozère, l'Ardèche ; en novembre :
la Corse, le Var, les Bouches-du-Rhône. Pour le premier
semestre de 1962, en mai : le Lot, la Corrèze, la Creuse,
la Haute-Vienne ; en juin : la Haute-Saône, le Jura, le
Doubs.

Chaque département est parcouru tout entier du matin
au soir. Le programme ne change guère de l'un à l'autre.
Grande réception au chef-lieu, comportant : sur l'espla-
nade, la revue des troupes ; à la préfecture, les réunions
successives des parlementaires, du Conseil général, des
Corps constitués, des maires de toutes les communes, et les
audiences données aux délégations, à l'évêque du diocèse,
au pasteur, au rabbin, aux principaux fonctionnaires, aux
officiers généraux ; à l'Hôtel de Ville, la présentation du
Conseil municipal, puis celle des personnalités ; sur la
grande place, où est amassée une foule considérable et
où l'enthousiasme se déchaîne, le discours à la population ;
entre-temps, si c'est dimanche, la messe à la Cathédrale ;
en tout cas, le grand dîner offert aux élus et aux notables
à la Préfecture où je passais la nuit. Cérémonies du même
genre dans les sous-préfectures et d'autres agglomérations,
où ont toujours lieu le passage à l'Hôtel de Ville, l'adresse
solennelle de la municipalité, l'allocution aux habitants
rassemblés. Traversée de multiples bourgs et villages, où
le cortège fait halte afin que, devant tout le monde, le maire
salue le général de Gaulle et que celui-ci lui réponde. Au
long du chemin, visites d'usines, de chantiers, de mines,
d'exploitations agricoles, d'universités, de laboratoires,
d'écoles, d'établissements militaires, etc. Dans toutes les

localités, grandes ou petites, où je m'arrête, l'attroupement
populaire est chaleureux, l'ambiance joyeuse, le pavoise-
ment touchant. Sur les routes que je suis, les gens viennent en grand nombre pour applaudir. Où que je prenne
la parole en public retentissent d'ardentes acclamations.
Toutes les *Marseillaises* que j'entonne sont chantées en
chœur par toutes les voix. Quand je me mêle à la foule
ou vais à pied par les rues, tous les visages s'éclairent,
toutes les bouches crient leur plaisir, toutes les mains
se tendent vers moi. En soixante-dix jours, j'ai vu
douze millions de Français, parcouru quarante mille
kilomètres, parlé six cents fois dans des conseils ou des
réunions, quatre cents fois du haut des tribunes, serré
cent milliers de mains. Pendant le même temps, ma femme,
en toute discrétion, est allée voir quelque trois cents hôpitaux, maternités, maisons de retraite, orphelinats, centres
d'enfants malades ou handicapés. Au cours de tous mes
voyages, deux seuls épisodes discordants : peu de monde
à Grenoble pour m'écouter devant la préfecture ; coïnci-
dence de mon passage dans le port de Marseille avec
une grève des dockers qui déploient, au bout des jetées,
les banderoles de leurs revendications. Au total, il se
produit autour de moi, d'un bout à l'autre du territoire,
une éclatante démonstration du sentiment national qui
émeut vivement les assistants, frappe fortement les observateurs et apparaît ensuite partout grâce à la télévision. Dans chacune de ses contrées, notre pays se donne
ainsi à lui-même la preuve spectaculaire de son unité
retrouvée. Il en est ému, ragaillardi, et moi j'en suis
rempli de joie.

D'ailleurs, des moissons d'impressions et de précisions
pratiques sont récoltées au cours de ces tournées. Sur le
relief immuable de la France et le fond permanent de ses
populations, je vois sur place comment est accomplie
et peut être améliorée la transformation que lui font subir
une industrie devenue primordiale, une agriculture désormais mécanisée, une natalité maintenant considérable,
une scolarité de plus en plus débordante, des transports que
le moteur multiplie et accélère de jour en jour. Bien que

notre pays, comparé à d'autres, tels que l'Allemagne,
l'Angleterre, la Belgique, les Pays-Bas, rencontre en lui-
même, à cause de sa géographie, de son manque de matières
premières, de sa faible densité humaine et de son caractère
à la fois contestataire et conservateur, des résistances
particulièrement fortes quant aux changements nécessaires,
bien que ceux-ci présentent entre les régions, plus diverses
qu'elles ne le sont ailleurs, de grandes différences de dimension et de rythme. ils n'en sont pas moins en cours partout.
Où que j'aille, une fois évoqué dans les adresses ce qui est
dû aux souvenirs de la Libération, les préfets, les élus, les
délégués, les fonctionnaires, ne m'entretiennent que de
construction, d'urbanisation, de création de zones industrielles, pour les villes en expansion ; de crédits, de marchés,
de remembrement, de distribution de l'eau, de travaux de
voirie, pour les campagnes qui se modernisent ; de facultés,
d'écoles, de lycées, de collèges techniques, qui ne sont
jamais assez nombreux ni assez grands ; de routes à élargir,
de canaux à creuser, d'aérodromes à installer, afin que la
vie circule mieux et que la prospérité vienne plus vite.
Ce que j'entends et vois me fait discerner sur place, dans
leur rigueur et leur étendue, les nécessités nationales que
sont : l'équipement et l'aménagement du territoire, la
création de régions et la fusion de communes en vue d'agrandir des circonscriptions administratives trop petites pour
notre temps, la participation directe, depuis le haut jusqu'en bas, des organismes économiques et sociaux à l'étude
et à l'application des plans qui n'incombent encore qu'à
des Conseils sortis de l'élection politique. Au retour à Paris,
les conclusions que je tire de mes voyages et les observations qu'en rapportent les ministres qui m'ont accompagné
contribuent à éclairer l'action du Gouvernement.

Mis à part les déplacements officiels en France et à
l'étranger, les conférences à Rambouillet, les séjours à
Colombey-les-deux-Églises, soit au total le quart de mon
temps, c'est naturellement à l'Élysée que se déroule mon
existence. Le déterminisme de l'Histoire m'a installé dans
ce palais, dont j'apprécie la grâce quelque peu désuète
et la situation assez commode par rapport aux divers

ministères, mais qui présente, à mes yeux, certains inconvénients. Naguère en bordure de Paris, l'Élysée est maintenant enclavé dans la capitale, ce qui, compte tenu des
servitudes que m'imposent conjointement la Sécurité,
le Protocole, la circulation, la curiosité publique, fait qu'en
somme j'y suis enfermé, à moins que, dûment escorté
sur les avenues vidées de voitures et bordées d'assistants
chaleureux, je ne me rende à la cérémonie, au monument
ou à l'exposition. L'édifice comporte des salons fort beaux,
garnis de meubles anciens, à peine suffisants pour les
inévitables réceptions, mais n'offre que très peu de place
aux services d'une Présidence devenue très active. En outre,
depuis que l'immeuble appartient au domaine national,
en vertu du legs que Madame de Pompadour fit au roi,
peu de grands événements y ont laissé leur souvenir, à
l'exception, non exemplaire, de l'ultime abdication de
Napoléon Ier et du déclenchement par son neveu du coup
d'État du 2 décembre. Pour toutes ces raisons, je me suis
demandé s'il ne convenait pas de fixer ailleurs ma résidence
et mes bureaux. Mais, comme ont disparu, depuis 1871,
les châteaux jadis appropriés à une telle destination :
celui des Tuileries incendié par la Commune, celui de Saint-
Cloud brûlé par les Prussiens ; comme Versailles serait
excessif ; comme le Trianon menace ruine ; comme Fontainebleau, Rambouillet, Compiègne, sont trop éloignés ;
comme Vincennes — à quoi j'ai songé — se trouve en pleine
restauration, je m'accommode de ce qui est tout de suite
disponible et, au surplus, conforme à de longues habitudes
administratives et parisiennes. Du vieil Élysée, la République nouvelle va donc tirer, quant à son fonctionnement
et à sa réputation, le meilleur parti possible.

On y travaille méthodiquement, en dehors de toute
agitation. A mon bureau, que j'ai installé dans la pièce
capitale du premier étage, j'arrive chaque jour à neuf
heures et demie, ayant déjà pris connaissance des principales nouvelles et parcouru les journaux. Ma matinée est
employée à lire telles ou telles notes relatives aux affaires
intérieures et les dépêches diplomatiques ; à formuler, le
cas échéant, au sujet de celles-ci et de celles-là, des obser-

vations aussitôt transmises à qui de droit ; à présider, chaque mercredi, le Conseil des ministres, une ou deux fois par semaine des conseils restreints dont les plus fréquents concernent : l'Algérie, l'Économie, les Affaires étrangères, périodiquement le Conseil supérieur de la Défense nationale et le Conseil supérieur de la Magistrature ; à recevoir le Premier ministre, un autre membre du Gouvernement, un ministre étranger de passage, un ambassadeur, un académicien. Après le déjeuner, qu'il s'y trouve, ou non, des invités, les affaires reprennent incontinent. Quelques hauts-fonctionnaires, délégations ou personnalités reçoivent audience. Une ou deux heures sont consacrées à l'étude des dossiers relatifs aux prochains Conseils. Enfin, j'écoute les rapports que viennent me faire successivement mes principaux collaborateurs : le Secrétaire général de la Présidence Geoffroy de Courcel, le Directeur du Cabinet, René Brouillet, le Chef de l'État-major particulier, général de Beaufort, puis général Olié, enfin général Dodelier, le Secrétaire général pour la communauté et les affaires africaines et malgaches Jacques Foccart. A eux se joint parfois l'un ou l'autre des « conseillers techniques » ou « chargés de mission » : Olivier Guichard, puis Pierre Lefranc, pour les affaires politiques, Jean-Marc Boegner, puis Pierre Maillard, pour les Affaires étrangères, André de Lattre, puis Jean-Maxime Levesque et Jean Méo pour les Finances et l'Économie, Bernard Tricot, puis Jacques Boitreaud, pour les questions constitutionnelles et législatives, Jean-Jacques de Bresson pour l'Algérie et pour les problèmes judiciaires, Pierre Lelong et Guy Camus pour l'Éducation Nationale et la Recherche scientifique. Jean Chauveau pour l'Information, Xavier de Beaulaincourt pour la correspondance privée. Tel est « l'entourage », peu nombreux, mais de qualité. Ayant entendu les exposés, j'arrête les décisions et signe décrets et courrier. A huit heures du soir, je quitte ma table de travail. Il est extrêmement rare que j'y revienne avant le lendemain. Par principe et par expérience, je sais en effet, qu'à mon plan, pour conduire les événements, il ne faut pas se précipiter.

La résidence du Président est naturellement le cadre de continuelles visites, invitations et cérémonies. Comme tout compte, s'il s'agit du prestige de l'État, je tiens pour important, qu'à cet égard, les choses se passent avec ampleur et mesure, bonne grâce et dignité. C'est bien aussi ce que veut la maîtresse de maison, ma femme. Le Directeur du protocole, Ludovic Chancel, puis Pierre Siraud, s'y emploie efficacement. Nos réceptions sont donc fréquentes et nous tâchons qu'elles soient de bon ton. Au cours de cette période, indépendamment de mes quatre milliers d'invités dans toutes les préfectures de France, quinze mille français et étrangers s'assoient à notre table à l'Élysée. Autant d'autres y sont accueillis. Quelles que soient l'occasion et l'envergure de ces réunions, qui vont depuis le dîner d'apparat et la pompeuse soirée en l'honneur d'un Chef d'État, jusqu'au déjeuner intime offert à quelques hôtes choisis, en passant par toutes sortes de repas et de réceptions pour le Gouvernement, le Parlement, les grands Conseils, le Corps diplomatique, les Corps constitués, la Magistrature, les Armées, le Corps enseignant, le monde économique et social, celui des lettres, des arts, des sciences, celui des sports, etc., ces devoirs de représentation ajoutent beaucoup aux astreintes intellectuelles et physiques de ma charge, tout en me permettant d'aborder, d'homme à homme, bon nombre de gens de valeur.

Le temps, bien court, que ne me prend pas l'exercice de mes fonctions, je le passe avec ma femme en toute intimité. Le soir, la télévision et, quelquefois, le cinéma font défiler devant nous nos contemporains, au lieu que ce soit l'inverse. Le dimanche, viennent nous voir nos enfants et petits-enfants s'ils sont présents à Paris et que mes obligations le permettent. Mon fils et mon gendre, après avoir durement et brillamment combattu dans les rangs des Forces françaises libres, ont poursuivi, l'un dans l'Aéronautique navale, l'autre dans l'Arme blindée, leur stricte carrière d'officier. Pendant que leur père et beau-père accomplit les quatre premières années de sa mission renouvelée, le capitaine de corvette, puis capitaine de

frégate de Gaulle va tour à tour, après les cours de
l'École de guerre navale, embarquer sur l'escorteur d'es-
cadre « Duperré », être affecté à l'État-major de la Marine,
commander l'escorteur rapide « Le Picard » qui croise sur
les côtes algériennes et arraisonne les navires suspects,
enfin servir à l'État-major des Armées ; le colonel Alain
de Boissieu commande à Châteaudun-du-Rummel, dans
le Constantinois, le 4e Régiment de Chasseurs à cheval,
puis dirige à Alger le Cabinet militaire du Délégué général
Delouvrier, devient ensuite chef d'État-major de l'Inspection de son arme, pour, de là, passer au Centre des
Hautes Études militaires et à l'Institut de Défense nationale. Tous deux, ainsi que notre fille, notre belle-fille
et leurs enfants, voient la France comme je la vois. Il en
est de même de nos frères et sœurs et de l'ensemble de
nos neveux et nièces. Cette harmonie familiale m'est pré-
cieuse. Chaque fois que cela est possible, nous gagnons
notre maison de La Boisserie. Là, pour penser, je me
retire. Là, j'écris les discours qui me sont un pénible et
perpétuel labeur. Là, je lis quelques-uns des livres qu'on
m'envoie. Là, regardant l'horizon de la terre ou l'immensité
du ciel, je restaure ma sérénité.

Comment celle-ci ne se ressentirait-elle pas de la fatigue
éprouvée, des obstacles rencontrés, de l'hypothèque qui
pèse sur l'avenir de ce que j'entreprends? Il me faut bien
voir, notamment, que l'évident redressement de la France
ne fait qu'exaspérer l'opposition de ceux qui, naguère,
se tenaient et étaient tenus pour les dirigeants de l'opinion
politique. Ce que je puis accomplir ne trouve grâce d'aucun côté de l'éventail des partis et des journaux et, à
peine est en vue le règlement du drame algérien, que le
concours des malveillances redouble. François Mauriac,
dont son attachement à la France, sa compréhension de
l'Histoire, son appréciation patriotique et esthétique de
la grandeur, son art de pénétrer et de peindre les ressorts
des passions humaines, font un observateur incomparable
de notre temps, constate dans son Bloc-notes, le 12 mars
1962 : « Ce qui n'est pas un rêve, c'est l'incroyable force
de ce vieil homme dont tout ce qui compte en politique,

à droite et à gauche, souhaite, attend, prépare la chute, une fois la paix acquise, ... et dont nous sentons bien que sa solitude même le fortifie face à cette meute épuisée et grondante qui l'entoure ».

A vrai dire, la coalition hostile des comités et des stylographes, si parfois elle me désoblige, ne m'atteint pas profondément. Je sais que le papier supporte tout et que le micro diffuse n'importe quoi. Je sais à quel point les mots provocants tentent les professionnels du style. Je sais ce que les institutions nouvelles, ma présence à la tête de l'État, ma façon de conduire les affaires, enlèvent d'importance et de moyens d'intervention à d'anciennes influences, dominantes sous l'ancien régime et navrées de ne l'être plus. Je sais, en particulier, combien leur coûte la distance où, non par dédain, mais par principe, je crois devoir les tenir. Pour m'apaiser à leur égard, quand leurs rancœurs dépassent la mesure, je me répète, comme Corneille le fait dire à Octave :

« Quoi ! Tu veux qu'on t'épargne et n'as rien épargné ! »

Mais, si je suis peu sensible aux coups portés à ma personne par paroles et par écrits, je le suis davantage à l'impression qu'à travers moi c'est l'idée même du redressement national qui provoque tant de refus et de colères dans les milieux notables de la nation. Tout se passe comme si les anciennes écoles dirigeantes, quelles que soient leurs activités, leurs étiquettes, leurs idéologies, avaient pris parti pour la décadence, soit par vertige devant les failles à franchir pour la conjurer, soit parce qu'en se pénétrant du sentiment qu'on ne saurait l'éviter ils l'érigent intellectuellement en défi et en doctrine, soit enfin pour cette raison que leurs routines et leurs faiblesses y trouveraient une chance de durée et une apparence de justification. Par là se pose de la manière la plus préoccupante la question de savoir ce qu'il adviendra du pays quand, avec moi, aura disparu cette sorte de phénomène que représente, à la direction de l'État, une autorité effective, légitimée par les événements et confondue avec la foi et l'espérance du peuple français.

Cependant, avant que je n'en vienne à aborder ce problème « de la succession », je dois dire que les résultats atteints quatre ans après mon retour me paraissent encourageants. Au lieu que notre pays restât plongé dans la confusion politique dérisoire où il se débattait, j'ai voulu l'amener à choisir un État qui ait une tête, un gouvernement, un équilibre, une autorité. C'est fait ! Plutôt que de le laisser verser son sang, perdre son argent, déchirer son unité, en s'accrochant à une domination coloniale périmée et injustifiable, j'ai voulu remplacer l'ancien Empire par l'association amicale et pratique des peuples qui en dépendaient. Nous y sommes ! Alors que le laisser-aller économique, le déficit financier, la chute chronique du franc, l'immobilisme social, entravaient le progrès nécessaire à la prospérité et à la puissance de la France, j'ai voulu qu'un plan règle vraiment son développement moderne, que ses budgets soient en ordre, que sa monnaie ait une valeur solide et indiscutée, que la porte soit ouverte au changement des rapports entre ses enfants par un début de participation de tous à la marche des entreprises. Elle y est parvenue ! Afin que l'Europe cessât d'être un champ de haines et de dangers, d'étaler de part et d'autre du Rhin et des Alpes sa division économique et politique, de dresser les uns contre les autres ses peuples de l'Ouest et de l'Est sous prétexte d'idéologies, j'ai voulu que la France et l'Allemagne deviennent de bonnes voisines, que prenne corps le Marché commun des Six, que soit tracé le cadre dans lequel ils peuvent conjuguer leur action vers le dehors, que renaissent la sympathie et la confiance naturelles entre les Slaves et les Français. Le tout est en bonne voie ! Tandis que la France renonçait à elle-même, en s'égarant dans d'astucieuses nuées supranationales, en abandonnant sa défense, sa politique, son destin, à l'hégémonie atlantique, en laissant à d'autres les champs d'influence, de coopération, d'amitié, qui lui étaient jadis familiers dans le tiers-monde, j'ai voulu que parmi ses voisins elle fasse valoir sa personnalité tout en respectant la leur, que sans renier l'alliance elle refuse le protectorat, qu'elle se dote d'une force capable de dissuader toute agression et comportant, au premier chef, un armement nucléaire, qu'elle reparaisse dans les pensées, les activités et les espoirs de l'univers, au total qu'elle recouvre son indépendance et son rayonnement. C'est bien là ce qui se passe !

Sur la pente que gravit la France, ma mission est toujours de la guider vers le haut, tandis que toutes les voix d'en bas l'appellent sans cesse à redescendre. Ayant, une fois encore, choisi de m'écouter, elle s'est tirée du marasme et vient de franchir l'étape du renouveau. Mais, à partir de là, tout comme hier, je n'ai à lui montrer d'autre but que la cime, d'autre route que celle de l'effort.

TABLE DES MATIÈRES

IMPRIMERIE HERISSEY — EVREUX 27

Dépôt légal : 3ᵉ trimestre 1970 Nᵒ d'imp. : 10123 Nᵒ Éditeur : 1733

Imprimé en France

CET OUVRAGE, TIRÉ SUR SELECTEKA,
A ÉTÉ ACHEVÉ D'IMPRIMER
SUR LES PRESSES DE
L'IMPRIMERIE HÉRISSEY — ÉVREUX
LE 30 AOUT 1970

LA RELIURE A ÉTÉ EXÉCUTÉE DANS
LES ATELIERS DE LA N.R.I.
A AUXERRE
ET DE LA NOUVELLE
RELIURE SCHMITT
A STRASBOURG-MEINAU